漢字検定 準2級 頻出度順問題集

高橋書店

頻出ベスト100

書き取り

訓読みを優先して覚えよう

「書き取り」では、音読み15問、読み10問程度が出題される。中でも訓読みは同じ問題が繰り返し出題されやすい。優先的に対策しよう。

番号	問題	解答
1	ショウガイ	生涯
2	イヤ	嫌
3	クダく	砕く
4	モドる	戻る
5	ヤワらぐ	和らぐ
6	チカう	誓う
7	ソコなう	損なう
8	ワかす	沸かす
9	タタミ	畳
10	イノる	祈る
11	ウスらぐ	薄らぐ
12	クルう	狂う
13	クる	繰る
14	ガンコ	頑固
15	ウえる	飢える
16	ホッタン	発端
17	ツる	釣る
18	ロコツ	露骨
19	ツくす	尽くす
20	ハンバイ	販売
21	ユルむ	緩む
22	ウルオす	潤す
23	ツける	漬ける
24	クちる	朽ちる
25	スイトウ	水筒
26	ユれる	揺れる
27	ニブい	鈍い
28	シモヤけ	霜焼け
29	タヨる	頼る
30	シブい	渋い
31	ラレツ	羅列
32	ハサむ	挟む
33	キョウセイ	矯正
34	ケイコウ	蛍光
35	センド	鮮度
36	ハズむ	弾む
37	ハアク	把握
38	キョヒ	拒否
39	コりる	懲りる
40	ニツまる	煮詰まる
41	コヨミ	暦
42	ジュウナン	柔軟
43	ソムける	背ける
44	ツめる	詰める

45 クッセツ ▼屈折
46 オノレ ▼己
47 トッシン ▼突進
48 カツアイ ▼割愛
49 ショウジョウ ▼症状
50 ホる ▼掘る
51 アヤツる ▼操る
52 ハナハだしい ▼甚だしい
53 イやす ▼癒やす
54 ゲンコウ ▼原稿
55 アワてる ▼慌てる
56 セマる ▼迫る
57 フジョウ ▼浮上
58 モ ▼藻

59 オモムキ ▼趣
60 キソ ▼基礎
61 オウエン ▼応援
62 イカク ▼威嚇
63 アンモク ▼暗黙
64 エイリ ▼鋭利
65 ホタル ▼蛍
66 ショウジョウ ▼肖像
67 ベット ▼別途
68 カクシン ▼核心
69 トツニュウ ▼突入
70 キョテン ▼拠点
71 スズしい ▼涼しい
72 タケ ▼丈

73 チョウセン ▼挑戦
74 メイ ▼銘
75 ツツヌけ ▼筒抜け
76 メグる ▼巡る
77 カンツウ ▼貫通
78 エラい ▼偉い
79 シく ▼敷く
80 チツジョ ▼秩序
81 ノウム ▼濃霧
82 ツグナう ▼償う
83 カわす ▼交わす
84 セタケ ▼背丈
85 ウデダメし ▼腕試し
86 ダンリョク ▼弾力

87 チュウカイ ▼仲介
88 アミダナ ▼網棚
89 ソウゴ ▼相互
90 シュクハク ▼宿泊
91 オしむ ▼惜しむ
92 スミ ▼隅
93 フタエ ▼二重
94 チョウボウ ▼眺望
95 スべる ▼滑る
96 ハゲみ ▼励み
97 ウルシ ▼漆
98 チマナコ ▼血眼
99 ダボク ▼打撲
100 カイダク ▼快諾

頻出ベスト100

対義語・類義語

難しい熟語は意味を調べる

「対義語・類義語」は対になる語を答える問題。準2級では「遺憾」「酌量」のように日常であまり聞かない熟語も増える。意味を調べておこう。

対義語

	問題		解答
1	煩《はん》雑《ざつ》	↕	簡《かん》略《りゃく》
2	召《しょう》還《かん》	↕	派《は》遣《けん》
3	高《こう》慢《まん》	↕	謙《けん》虚《きょ》
4	中《ちゅう》枢《すう》	↕	末《まっ》端《たん》
5	高《こう》尚《しょう》	↕	低《てい》俗《ぞく》
6	凡《ぼん》庸《よう》	↕	偉《い》大《だい》
7	怠《たい》惰《だ》	↕	勤《きん》勉《べん》
8	受《じゅ》諾《だく》	↕	拒《きょ》否《ひ》
9	剛《ごう》健《けん》	↕	柔《にゅう》弱《じゃく》
10	絶《ぜっ》賛《さん》	↕	酷《こく》評《ひょう》
11	醜《しゅう》悪《あく》	↕	美《び》麗《れい》
12	逸《いつ》材《ざい》	↕	凡《ぼん》才《さい》
13	傑《けつ》物《ぶつ》	↕	凡《ぼん》人《じん》
14	削《さく》除《じょ》	↕	添《てん》加《か》
15	概《がい》略《りゃく》	↕	詳《しょう》細《さい》
16	機《き》敏《びん》	↕	鈍《どん》重《じゅう》
17	清《せい》浄《じょう》	↕	汚《お》濁《だく》
18	秩《ちつ》序《じょ》	↕	混《こん》乱《らん》
19	淡《たん》泊《ぱく》	↕	濃《のう》厚《こう》
20	堕《だ》落《らく》	↕	更《こう》生《せい》
21	拘《こう》束《そく》	↕	釈《しゃく》放《ほう》
22	理《り》論《ろん》	↕	実《じっ》践《せん》
23	不《ふ》足《そく》	↕	過《か》剰《じょう》
24	騰《とう》貴《き》	↕	下《げ》落《らく》
25	売《ばい》却《きゃく》	↕	購《こう》入《にゅう》
26	分《ぶん》割《かつ》	↕	一《いっ》括《かつ》
27	希《き》釈《しゃく》	↕	濃《のう》縮《しゅく》
28	恭《きょう》順《じゅん》	↕	反《はん》抗《こう》
29	裕《ゆう》福《ふく》	↕	貧《ひん》困《こん》
30	疎《そ》遠《えん》	↕	親《しん》密《みつ》
31	漠《ばく》然《ぜん》	↕	鮮《せん》明《めい》
32	緩《かん》慢《まん》	↕	迅《じん》速《そく》
33	享《きょう》楽《らく》	↕	禁《きん》欲《よく》
34	純《じゅん》白《ぱく》	↕	漆《しっ》黒《こく》
35	哀《あい》悼《とう》	↕	祝《しゅく》賀《が》
36	軽《けい》侮《ぶ》	↕	尊《そん》敬《けい》
37	個《こ》別《べつ》	↕	一《いっ》斉《せい》
38	蓄《ちく》積《せき》	↕	消《しょう》耗《もう》
39	浄《じょう》化《か》	↕	汚《お》染《せん》
40	中《ちゅう》庸《よう》	↕	極《きょく》端《たん》
41	擁《よう》護《ご》	↕	侵《しん》害《がい》
42	記《き》憶《おく》	↕	忘《ぼう》却《きゃく》
43	閑《かん》暇《か》	↕	多《た》忙《ぼう》
44	絶《ぜつ》滅《めつ》	↕	繁《はん》殖《しょく》

45 懐《かい》柔《じゅう》 ↔ 威《い》圧《あつ》
46 末《まっ》端《たん》 ↔ 中《ちゅう》枢《すう》
47 幼《よう》稚《ち》 ↔ 老《ろう》練《れん》
48 謙《けん》虚《きょ》 ↔ 尊《そん》大《だい》
49 厳《げん》格《かく》 ↔ 寛《かん》容《よう》
50 融《ゆう》合《ごう》 ↔ 分《ぶん》離《り》

類義語

1 卓《たく》越《えつ》 ＝ 抜《ばつ》群《ぐん》
2 忍《にん》耐《たい》 ＝ 我《が》慢《まん》
3 同《どう》等《とう》 ＝ 匹《ひっ》敵《てき》
4 慶《けい》賀《が》 ＝ 祝《しゅく》福《ふく》
5 回《かい》顧《こ》 ＝ 追《つい》憶《おく》
6 猶《ゆう》予《よ》 ＝ 延《えん》期《き》
7 是《ぜ》認《にん》 ＝ 肯《こう》定《てい》
8 泰《たい》然《ぜん》 ＝ 沈《ちん》着《ちゃく》

9 奔《ほん》走《そう》 ＝ 尽《じん》力《りょく》
10 窮《きゅう》乏《ぼう》 ＝ 貧《ひん》困《こん》
11 醜《しゅう》聞《ぶん》 ＝ 汚《お》名《めい》
12 残《ざん》念《ねん》 ＝ 遺《い》憾《かん》
13 紛《ふん》糾《きゅう》 ＝ 混《こん》乱《らん》
14 酌《しゃく》量《りょう》 ＝ 考《こう》慮《りょ》
15 干《かん》渉《しょう》 ＝ 介《かい》入《にゅう》
16 薄《はく》情《じょう》 ＝ 冷《れい》淡《たん》
17 懇《こん》切《せつ》 ＝ 丁《てい》重《ちょう》
18 削《さく》除《じょ》 ＝ 抹《まっ》消《しょう》
19 降《こう》格《かく》 ＝ 左《さ》遷《せん》
20 死《し》角《かく》 ＝ 盲《もう》点《てん》
21 伯《はく》仲《ちゅう》 ＝ 互《ご》角《かく》
22 熟《じゅく》睡《すい》 ＝ 安《あん》眠《みん》

23 輸《ゆ》送《そう》 ＝ 運《うん》搬《ぱん》
24 丁《てい》寧《ねい》 ＝ 丹《たん》念《ねん》
25 普《ふ》通《つう》 ＝ 尋《じん》常《じょう》
26 動《どう》転《てん》 ＝ 仰《ぎょう》天《てん》
27 交《こう》渉《しょう》 ＝ 談《だん》判《ぱん》
28 根《こん》底《てい》 ＝ 基《き》盤《ばん》
29 肯《こう》定《てい》 ＝ 是《ぜ》認《にん》
30 屋《や》敷《しき》 ＝ 邸《てい》宅《たく》
31 倫《りん》理《り》 ＝ 道《どう》徳《とく》
32 憤《ふん》慨《がい》 ＝ 激《げき》怒《ど》
33 安《あん》眠《みん》 ＝ 熟《じゅく》睡《すい》
34 勲《くん》功《こう》 ＝ 手《て》柄《がら》
35 庶《しょ》民《みん》 ＝ 大《たい》衆《しゅう》
36 対《たい》価《か》 ＝ 報《ほう》酬《しゅう》

37 強《ごう》情《じょう》 ＝ 頑《がん》固《こ》
38 道《どう》徳《とく》 ＝ 倫《りん》理《り》
39 難《なん》点《てん》 ＝ 欠《けっ》陥《かん》
40 無《む》視《し》 ＝ 黙《もく》殺《さつ》
41 技《ぎ》量《りょう》 ＝ 手《しゅ》腕《わん》
42 平《へい》穏《おん》 ＝ 安《あん》寧《ねい》
43 懲《ちょう》戒《かい》 ＝ 処《しょ》罰《ばつ》
44 将《しょう》来《らい》 ＝ 前《ぜん》途《と》
45 貢《こう》献《けん》 ＝ 寄《き》与《よ》
46 炎《えん》熱《ねつ》 ＝ 猛《もう》暑《しょ》
47 適《てき》切《せつ》 ＝ 妥《だ》当《とう》
48 永《えい》遠《えん》 ＝ 悠《ゆう》久《きゅう》
49 譲《じょう》歩《ほ》 ＝ 妥《だ》協《きょう》
50 逝《せい》去《きょ》 ＝ 永《えい》眠《みん》

頻出ベスト48

四字熟語

由来を知ると意味を覚えやすい

「四字熟語」は書き取りと意味を答える。由来を知ると覚えやすい。例えば、比翼連理は「ペアで飛ぶ鳥（比翼）や二本寄り添った木（連理）のように男女仲がいい」の意味。

	四字熟語	意味
1	周《しゅう》知《ち》徹《てっ》底《てい》	周囲に広くしれ渡るようにすること
2	悠《ゆう》悠《ゆう》自《じ》適《てき》	心のままにのんびりと過ごすこと
3	多《た》岐《き》亡《ぼう》羊《よう》	多くの方針があり選択に迷うこと
4	隠《いん》忍《にん》自《じ》重《ちょう》	苦しみなどをじっとこらえる様子
5	信《しん》賞《しょう》必《ひっ》罰《ばつ》	厳格に賞罰を行うこと
6	故《こ》事《じ》来《らい》歴《れき》	物事の由来や歴史
7	主《しゅ》客《かく》転《てん》倒《とう》	立場や順序などが逆転すること
8	英《えい》俊《しゅん》豪《ごう》傑《けつ》	肝っ玉のすわったすぐれた人物
9	延《えん》命《めい》息《そく》災《さい》	命をのばして無事でいること
10	吉《きっ》凶《きょう》禍《か》福《ふく》	運勢や縁起などのよしあし
11	優《ゆう》勝《しょう》劣《れっ》敗《ぱい》	強者が栄え弱者が滅びること
12	千《せん》紫《し》万《ばん》紅《こう》	色とりどりの花が咲くこと
13	南《なん》船《せん》北《ほく》馬《ば》	全国各地をせわしく旅すること
14	驚《きょう》天《てん》動《どう》地《ち》	世間を大いに驚かせること
15	巧《こう》遅《ち》拙《せっ》速《そく》	上手でおそいより下手でも早い方がよい
16	離《り》合《ごう》集《しゅう》散《さん》	協力したり反目したりすること
17	薄《はく》志《し》弱《じゃっ》行《こう》	意志が弱く行動力に欠けること
18	朝《ちょう》令《れい》暮《ぼ》改《かい》	命令などがすぐに変わって定まらないこと
19	粗《そ》衣《い》粗《そ》食《しょく》	質素で貧しい生活のたとえ
20	質《しっ》実《じつ》剛《ごう》健《けん》	飾りけがなく心身共にたくましいこと
21	熟《じゅく》慮《りょ》断《だん》行《こう》	よく考え思い切って実行すること

22 呉《ご》越《えつ》同《どう》舟《しゅう》
仲の悪い者どうしが同じ場所にいること

23 徹《てっ》頭《とう》徹《てつ》尾《び》
最初から最後まで

24 面《めん》目《もく》躍《やく》如《じょ》
世間の評価を上げ顔が立つこと

25 沈《ちん》思《し》黙《もっ》考《こう》
だまって深く考えこむこと

26 外《がい》柔《じゅう》内《ない》剛《ごう》
外見は穏当でも意志は強いこと

27 旧《きゅう》態《たい》依《い》然《ぜん》
昔のままで少しも進歩しないこと

28 少《しょう》壮《そう》気《き》鋭《えい》
年が若く意気込みがするどいこと

29 比《ひ》翼《よく》連《れん》理《り》
男女が仲むつまじいさま

30 勧《かん》善《ぜん》懲《ちょう》悪《あく》
善をすすめ悪を懲らしめること

31 色《しき》即《そく》是《ぜ》空《くう》
世に存在するものはすべて空であるとの仏教の考え

32 尋《じん》常《じょう》一《いち》様《よう》
ごく当たり前な様子

33 金《きん》城《じょう》湯《とう》池《ち》
攻められにくく守りが非常に堅いこと

34 時《じ》節《せつ》到《とう》来《らい》
一番いいころあいが来たということ

35 傍《ぼう》若《じゃく》無《ぶ》人《じん》
他人を無視して勝手な言動をする様子

36 栄《えい》枯《こ》盛《せい》衰《すい》
人や家が栄えたり衰えたりすること

37 浅《せん》学《がく》非《ひ》才《さい》
学識が浅く能力や知恵が乏しいこと

38 天《てん》下《か》泰《たい》平《へい》
世の中が穏やかで平和なこと

39 当《とう》意《い》即《そく》妙《みょう》
状況に応じ素早く機転をきかせること

40 群《ぐん》雄《ゆう》割《かっ》拠《きょ》
多くの英雄が対立しあうこと

41 勇《ゆう》猛《もう》果《か》敢《かん》
勇ましく物事を大胆に行う様子

42 鬼《き》面《めん》仏《ぶっ》心《しん》
怖そうに見えて、優しく穏やかであること

43 酔《すい》生《せい》夢《む》死《し》
何事も成さずに一生を終えること

44 禍《か》福《ふく》得《とく》喪《そう》
災難と幸せ、成功と失敗

45 衆《しゅう》口《こう》一《いっ》致《ち》
多くの人の意見が一つになること

46 物《ぶつ》情《じょう》騒《そう》然《ぜん》
世間がさわがしいこと

47 心《しん》頭《とう》滅《めっ》却《きゃく》
心の中の雑念を取り去ること

48 百《ひゃく》戦《せん》錬《れん》磨《ま》
数多くのじっせんで鍛えられること

頻出ベスト44 部首

No.	漢字	部首	部首名
1	亭	亠	なべぶた
2	虞	虍	とらがしら
3	斉	斉	せい
4	再	冂	どうがまえ
5	褒	衣	ころも
6	瓶	瓦	かわら
7	亜	二	に
8	爵	爫	つめかんむり
9	升	十	じゅう
10	殻	殳	るまた
11	戻	戸	とだれ
12	軟	車	くるまへん
13	臭	自	みずから
14	窯	穴	あなかんむり
15	釈	釆	のごめへん
16	喪	口	くち
17	恭	⺗	したごころ
18	泰	氺	したみず
19	扇	戸	とだれ
20	煩	火	ひへん
21	殉	歹	かばねへん
22	凹	凵	うけばこ
23	虜	虍	とらがしら
24	帥	巾	はば
25	凸	凵	うけばこ
26	衡	行	ぎょうがまえ
27	呉	口	くち
28	薫	艹	くさかんむり
29	耗	耒	すきへん
30	畝	田	た
31	奔	大	だい
32	且	一	いち
33	磨	石	いし
34	蛍	虫	むし
35	尉	寸	すん
36	寧	宀	うかんむり
37	叙	又	また
38	昆	日	ひ
39	充	儿	ひとあし
40	嗣	口	くち
41	麻	麻	あさ
42	弊	廾	にじゅうあし
43	丙	一	いち
44	甚	甘	かん

頻出単語だけ覚えたら他の対策を

「部首」は漢字の部首を書く問題。準2級の頻出漢字は決まっている。配点も10点と少ないので、頻出リストを覚えたら、他の分野の対策に時間をかけよう。

頻出ベスト40
熟語の構成

ア　同じ意味
イ　反対の意味
ウ　上が下を修飾
エ　下が上の目的語
オ　上が下を打ち消し

ルールを覚えたら簡単

「熟語の構成」は熟語の漢字の関係を答える問題。ウとエの区別が重要。熟語「○×」の場合、「○の×」と読めたらウ、「×を○する」と読めたらエのことが多い。

No.	熟語	答え
1	巧拙	イ
2	親疎	イ
3	隠顕	イ
4	禍福	イ
5	寛厳	イ
6	検疫	エ
7	慶弔	イ
8	鎮魂	エ
9	経緯	イ
10	独吟	ウ
11	枢要	ア
12	紡績	ア
13	旋回	ア
14	衆寡	イ
15	不肖	オ
16	緒論	ウ
17	酪農	ウ
18	収賄	エ
19	抗菌	エ
20	硝煙	ウ
21	罷業	エ
22	災禍	ア
23	存廃	イ
24	彼我	イ
25	疎密	イ
26	紛糾	ア
27	興廃	イ
28	未踏	オ
29	頒価	ウ
30	雅俗	イ
31	謙譲	ア
32	腐臭	ウ
33	遭難	エ
34	安寧	ア
35	直轄	ウ
36	懐郷	エ
37	繊毛	ウ
38	謹慎	ア
39	未納	オ
40	往還	イ

本書で合格できる理由

「日本漢字能力検定」(以下、漢字検定)には、出題の傾向や効率的な学習のコツがあります。本書は、できるだけ最短距離で合格するために、効果的に学習できる工夫が施されています。

▼「新出配当漢字」以外も対策できる

漢字検定の対策は広く漢字を覚えることが重要です。

漢字検定は、級があがるごとに出題される漢字が増えます。たとえば、5級の試験で出題対象となる漢字は1026字ですが、4級では更に313字増え、合計1339字となります。

その級で新たに出題対象となる漢字のことを、「新出配当漢字」と呼びます。試験では**出題分野によっては、新出配当漢字以外の字がよく出題される**こともあります。

実際に、下の表のように準2級の「書き取り」問題では、準2級より下の級で登場した字も多く出題されています。

そのため、受検級の新出配当漢字だけを対策して試験に挑むと、本番の試験では意外と出題されなかった、ということもありえます。

本書は**その級で過去に出題された内容を基にした問題を数多く掲載しています。**新出配当漢字以外の漢字もしっかり押さえておきましょう。

「書き取り」出題回数ランキング(準2級)

順位	問題	
1位	生涯	「生」は10級で新出 「涯」は準2級で新出
2位	嫌い	「嫌」は準2級で新出
3位	砕く	「砕」は準2級で新出
4位	戻る	「戻」は準2級で新出
5位	和らぐ	「和」は8級で新出
6位	誓う	「誓」は準2級で新出
7位	損なう	「損」は6級で新出
8位	沸かす	「沸」は準2級で新出
9位	畳む	「畳」は4級で新出
10位	祈る	「祈」は4級で新出

▼よく出る問題から覚えられる

漢字検定の対策は「頻出度」対応のテキストや問題集で学習するのが効率的です。

なぜなら、各級の試験で出題の対象となる漢字の量は膨大で、すべてを完璧《ぺき》に覚えるのはとてもたいへんだからです。5級でも1026字、2級なら2136字と、出題範囲は広く、時間がいくらあっても足りません。

ところが、出題傾向を分析すると**試験には出題されやすい問題というものがあります**。下の表のように、高頻度で出題されている問題がある一方、過去十数年で1回しか出題されていないものや、1度も出題されたことがないものもあります。それらの出題頻度が低い問題が次の試験で出題される確率は、かなり低いでしょう。

そのため、出題範囲の漢字を五十音順で覚えたり、過去問だけをひたすら解いていったりするのは、効率がよいとはいえません。

本書は、**過去10年分の過去問のなかから、試験によく出題されている問題を中心に収録**しています。次の試験で出題される確率が高い問題を解き、確実に得点につながる対策をしましょう。

直近10年で出題回数が少ない漢字（準２級）

問題	出題回数
鉢	2
拷	2
娠	1
嫡	0
璽	0
棺	0
貞	0
詔	0
津	0
朕	0

直近10年で出題回数が多い漢字（準２級）

問題	出題回数
廃	79
禍	66
閑	65
忍	60
拙	59
叙	58
逸	57
渋	57
徹	56
寡	55

おすすめ学習プラン

本書は、試験直前で対策を始める人、じっくり学習して万全に対策したい人、どちらにもお使いいただけるようにできています。試験本番までのおすすめ学習プラン例を紹介します。

申し込み

試験の
3〜1か月前

1〜2週間で決める!

短期集中プラン

学習時間目安
2時間／1日

2週間前

●頻出度A・Bを一巡する

・赤チェックシートを使いながらまず解いてみる
・解けなかった問題はチェックをつける
・解けなかった書き問題は、正解をノートに書いて覚える

1週間前

●頻出度A・Bの正解率を高める

・まずは頻出度Aから、チェックをつけた問題の「読む・書く」→「解く」を繰り返す
・自信をもって解けるようになった問題には○をつける
・頻出度Aの8割が解けるようになったら、頻出度Bのチェックをつけた問題に取り組む

1〜2か月で決める!

長期じっくりプラン

学習時間目安
30分／1日

2か月前

●頻出度A・B・Cを一巡する

・赤チェックシートを使いながらまず解いてみる
・解けなかった問題はチェックをつける
・解けなかった書き問題は、正解をノートに書き留める
・学習する総ページ数を学習日数で割り、「毎日6ページやる」などと決めて習慣的に取り組む

1か月前

●頻出度A・Bの正解率を高める

・まずは頻出度Aから、チェックをつけた問題だけを解き直す。書き問題は、ノートに書き留めた正解を繰り返し書いて覚える
・自信をもって解けるようになった問題には○をつける
・頻出度Aの8割が解けるようになったら、頻出度Bのチェックをつけた問題に取り組む

「頻出漢字学習ポスター」をダウンロードし、移動中のすきま時間の学習にも活用しよう

3日前

●頻出度Cの要点を押さえる

・解けるようになった問題も含めて、頻出度A・Bのチェックをつけた問題を再確認する

・頻出度Cは、配点が高い書き問題と馴《な》染みがない四字熟語だけでも押さえておく

・模擬試験を解き、得点が低かった苦手分野は頻出度Cまで押さえておくと安心

> 頻出度A・Bの正解率がまだ8割以下の人は、引き続きそちらも学習しよう

試験当日

●チェックをつけた問題を直前確認

・試験会場までの移動中や会場待機中に、最後まで○がつかなかった問題を確認する

> 巻頭ページの頻出ベストをチェックするのもおすすめ

合格!

目標得点

170／200点

学習のポイント

すべて完璧《べき》にしようとせずに、頻出度の高い問題の正解率を高めよう。最初に不正解だった問題は、その後解けるようになってもチェックを消さず、試験直前で再確認しよう。

2週間前

●頻出度Cも完璧《べき》にする

・頻出度Cでチェックをつけた問題を、繰り返し解く

・模擬試験に挑戦し、苦手だった分野は頻出度Cも重点的に学習する

1週間前

●苦手問題を徹底的につぶす

・頻出度A・Bはほぼ完璧《べき》に、頻出度Cは9割ほど解けるようになるまで、学習を繰り返す

・頻出度A～Cの、最初に解けずにチェックをつけた問題は、改めて試験前に再度すべて確認する

> 『漢検要覧』にも目を通し、字体や部首を間違えて覚えていないか確認をしておくと安心

合格!

目標得点

195／200点

学習のポイント

2か月あれば準備期間は充分！　計画を立て、習慣的に学習を続けていくことが大事。チェックボックスを活用し、頻出度A・B問題はすべて解けるようにしておこう。

※ここで紹介しているのは本書を使用した効率的な学習方法の一例ですが、合格を保証するものではありません。

「漢字検定」受検ガイド

「漢字検定」の試験概要を紹介します。解答する際の注意点や、出題分野、配点、検定実施の時期などを確認して、自分なりの対策方法を考えてみましょう。

▼検定会場

全国47都道府県の主要都市。

▼検定実施の時期

年3回（6月・10月・翌年1～2月中の日曜日）

※団体受検、CBT（パソコンによる受検）などの詳細は日本漢字能力検定協会にお問い合わせください。

▼申し込み方法

個人受検では、インターネットで専用サイトにアクセスして申し込む。クレジットカード、コンビニ決済、二次元コード決済で検定料を支払う。

手続き後、検定日の1週間前ごろまでに受検票が送られてきます。検定日の4日前になっても届かない場合は、日本漢字能力検定協会に問い合わせましょう。

合否結果は「検定結果通知」が郵送されるほか、WEBでも公開されます。

▼よくある質問

Q 字体によって形が異なる字はどれが正しいの？

A 「衣」の4画目の折り方など、活字のデザイン差がある漢字があります。漢字検定の解答で手本とすべき字体は、本書の解答でも使用している「教科書体」です。

Q 答えが複数ある問題はどうすればいいの？

A 試験の正答は日本漢字能力検定協会が判断しています。本書の標準解答は、過去の試験で標準解答として発表された字を掲載しています。正答については、『漢検要覧 2～10級対応』や『漢検 過去問題集』で確認しましょう。

Q 試験の正解は何が基準になっているの？

A 「部首」は『漢検要覧 2～10級対応』収録の「部首一覧表と部首別の常用漢字」が基準です。「筆順」の原則は文部省（現 文部科学省）編『筆順指導の手びき』、常用漢字の筆順は『漢検要覧 2～10級対応』収録の「常用漢字の筆順一覧」が基準になっています。

▼各級（準1〜5級）の出題内容

※検定に関する情報は、過去の試験を弊社で独自に分析し作成したものです。

	準1級	2級	準2級	3級	4級	5級
主な対象学年（目安）	大学・一般程度	高校卒業 大学・一般程度	高校 在学程度	中学校 卒業程度	中学校 在学程度	小学校6年生 修了程度
漢字の読み	30点	30点	30点	30点	30点	20点
表外読み	10点					
熟語と一字訓	10点					
漢字の書き取り	40点	50点	50点	40点	40点	40点
四字熟語	30点	30点	30点	20点	20点	20点
故事・諺	20点					
対義語・類義語	20点	20点	20点	20点	20点	20点
共通の漢字	10点					
誤字訂正	10点	10点	10点	10点	10点	
文章題	20点					
送り仮名		10点	10点	10点	10点	10点
同音・同訓異字		20点	20点	30点	30点	
部首・部首名		10点	10点	10点	10点	10点
熟語の構成		20点	20点	20点	20点	20点
漢字識別				10点	10点	
音と訓						20点
同じ読みの漢字						20点
熟語作り						10点
画数						10点
合格基準	80%程度	80%程度	70%程度	70%程度	70%程度	70%程度
満点	200点	200点	200点	200点	200点	200点
検定時間	60分	60分	60分	60分	60分	60分

検定試験の問い合わせ先

公益財団法人 日本漢字能力検定協会

●フリーダイヤル 0120-509-315（土日・祝日・お盆・年末年始を除く 9:00 〜 17:00）
※検定日とその前日にあたる土日は窓口を開設
※検定日は 9:00 〜 18:00

●所在地
〒605-0074 京都市東山区祇園町南側551番地　TEL 075-757-8600　FAX 075-532-1110

●ホームページ https://www.kanken.or.jp/

※実施要項、申し込み方法等は変わることがあります。詳細は協会ホームページなどでご確認ください。

※出題分野・内容（出題形式、問題数、配点）等は変わることがあります。実際に出題された内容については『漢検 過去問題集』（公益財団法人 日本漢字能力検定協会発行）を参照してください。

目次

第1章 頻出度 A かならず押さえる！ 最頻出問題2385

□ 読み①〜⑦ …… 018
□ 書き取り①〜⑩ …… 032
□ 四字熟語①〜④ …… 052
□ 送りがな①〜③ …… 060
□ 誤字訂正①〜⑤ …… 066
□ 対義語・類義語①〜④ …… 076
□ 同音・同訓異字①〜④ …… 084
□ 部首①〜③ …… 092
□ 熟語の構成①〜③ …… 098

第2章 頻出度 B 合否の分かれ目！ 重要問題1617

□ 読み①〜④ …… 106
□ 書き取り①〜④ …… 114
□ 四字熟語①〜③ …… 122
□ 送りがな①〜② …… 128
□ 誤字訂正①〜④ …… 132
□ 対義語・類義語①〜③ …… 140
□ 同音・同訓異字①〜⑤ …… 146
□ 部首①〜② …… 156
□ 熟語の構成①〜② …… 160

第3章 頻出度 C 合格を確実にする！ダメ押し問題728

□ 読み①〜③ …… 166
□ 書き取り①〜③ …… 172
□ 四字熟語①〜② …… 178
□ 誤字訂正①〜② …… 182
□ 同音・同訓異字①〜③ …… 186

第１回 模擬試験 …… 192
第２回 模擬試験 …… 196
第１回 模擬試験・標準解答 …… 200
第２回 模擬試験・標準解答 …… 201

巻末資料
間違えやすい漢字 …… 202
準２級 新出配当漢字一覧 …… 204
３級 新出配当漢字一覧 …… 214

かならず押さえる！

最頻出問題 2385

第1章

頻出度 A

●読み……18
●書き取り……32
●四字熟語……52
●送りがな……60
●誤字訂正……66
●対義語・類義語……76
●同音・同訓異字……84
●部首……92
●熟語の構成……98

かならず押さえる！
頻出度 A

読み①

※次の――線の読みをひらがなで記せ。

□1 漢詩の**吟詠**会に参加する。
□2 矛盾点が**顕在**化する。
□3 世界に一つしかない**逸品**だ。
□4 減税で与党の支持率が**漸増**する。
□5 焼き上がった陶器を**窯出**しする。
□6 街道に沿って**杉並木**が続く。
□7 物価の**騰貴**が予想される。
□8 **傑出**した才能の持ち主だ。
□9 週末を**怠惰**に過ごす。
□10 **等閑視**されてきた問題を解決する。
□11 **悠長**な事は言っていられない。
□12 屋上からの**眺望**がすばらしい。
□13 光**触媒**の研究開発に携わる。
□14 会場は**粛然**とした空気に包まれた。
□15 失業して生活が**窮迫**した。
□16 創作に夢中で**忘我**の境に入る。
□17 **拙宅**にも遊びに来てください。
□18 **浦風**の中をそぞろ歩く。
□19 旧来の制度を**全廃**する。
□20 **挿**し絵が入った童話の本を読む。
□21 **遷都**が真剣に論議されている。
□22 **性懲**りもなく失策を重ねる。
□23 **享楽**的な生活態度を改める。
□24 **漆塗**りの器に煮物を盛りつける。

目標正答率 95%
／56

標準解答

1 ぎんえい
2 けんざい
3 いっぴん
4 ぜんぞう
5 かまだ
6 すぎなみき
7 とうき
8 けっしゅつ
9 たいだ
10 とうかんし
11 ゆうちょう
12 ちょうぼう
13 しょくばい
14 しゅくぜん
15 きゅうはく
16 ぼうが
17 せったく
18 うらかぜ
19 ぜんぱい
20 さ
21 せんと
22 しょうこ
23 きょうらく
24 うるしぬ

□ 25 栄養が**偏**って体調を崩す。
□ 26 **血眼**になって金策に走り回る。
□ 27 伸びた**襟足**を刈り上げる。
□ 28 貴重なご意見を**承**った。
□ 29 両方の長所を**併**せ持つ。
□ 30 エビでタイを**釣**る。
□ 31 大統領が**国賓**として来日する。
□ 32 機が**熟**すのを待つ。
□ 33 出家して**尼**になる。
□ 34 合併を機に**定款**を見直す。
□ 35 遺族に**弔**いの言葉を述べる。
□ 36 **珠玉**の名作ばかりを集めた本だ。
□ 37 かかとが**靴擦**れして痛い。
□ 38 新党の**旗揚**げに奔走する。
□ 39 **叙景**詩を鑑賞する。
□ 40 切れた**鼻緒**をすげてもらう。

□ 41 猿の**縄張**り行動を観察する。
□ 42 予算の**大枠**を決める。
□ 43 過去の行いを**悔**いて生きる。
□ 44 **鉄瓶**を火鉢にかけ湯を沸かす。
□ 45 湖に**藻**が大量発生した。
□ 46 茶道の**誉**れが高い家に生まれた。
□ 47 神妙な面持ちで会見に**臨**む。
□ 48 在庫品の**棚卸**しが完了した。
□ 49 製品に致命的な**欠陥**が見つかる。
□ 50 年始に近所の**氏神**に参拝する。
□ 51 池に**竜神**様がすむといわれる。
□ 52 彼の悪口は聞くに**堪**えない。
□ 53 開会式の選手**宣誓**を任された。
□ 54 最終決定の前に委員会に**諮**る。
□ 55 犯人逃走の**虞**がある。
□ 56 税金納入の**督促**状が届いた。

25 かたよ
26 ちまなこ
27 えりあし
28 うけたまわ
29 あわ
30 つ
31 こくひん
32 じゅく
33 あま
34 ていかん
35 とむら
36 しゅぎょく
37 くつず
38 はたあ
39 じょけい
40 はなお
41 なわば
42 おおわく
43 く
44 てつびん
45 も
46 ほま
47 のぞ
48 たなおろ
49 けっかん
50 うじがみ
51 りゅうじん
52 た
53 せんせい
54 はか
55 おそれ
56 とくそく

かならず押さえる!
頻出度
A

読み―②

※次の——線の読みをひらがなで記せ。

□1 **棚田**で有名な地方を旅する。
□2 くりの**渋皮**をむいて調理する。
□3 **窯元**で修業する。
□4 基本的人権を**享有**する。
□5 飲酒運転で**懲戒**免職になる。
□6 女王に**拝謁**した。
□7 職員が増えて店が**手狭**になる。
□8 卒業後の進路について思い**煩**う。
□9 彼の意見には**首肯**しがたい。
□10 旧家の**蔵**に眠るお宝だ。
□11 塩で味を**調**える。
□12 **夕映**えの空が美しい。
□13 地元の米で**吟醸**酒を造る。
□14 敵の**艦艇**に大砲を撃ち込む。
□15 伯父は**寡黙**で近寄りがたい。
□16 大きな陰謀が**露顕**する。
□17 師匠に気の緩みを**喝破**された。
□18 恩師からの言葉に**感泣**した。
□19 転職先に**厚遇**で迎えられた。
□20 怒られても**懲**りずに繰り返す。
□21 **叙情**味あふれる曲を奏でる。
□22 **汁粉**を三杯おかわりする。
□23 手術が成功し大病が**快癒**した。
□24 **扉絵**が有名な寺院を訪れる。

目標正答率 95%

／56

標準解答

1 たなだ
2 しぶかわ
3 かまもと
4 きょうゆう
5 ちょうかい
6 はいえつ
7 てぜま
8 わずら
9 しゅこう
10 くら
11 ととの
12 ゆうば
13 ぎんじょう
14 かんてい
15 かもく
16 ろけん
17 かっぱ
18 かんきゅう
19 こうぐう
20 こ
21 じょじょう
22 しるこ
23 かいゆ
24 とびらえ

□ 25 必要**且**つ十分な条件を求める。
□ 26 悔い改めて過去を**償**う。
□ 27 やかんの湯が**沸**いたところだ。
□ 28 塩辛い料理を食べてのどが**渇**く。
□ 29 玄関口でよび**鈴**を押した。
□ 30 城の**堀**に沿って歩く。
□ 31 パレードの沿道に**人垣**ができた。
□ 32 先生が生徒を**諭**す。
□ 33 ファッションの**変遷**をたどる。
□ 34 上司に**褒**められて得意になる。
□ 35 事故車が交通の流れを**遮**る。
□ 36 **秀逸**な作品と高評を得る。
□ 37 面会のために時間を**割**く。
□ 38 流行が**廃**れるのは早い。
□ 39 **剰余**金を投資に回す。
□ 40 ねずみが**媒介**する伝染病だ。

□ 41 緊張の**面持**ちで本番に臨む。
□ 42 まんまと敵の術中に**陥**った。
□ 43 鉄橋から**渦潮**を眺める。
□ 44 相手の顔をじっと**見据**える。
□ 45 兄弟間で**醜**い争いを繰り広げる。
□ 46 学生時代は**安逸**な日を送っていた。
□ 47 **飢**えた子供たちに心を痛める。
□ 48 利用率の低下で収益が**逓減**した。
□ 49 ガラスだけでなく**窓枠**も掃除する。
□ 50 **中庸**を重んじる。
□ 51 聞くだけ**野暮**な質問だ。
□ 52 険しい山に**桟道**を架ける。
□ 53 協力者に著書を**謹呈**する。
□ 54 休日なので**惰眠**をむさぼる。
□ 55 社の**興廃**がかかった商品だ。
□ 56 **凡庸**な意見しか言わない人だ。

25 か
26 つぐな
27 わ
28 かわ
29 りん
30 ほり
31 ひとがき
32 さと
33 へんせん
34 ほ
35 さえぎ
36 しゅういつ
37 さ
38 すた
39 じょうよ
40 ばいかい
41 おもも
42 おちい
43 うずしお
44 みす
45 みにく
46 あんいつ
47 う
48 ていげん
49 まどわく
50 ちゅうよう
51 やぼ
52 さんどう
53 きんてい
54 だみん
55 こうはい
56 ぼんよう

かならず押さえる！
頻出度
A
読み——③

※次の——線の読みをひらがなで記せ。

□ 1 任務を**逸脱**する行為だ。
□ 2 税金の**還付**を受ける。
□ 3 高校の**教諭**資格を持っている。
□ 4 企業が法令を**遵守**する。
□ 5 遭難者を**命懸**けで救助する。
□ 6 読むに堪えない**駄文**だ。
□ 7 結婚式の**媒酌**人をつとめる。
□ 8 湖畔にたたずみ**旅愁**を味わう。
□ 9 相手を**完膚**なきまでに打ちのめす。
□ 10 友人の願いを**渋々**承諾した。
□ 11 市場は大手企業の**寡占**状態にある。
□ 12 **坪庭**は日本人の知恵だ。
□ 13 獲物に銃の**筒先**を向けた。
□ 14 熱せられた**石窯**でピザを焼く。
□ 15 川辺に**蚊柱**が立っている。
□ 16 医学界の**泰斗**として知られている。
□ 17 図書館内は**静粛**に願います。
□ 18 裁判所に**上申**書を提出する。
□ 19 人生の**愉悦**に浸る。
□ 20 従業員に退職を**勧奨**する。
□ 21 **襟首**をつかんで離さない。
□ 22 町の主要産業は**紡績**です。
□ 23 隣国の国王からの親書を**披見**する。
□ 24 契約書に**但**し書きをつける。

目標正答率 95%
／56

標準解答

1 いつだつ
2 かんぷ
3 きょうゆ
4 じゅんしゅ
5 いのちが
6 だぶん
7 ばいしゃく
8 りょしゅう
9 かんぷ
10 しぶしぶ
11 かせん
12 つぼにわ
13 つつさき
14 いしがま
15 かばしら
16 たいと
17 せいしゅく
18 じょうしん
19 ゆえつ
20 かんしょう
21 えりくび
22 ぼうせき
23 ひけん
24 ただ

□ 25 勲功を立てて伯爵に**叙**せられた。
□ 26 天平時代の**塑像**が立ち並ぶ。
□ 27 **廃屋**を改造して民宿を開く。
□ 28 泥棒を羽**交**い締めにした。
□ 29 名も無き**民**の声を国政に届ける。
□ 30 脳は人間の**中枢**神経だ。
□ 31 **岬**の灯台を目指して帆走する。
□ 32 山の**暁**の美しさに感動する。
□ 33 大部隊が村の近くに**駐屯**する。
□ 34 無理な要求を**拒**む。
□ 35 世界最高峰の登頂に**挑**む。
□ 36 事業に全財産を**費**やした。
□ 37 トラブルの**収拾**に努める。
□ 38 和洋**折衷**の造りの建物だ。
□ 39 **宮廷**で舞踏会を催す。
□ 40 夕焼けに山が**映**える。

□ 41 **倫理**にもとる行為を非難する。
□ 42 試合の様子を**逐次**報告する。
□ 43 一対一の**均衡**を破る。
□ 44 目標に向かって**漸進**する。
□ 45 トレーニングの効果が**顕著**だ。
□ 46 土地の**銘菓**を土産にする。
□ 47 初恋の相手は**面長**の美人だった。
□ 48 いなくなった飼い犬を**捜**す。
□ 49 数式の**値**を求める。
□ 50 天皇陛下から勲章を**賜**る。
□ 51 心から**哀悼**の意を表する。
□ 52 話が**高尚**すぎてついていけない。
□ 53 なんとか学費を**賄**っている。
□ 54 今年最初の**霜**が降りた。
□ 55 綱渡りには**平衡**感覚が必要だ。
□ 56 役場で戸籍**謄本**を取得する。

25 じょ	26 そぞう	27 はいおく	28 が	29 たみ	30 ちゅうすう	31 みさき	32 あかつき
33 ちゅうとん	34 こば	35 いど	36 つい	37 しゅうしゅう	38 せっちゅう	39 きゅうてい	40 は
41 りんり	42 ちくじ	43 きんこう	44 ぜんしん	45 けんちょ	46 めいか	47 おもなが	48 さが
49 あたい	50 たまわ	51 あいとう	52 こうしょう	53 まかな	54 しも	55 へいこう	56 とうほん

かならず押さえる！
頻出度
A
読み—④

※次の——線の読みをひらがなで記せ。

□ 1 自国の軍事力を**顕示**する。
□ 2 戦争によって祖国が**荒廃**した。
□ 3 駅前で定期券を**拾得**した。
□ 4 教授が学生の著作を**概括**した。
□ 5 なるべく口を**挟**まないで見守る。
□ 6 野菜をぬかみそに**漬**ける。
□ 7 学校が**推奨**する本を読む。
□ 8 鍛えられた**鋼**のような肉体だ。
□ 9 貴重な**文献**が発見された。
□ 10 輸入額が**漸次**増えている。
□ 11 **宵**の散歩を楽しむ。
□ 12 社長が会社全体を**統轄**する。
□ 13 会社から制服が**貸与**される。
□ 14 懲戒として**減俸**に処する。
□ 15 一里ごとに**塚**を築いた。
□ 16 小気味よい**韻律**の詩だ。
□ 17 **適宜**休憩をはさむ。
□ 18 **寡聞**にして存じない。
□ 19 **窯**で焼いたピザが売りの店だ。
□ 20 スポーツで鍛えた**頑健**な体だ。
□ 21 **幾何学**模様のスカートをはく。
□ 22 日本一と**銘打**った祭りが開かれた。
□ 23 世界の童話を**抄訳**する。
□ 24 何事にも動じない**豪傑**だ。

目標正答率
95%
／56

標準解答

1 けんじ
2 こうはい
3 しゅうとく
4 がいかつ
5 はさ
6 つ
7 すいしょう
8 はがね
9 ぶんけん
10 ぜんじ
11 よい
12 とうかつ
13 たいよ
14 げんぽう
15 つか
16 いんりつ
17 てきぎ
18 かぶん
19 かま
20 がんけん
21 きかがく
22 めいう
23 しょうやく
24 ごうけつ

□ 25 結婚式に**主賓**として招かれる。
□ 26 体験をありのままに**叙述**する。
□ 27 情状**酌量**の余地はまったくない。
□ 28 **災禍**を被った地に支援物資を送る。
□ 29 政財界の**癒着**を暴く。
□ 30 生徒の**拙劣**な文章を校正する。
□ 31 **贈賄**罪に問われる。
□ 32 国会が**紛糾**した。
□ 33 魚を調理した手が**生臭**い。
□ 34 不遇な親友の**苦衷**を察する。
□ 35 **誓約**書に署名する。
□ 36 株価の**高騰**に市場が沸く。
□ 37 卒業式で校歌を**斉唱**する。
□ 38 原稿用紙の**升目**を埋める。
□ 39 連敗して首位から**陥落**した。
□ 40 遠足で**漆**工場を見学する。

□ 41 被告が法廷で**偽証**した。
□ 42 放火現場は**炎**の海と化した。
□ 43 母の**喪**に服する。
□ 44 病人に**滋養**のある食べ物を与える。
□ 45 身の程知らずで**口幅**ったい。
□ 46 けんかの**仲裁**を買って出た。
□ 47 **偏屈**な性格で孤立する。
□ 48 外観の**美醜**は問わない。
□ 49 国家による**追悼**式が行われた。
□ 50 税金の**扶養**家族控除を受ける。
□ 51 議事録に賛否両論を**併記**する。
□ 52 文化大革命で**粛清**された。
□ 53 旧**侯爵**家の令嬢と結婚する。
□ 54 与えられた任務を**完遂**した。
□ 55 父は**謹厳**な教育者だった。
□ 56 **王妃**として君臨する。

25 しゅひん
26 じょじゅつ
27 しゃくりょう
28 さいか
29 ゆちゃく
30 せつれつ
31 ぞうわい
32 ふんきゅう
33 なまぐさ
34 くちゅう
35 せいやく
36 こうとう
37 せいしょう
38 ますめ
39 かんらく
40 うるし

41 ぎしょう
42 ほのお
43 も
44 じよう
45 くちはば
46 ちゅうさい
47 へんくつ
48 びしゅう
49 ついとう
50 ふよう
51 へいき
52 しゅくせい
53 こうしゃく
54 かんすい
55 きんげん
56 おうひ

かならず押さえる！
頻出度
A

読み⑤

※次の――線の読みをひらがなで記せ。

□1 叙勲式が執り行われる。
□2 古くから交通の要衝として栄えた。
□3 俊才ともてはやされる。
□4 執行猶予がついた判決が下った。
□5 美術館の入り口に彫像を据える。
□6 まるで禅問答のようだ。
□7 頻発するトラブルに手を焼く。
□8 館内を満遍なく見回る。
□9 戸籍抄本が一通必要だ。
□10 申し出を頑として断った。
□11 人が嫌がる仕事を引き受ける。
□12 心の琴線に触れることばだ。
□13 差別的な発言を糾弾する。
□14 理性と感情が相克する。
□15 縁側に座って夕涼みをする。
□16 納豆を毛嫌いする。
□17 国内紛争が泥沼化している。
□18 生き仏として崇敬する。
□19 自由を享受する。
□20 逃走した犯人を全力で探索した。
□21 連日の訪問に甚だ迷惑している。
□22 油断して又とない好機を逸した。
□23 目標を失って怠惰な生活に堕する。
□24 宿敵と覇を競った。

目標正答率 95%

／56

標準解答

1 じょくん
2 ようしょう
3 しゅんさい
4 ゆうよ
5 す
6 ぜんもんどう
7 ひんぱつ
8 まんべん
9 しょうほん
10 がん
11 いや
12 きんせん
13 きゅうだん
14 そうこく
15 ゆうすず
16 けぎら
17 どろぬま
18 すうけい
19 きょうじゅ
20 たんさく
21 はなは
22 いっ
23 だ
24 は

□25 **洞**の中で小鳥が営巣する。
□26 日没を前に**尾根**を伝って下山した。
□27 保存期間を過ぎた書類を**廃棄**する。
□28 申込書の**頒価**は百円です。
□29 玄関の**扉**が開きにくい。
□30 不正が発覚した大臣を**更迭**する。
□31 なごやかな**雰囲気**で人気の店だ。
□32 美しい**旋律**に耳を傾ける。
□33 **奔放**な振る舞いに困惑する。
□34 学歴を**詐称**した罪に問われる。
□35 駅前の道路が**陥没**した。
□36 アルバイトをして学費を**稼**ぐ。
□37 すり傷は三日で**治癒**した。
□38 敵の城内に**忍**び込む。
□39 船が流氷を**砕**いて進む。
□40 自ら退くことで**禍根**を断つ。

□41 顧客に新しい機種を**薦**める。
□42 **謹**んでお悔やみ申し上げます。
□43 敷地に対して**建坪**が狭い。
□44 **悠久**の大地に思いをはせる。
□45 病による**急逝**が惜しまれる。
□46 **軽侮**のこもった目で見る。
□47 富士山の雄大な**眺**めを満喫する。
□48 大型の**船舶**が目の前を航行する。
□49 リーグ戦最下位の**苦汁**をなめる。
□50 **中州**で渡り鳥が群れをなしている。
□51 雪が解けて**山肌**がのぞく。
□52 取引で大きな損害を**被**る。
□53 **漆器**を大切に手入れする。
□54 論文を**吟味**してから提出する。
□55 文章の**酷似**を指摘される。
□56 **閑職**に回されて気落ちする。

25 ほら
26 おね
27 はいき
28 はんか
29 とびら
30 こうてつ
31 ふんいき
32 せんりつ
33 ほんぽう
34 さしょう
35 かんぼつ
36 かせ
37 ちゆ
38 しの
39 くだ
40 かこん

41 すす
42 つつし
43 たてつぼ
44 ゆうきゅう
45 きゅうせい
46 けいぶ
47 なが
48 せんぱく
49 くじゅう
50 なかす
51 やまはだ
52 こうむ
53 しっき
54 ぎんみ
55 こくじ
56 かんしょく

かならず押さえる！

頻出度 A

読み――⑥

※次の――線の読みをひらがなで記せ。

□1 **枢要**なポジションを任される。
□2 読解する前に**逐語訳**を行う。
□3 **爵位**を鼻にかける。
□4 ようやく**涼**しくなってきた。
□5 なめらかな**肌合**いのタオルだ。
□6 **堕落**した精神を正す。
□7 株が**急騰**し大もうけした。
□8 **係累**が多くてにぎやかだ。
□9 **煩忙**を極める作業だ。
□10 新居の**棟上**げ式であいさつする。
□11 文章が**稚拙**で読みにくい。
□12 彼の意志は**既**に固まっている。

□13 有頂天になり発言が**浮**つく。
□14 かいこの**繭**作りを観察する。
□15 洗った食器を**戸棚**に片づける。
□16 政党の**派閥**争いが激化した。
□17 忘れ物をしたので急いで**戻**る。
□18 議案に対して賛否両論が**渦巻**いた。
□19 政界の**地殻**変動を見守る。
□20 イラストの**巧拙**は問わない。
□21 **粛々**として実行に移す。
□22 プロペラ機で**旋回**してみせる。
□23 掛け軸の**真偽**のほどはわからない。
□24 **臭**いにおいが部屋に充満する。

目標正答率 95%

／56

標準解答

1 すうよう
2 ちくごやく
3 しゃくい
4 すず
5 はだあ
6 だらく
7 きゅうとう
8 けいるい
9 はんぼう
10 むねあ
11 ちせつ
12 すで
13 うわ
14 まゆ
15 とだな
16 はばつ
17 もど
18 うずま
19 ちかく
20 こうせつ
21 しゅくしゅく
22 せんかい
23 しんぎ
24 くさ

□25 警察官が非行少年を**説諭**する。
□26 **専**ら部活動の練習に励む。
□27 事実に**潤色**を加えて語る。
□28 モーツァルトに**私淑**している。
□29 人生の意味を**思索**する。
□30 綱をひいて舟を**手繰**り寄せる。
□31 新聞を二紙**併読**している。
□32 内緒話が**筒抜**けになる。
□33 **沸々**と闘志を燃やしている。
□34 会社の功労者を**表彰**する。
□35 **喪中**のはがきが届く。
□36 漫画の同人誌を**主宰**する。
□37 墓地を訪れ**憂愁**に閉ざされる。
□38 休日のビジネス街は**閑散**としている。
□39 粗品ですが、ご**笑納**ください。
□40 突然の質問で返答に**窮**した。

□41 **勲功**によって階級が上がった。
□42 **恭順**の意を表明する。
□43 殺人**教唆**の疑いがある。
□44 **偽**らざる気持ちを述懐する。
□45 雑誌の**懸賞**に応募する。
□46 **雨傘**を電車内に置き忘れた。
□47 **渓流**であゆ釣りをする。
□48 **惰弱**な肉体を鍛え直す。
□49 ガラスを**粉砕**して再利用する。
□50 全課程を**履修**する。
□51 山間の村の**暮春**はまだ寒い。
□52 **有識**者から意見を聴取する。
□53 **別邸**でパーティーが開かれた。
□54 こんな**侮辱**には耐えられない。
□55 参加者の**多寡**を問わず決行する。
□56 **予鈴**が鳴ったら席に着きなさい。

25 せつゆ
26 もっぱ
27 じゅんしょく
28 ししゅく
29 しさく
30 たぐ
31 へいどく
32 つつぬ
33 ふつふつ
34 ひょうしょう
35 もちゅう
36 しゅさい
37 ゆうしゅう
38 かんさん
39 しょうのう
40 きゅう
41 くんこう
42 きょうじゅん
43 きょうさ
44 いつわ
45 けんしょう
46 あまがさ
47 けいりゅう
48 だじゃく
49 ふんさい
50 りしゅう
51 ぼしゅん
52 ゆうしき
53 べってい
54 ぶじょく
55 たか
56 よれい

かならず押さえる！

頻出度

A

読み ⑦

※次の――線の読みをひらがなで記せ。

□ 1 **安閑**としてはいられない。
□ 2 **渓谷**でキャンプを楽しむ。
□ 3 事故の遺族に**弔慰**金が贈られた。
□ 4 携帯電話の通話**履歴**を確認する。
□ 5 クレーン車を巧みに**操**る。
□ 6 孫を相手に**囲碁**を打つ。
□ 7 国の**安寧**秩序を守る。
□ 8 冗談を言って場を**和**ませる。
□ 9 戦争で記録が**散逸**してしまった。
□ 10 **艦長**が攻撃指令を発した。
□ 11 横綱の優勝は**下馬評**どおりだ。
□ 12 将来を占う**試金石**となった。
□ 13 独裁者の圧政に**頑強**に抵抗する。
□ 14 **刃先**を研いで切れ味を回復させる。
□ 15 図書館にカフェを**併設**する。
□ 16 同人誌を**頒布**する。
□ 17 大統領が**貴賓**席で競技を観戦した。
□ 18 実力**伯仲**の二選手の勝負となった。
□ 19 **渋**い顔で拒否された。
□ 20 交渉は**一筋縄**ではいかなかった。
□ 21 化粧品が合わず**肌荒**れした。
□ 22 久しぶりに**愉快**な人に会った。
□ 23 成熟した社会が**醸成**される。
□ 24 格下相手に**辛**うじて勝つ。

目標正答率 95%

／56

標準解答

1 あんかん
2 けいこく
3 ちょうい
4 りれき
5 あやつ
6 いご
7 あんねい
8 なご
9 さんいつ
10 かんちょう
11 げばひょう
12 しきんせき
13 がんきょう
14 はさき
15 へいせつ
16 はんぷ
17 きひん
18 はくちゅう
19 しぶ
20 ひとすじなわ
21 はだあ
22 ゆかい
23 じょうせい
24 かろ

□ 25 金銭の**貸借**を巡って争いが起きる。
□ 26 筆に**墨汁**をたっぷり含ませる。
□ 27 出馬は時期**尚早**だ。
□ 28 横領の**嫌疑**をかけられる。
□ 29 私の**浅慮**のいたすところです。
□ 30 **後戻**りして落とし物を捜す。
□ 31 **横殴**りの雨が窓に打ちつける。
□ 32 狭く**偏向**した考えを改める。
□ 33 **薫**りの高いお茶を差し入れる。
□ 34 インターネットで**検索**してみよう。
□ 35 大火事で消防士が二名**殉職**した。
□ 36 **淑女**をエスコートして入場した。
□ 37 西の空に宵の**明星**が光り輝く。
□ 38 **献身**的な看病に頭が下がる。
□ 39 世俗的な**迷妄**に捕らわれる。
□ 40 患者に**福音**をもたらす特効薬だ。

□ 41 意志が弱くついい**惰性**に流される。
□ 42 人工**透析**がかかせない体だ。
□ 43 上質な**生糸**で絹織物を作る。
□ 44 新社長によって会社が**牛耳**られる。
□ 45 閑職に**左遷**された。
□ 46 戦争の**惨禍**を後世に伝えよう。
□ 47 連合軍の**総帥**として指揮する。
□ 48 寺の本堂は**森閑**としていた。
□ 49 国王が国民から**崇拝**されている。
□ 50 **唯美**的な作風で知られた画家だ。
□ 51 **秋涼**の候となり葉が色づき始めた。
□ 52 敗戦の将が**割腹**して果てた。
□ 53 **栓**を抜いてグラスにビールを注ぐ。
□ 54 懸命の消火で**延焼**を食い止めた。
□ 55 台風で壊れた**垣根**を修理する。
□ 56 青春の記憶は**忘却**のかなたになった。

25 たいしゃく
26 ぼくじゅう
27 しょうそう
28 けんぎ
29 せんりょ
30 あともど
31 よこなぐ
32 へんこう
33 かお
34 けんさく
35 じゅんしょく
36 しゅくじょ
37 みょうじょう
38 けんしん
39 めいもう
40 ふくいん

41 だせい
42 とうせき
43 きいと
44 ぎゅうじ
45 させん
46 さんか
47 そうすい
48 しんかん
49 すうはい
50 ゆいび
51 しゅうりょう
52 かっぷく
53 せん
54 えんしょう
55 かきね
56 ぼうきゃく

かならず押さえる！
頻出度
A
書き取り──①

目標正答率80%

／56

※次の──線のカタカナを漢字に直せ。

□1 夜がフけるまで勉強している。
□2 目覚ましいヤクシンを遂げる。
□3 ロコツにいやな顔をする。
□4 落ち込んでいる友人をハゲました。
□5 アンモクの了解が成立する。
□6 生活のキョテンを地方に移す。
□7 雪でトウゲが不通となった。
□8 情報をよくギンミして収集する。
□9 劇場にシバイを見に行く。
□10 ドクセン禁止法に違反する。
□11 カトキの会社の事業計画を練る。
□12 手づくりのカミカザりをつける。
□13 ゼツミョウな機会を見計らう。
□14 塾の月謝をハラう。
□15 テガタい仕事ぶりが評価された。
□16 野菜のニモノを作る。
□17 飲み込んだアメ玉をハき出す。
□18 クッセツした感情をいだく。
□19 オノレの利益ばかり追求する。
□20 新聞に連載小説をシッピツする。
□21 獄中から無実をサケぶ。
□22 開発に伴い鉄道をシく。
□23 ムナサワぎがして家に引き返した。
□24 競走馬ににんじんをアタえる。

標準解答

1 更
2 躍進
3 露骨
4 励
5 暗黙
6 拠点
7 峠
8 吟味
9 芝居
10 独占
11 過渡期
12 髪飾
13 絶妙
14 払
15 手堅
16 煮物
17 吐
18 屈折
19 己
20 執筆
21 叫
22 敷
23 胸騒
24 与

□25 貴重な話を**ウカガ**った。
□26 河川に**テイボウ**を築いた。
□27 完成目指して**エイイ**努力する。
□28 **ボンジン**の集まりにすぎない。
□29 町の**メイヨ**となる功績だ。
□30 病床の母の手を**ニギ**る。
□31 長年**イリョウ**の現場に携わってきた。
□32 体を**ヤ**みながらも仕事を続けた。
□33 **テッペキ**の守りで相手を封じる。
□34 **ビリョク**ながら助けになりたい。
□35 スーツの**カタハバ**が広すぎる。
□36 競合他社への**タイコウ**手段をとる。
□37 コーチへの就任要請を**カイダク**する。
□38 訪問先で大いに**カンゲイ**された。
□39 健康のために**ゲンマイ**を食べる。
□40 山中でイノシシを**ホカク**する。

□41 話の**ショウテン**をしぼる。
□42 革靴を**タンネン**に磨く。
□43 食卓に山海の**チンミ**が並ぶ。
□44 料金には**ベット**消費税がかかる。
□45 多額の**バッキン**を科せられた。
□46 将来に希望を**イダ**く。
□47 春の野に出て若菜を**ツ**む。
□48 雨の**シズク**が窓ガラスを伝う。
□49 難民救済を心から**ウッタ**える。
□50 かぎ針で**クサリ**編みをする。
□51 火口から**フンエン**が立ち上る。
□52 **ノウム**注意報が発令される。
□53 リズムに合わせて**オド**る。
□54 **トナリ**近所に協力を仰ぐ。
□55 親の目を**ヌス**んで遊びに行く。
□56 現場の**サンジョウ**に顔を背ける。

25 伺
26 堤防
27 鋭意
28 凡人
29 名誉
30 握
31 医療
32 病
33 鉄壁
34 微力
35 肩幅
36 対抗
37 快諾
38 歓迎
39 玄米
40 捕獲

41 焦点
42 丹念
43 珍味
44 別途
45 罰金
46 抱
47 摘
48 滴
49 訴
50 鎖
51 噴煙
52 濃霧
53 踊
54 隣
55 盗
56 惨状

かならず押さえる！
頻出度
A

書き取り ②

目標正答率 80%
／56

※ 次の――線のカタカナを漢字に直せ。

□ 1 洋服を**タタ**んで片づける。
□ 2 排水溝にごみが**ツ**まる。
□ 3 自動**ハンバイ**機で水を買った。
□ 4 **ショウガイ**忘れられない思い出だ。
□ 5 物事の核心に**セマ**る。
□ 6 夕立が上がって**ス**んだ空が広がる。
□ 7 **コンキョ**のないうわさを否定する。
□ 8 **オモムキ**のある古民家だ。
□ 9 計画をいったん白紙に**モド**した。
□ 10 兄と**セタケ**を比べる。
□ 11 受賞を**メイヨ**に思う。
□ 12 名刺で**カタガ**きがわかる。
□ 13 **ボン**と正月が一緒に来たようだ。
□ 14 ゴールを目がけて**トッシン**する。
□ 15 光や音に**カビン**に反応する。
□ 16 **カンダイ**な対応で問題を解決する。
□ 17 **ハケン**社員として働く。
□ 18 **シンチョウ**に事を進める。
□ 19 消防団が徹夜で**ケイカイ**にあたる。
□ 20 毎晩九時には**シュウシン**する。
□ 21 不摂生が原因で健康を**ソコ**なう。
□ 22 空港に報道陣が**サットウ**する。
□ 23 授業中に**イネム**りをする。
□ 24 登山で**ケンキャク**ぶりを発揮した。

標準解答

1 畳
2 詰
3 販売
4 生涯
5 迫
6 澄
7 根拠
8 趣
9 戻
10 背丈
11 名誉
12 肩書
13 盆
14 突進
15 過敏
16 寛大
17 派遣
18 慎重
19 警戒
20 就寝
21 損
22 殺到
23 居眠
24 健脚

□ 25 暑さがしだいに**ヤワ**らいできた。
□ 26 農園で**イモホ**りを体験する。
□ 27 科学の分野に**ソクセキ**を残す。
□ 28 連合軍が軍事**カイニュウ**する。
□ 29 問題を**アザ**やかに解決する。
□ 30 独断で決めたことは**ハナハ**だ遺憾だ。
□ 31 わき水でのどを**ウルオ**す。
□ 32 見物客で人垣が**イクエ**にもできた。
□ 33 自慢の歌声を皆の前で**ヒロウ**する。
□ 34 長雨で**コウズイ**の危険が高まる。
□ 35 商店が三十**ムネ**ほど軒を連ねる。
□ 36 川辺に無数の**ホタル**が飛び交う。
□ 37 よく吟味して**ダトウ**な判断を下す。
□ 38 **ゲンソウ**的な光景が広がる。
□ 39 商品を顧客へ**ジンソク**に届ける。
□ 40 原油価格が**キュウトウ**する。

□ 41 剣道の腕を**ミガ**く。
□ 42 海難に遭ったが無事**セイカン**した。
□ 43 結核の**ショウジョウ**を呈している。
□ 44 本店の課長に**ショウシン**した。
□ 45 トマトが真っ赤に**ウ**れている。
□ 46 煮物を**ウス**味に仕上げる。
□ 47 展望台から市街を**ナガ**める。
□ 48 悲願のリーグ戦**セイハ**を遂に果たした。
□ 49 津波の犠牲者を懇ろに**トムラ**う。
□ 50 信頼できる**ユイイツ**の友に相談する。
□ 51 **ケンキョ**に忠告を受け入れる。
□ 52 会長から金一封を**タマワ**る。
□ 53 来店客に**テイネイ**に応対する。
□ 54 寄席は笑いの**ウズ**に包まれた。
□ 55 **ケイコク**に架かるつり橋を渡る。
□ 56 少年が**アワ**い恋心をいだく。

25 和
26 芋掘
27 足跡
28 介入
29 鮮
30 甚
31 潤
32 幾重
33 披露
34 洪水
35 棟
36 蛍
37 妥当
38 幻想
39 迅速
40 急騰

41 磨
42 生還
43 症状
44 昇進
45 熟
46 薄
47 眺
48 制覇
49 弔
50 唯一
51 謙虚
52 賜
53 丁寧
54 渦
55 渓谷
56 淡

かならず押さえる！ 頻出度 A

書き取り ③

目標正答率 80%

／56

※次の――線のカタカナを漢字に直せ。

□ 1 階段で足を**スベ**らせて転倒した。

□ 2 父親は**タヨ**れる存在だ。

□ 3 システムが壊れ**セイギョ**できない。

□ 4 八**ジョウ**一間の部屋で寝起きする。

□ 5 新鮮な野菜を**ハンバイ**する。

□ 6 来年度の予算に**ク**り入れる。

□ 7 夫婦で**シバイ**を見にいく。

□ 8 針で**ツ**いて穴をあける。

□ 9 **シュコウ**を凝らした料理が並ぶ。

□ 10 赤ちゃんを**ダ**き上げる。

□ 11 犯人が**ツイセキ**の手を逃れる。

□ 12 **コンキョ**のないうわさを流す。

□ 13 **テガタ**い商売で財産を築く。

□ 14 **モッパ**らテニスの練習に励む。

□ 15 ひどい睡魔に**オソ**われる。

□ 16 高い鉄塔を**アオ**ぎ見る。

□ 17 **ヒマ**を見つけては図書館に通った。

□ 18 風が強く波が**アラダ**ってきた。

□ 19 議論の**ホコサキ**をかわした。

□ 20 行動範囲が**セバ**まる。

□ 21 カ**ツ**きて倒れる。

□ 22 落ち葉が水面に**ウ**いている。

□ 23 道を**ヘダ**てて店舗が立ち並ぶ。

□ 24 大型店の出店で商店街が**サビ**れた。

標準解答

1 滑
2 頼
3 制御
4 畳
5 販売
6 繰
7 芝居
8 突
9 趣向
10 抱
11 追跡
12 根拠
13 手堅
14 専
15 襲
16 仰
17 暇
18 荒立
19 矛先
20 狭
21 尽
22 浮
23 隔
24 寂

□25 欠席者に**シャセン**を引く。
□26 国家の**ハンエイ**を願う。
□27 **キョクタン**な意見を言う。
□28 **ハコヅ**めされたミカンを買う。
□29 すべての賞を**ドクセン**した。
□30 試合に勝利し**カンルイ**にむせぶ。
□31 デザートに**モモ**を食べる。
□32 百人の新入社員を**ムカ**える。
□33 家族全員で**イネカ**りを行う。
□34 祖母は**ニュウワ**な性格だ。
□35 防犯のため**カナアミ**をとりつける。
□36 **サワ**でカニをつかまえる。
□37 木々が**ヨツユ**にぬれている。
□38 一日**シグレ**空だった。
□39 **メス**の犬が子犬を出産した。
□40 自由自在に外国語を**アヤツ**る。

□41 もはや**シャクメイ**の余地はない。
□42 契約の**コウシン**を拒否する。
□43 弱火で一定の温度を**イジ**する。
□44 庭付きの立派な**ヤシキ**を構える。
□45 思いの**タケ**を打ちあける。
□46 旅に出て**イヤ**なことを忘れる。
□47 周囲から**ギワク**の目で見られる。
□48 お堂に**ウジガミ**さまがまつられる。
□49 本の**ヘンキャク**日が過ぎる。
□50 友人に**キンキョウ**を知らせる。
□51 無責任な態度が**ナゲ**かわしい。
□52 取材を**カ**ねて旅行する。
□53 恋愛ドラマの**キャクホン**を書く。
□54 **カンヌシ**がおごそかに祝詞を読む。
□55 地元のチームを**オウエン**する。
□56 笑い声が部屋中に**ヒビ**く。

25 斜線
26 繁栄
27 極端
28 箱詰
29 独占
30 感涙
31 桃
32 迎
33 稲刈
34 柔和
35 金網
36 沢
37 夜露
38 時雨
39 雌
40 操

41 釈明
42 更新
43 維持
44 屋敷
45 丈
46 嫌
47 疑惑
48 氏神
49 返却
50 近況
51 嘆
52 兼
53 脚本
54 神主
55 応援
56 響

かならず押さえる！
頻出度
A

書き取り―④

※次の――線のカタカナを漢字に直せ。

□ 1 政治的なダンアツを受ける。
□ 2 水分が半分になるまでニツめる。
□ 3 父の遺産を兄弟でブンカツする。
□ 4 部下に全幅のシンライを置く。
□ 5 絶頂期のオモカゲはどこにもない。
□ 6 キョウレツな印象を焼き付ける。
□ 7 男女がコウゴに並ぶ。
□ 8 間一髪で危険をカイヒした。
□ 9 ユルやかなカーブに差し掛かった。
□ 10 化学反応で溶液がニゴる。
□ 11 ライバルにシンケン勝負を挑む。
□ 12 言動がオモシロおかしく伝えられた。
□ 13 ユウシュウな人材を採用する。
□ 14 ガンコ一徹で柔軟性に欠ける。
□ 15 著名人のショウゾウ画を飾る。
□ 16 同級生相手にウデダメしをする。
□ 17 雑誌のレンサイ小説を読む。
□ 18 事件のカクシンが解明された。
□ 19 不動産の売買をチュウカイする。
□ 20 試験に備えて一夜ヅけで勉強する。
□ 21 運動靴にハき替えてテニスをする。
□ 22 古いケイコウ灯を取り替える。
□ 23 アネッタイ原産のフルーツを食べる。
□ 24 地球は太陽系のワクセイだ。

目標正答率 80%
／56

標準解答

1 弾圧
2 煮詰
3 分割
4 信頼
5 面影
6 強烈
7 交互
8 回避
9 緩
10 濁
11 真剣
12 面白
13 優秀
14 頑固
15 肖像
16 腕試
17 連載
18 核心
19 仲介
20 漬
21 履
22 蛍光
23 亜熱帯
24 惑星

□25 彼はエイリな頭脳を持っている。
□26 将来の進路について思いワズラう。
□27 消費者の要求を正確にハアクする。
□28 二人の間の秘密がツツヌけだ。
□29 過疎化で町がスタれている。
□30 難解な話をかみクダいて説明する。
□31 科学技術のキソ研究に従事する。
□32 家族の生活費を懸命にカセぐ。
□33 山をカンツウして道路を整備する。
□34 アミダナから荷物を下ろす。
□35 年の暮れはアワただしい。
□36 ミョウジョウが夜空に輝いている。
□37 寸暇をオしんで働いた。
□38 足の指にシモヤけができる。
□39 試合中の選手にセイエンをおくる。
□40 部屋のスミにほこりがたまる。

□41 弁護士にホウシュウを支払う。
□42 ヤナギに雪折れなし。
□43 ゆでた卵のカラをむく。
□44 客引きの連呼で、のどがカワく。
□45 誤った行いを何度もクいた。
□46 無意味な文字をラレツする。
□47 必死に説得され気持ちがユれた。
□48 ナマけ者の節句働き。
□49 広場が大勢の観客でウまった。
□50 おボン休みに旅行を計画する。
□51 洪水でテイボウが決壊する。
□52 トウトツな発言に驚かされる。
□53 きゅうりのメバナを観察する。
□54 音にビンカンに反応する。
□55 王様が多くの家臣をメしかかえた。
□56 穏やかなモノゴシで対応する。

25 鋭利
26 煩
27 把握
28 筒抜
29 廃
30 砕
31 基礎
32 稼
33 貫通
34 網棚
35 慌
36 明星
37 惜
38 霜焼
39 声援
40 隅

41 報酬
42 柳
43 殻
44 渇
45 悔
46 羅列
47 揺
48 怠
49 埋
50 盆
51 堤防
52 唐突
53 雌花
54 敏感
55 召
56 物腰

かならず押さえる！

頻出度

A

書き取り――⑤

※次の――線のカタカナを漢字に直せ。

□ 1 同業者がノキナみ倒産した。
□ 2 学生時代の思い出に話がハズむ。
□ 3 詳しい説明はカツアイします。
□ 4 事件のホッタンとなる出来事だ。
□ 5 危険が目前にセマっている。
□ 6 スんだ青空が広がっている。
□ 7 胃にニブい痛みを感じる。
□ 8 歴史資料をカイシャクする。
□ 9 トウトツに指名されて驚く。
□ 10 砂をハラって立ち上がった。
□ 11 蒸気機関車が黒煙をハく。
□ 12 俳人ゆかりの地をメグる旅をした。
□ 13 ヘチマのメバナをスケッチする。
□ 14 湿度の変化にビンカンだ。
□ 15 シッピツ活動に集中する。
□ 16 剣術指南役としてメしかかえられる。
□ 17 先生のお話をウカガう。
□ 18 大きなチャンスをアタえられた。
□ 19 モノゴシの柔らかい人だ。
□ 20 畳に座布団をシく。
□ 21 ニモノの味付けに失敗した。
□ 22 犬がクルったようにほえる。
□ 23 満員電車で足をフまれた。
□ 24 おもちゃがコワれて動かない。

目標正答率 80%

／56

標準解答

1 軒並
2 弾
3 割愛
4 発端
5 迫
6 澄
7 鈍
8 解釈
9 唐突
10 払
11 吐
12 巡
13 雌花
14 敏感
15 執筆
16 召
17 伺
18 与
19 物腰
20 敷
21 煮物
22 狂
23 踏
24 壊

□25 品質は**オト**るが価格が安い。
□26 機械の**アツカ**い方を習う。
□27 温暖化が世界に影響を**オヨ**ぼす。
□28 **ミチハバ**の広い通りに出る。
□29 歯科医で虫歯を**ヌ**いてもらう。
□30 青空の下、**ツツミ**で写生する。
□31 山の**ミネ**から冷気が降りてきた。
□32 宝石の**カガヤ**きに目を奪われる。
□33 ラジオから**カヨウ**曲が流れる。
□34 騒音で迷惑を**コウム**る。
□35 家に立ち寄った**ケイセキ**がある。
□36 政治の**フハイ**を正す。
□37 入院した友人を**ミマ**う。
□38 神社に願い事を**キネン**する。
□39 ランナーが**イセイ**よく走りだす。
□40 弱者への**ハイリョ**に欠ける。

□41 **ボンジン**には思いつかない考えだ。
□42 その話は**キャクショク**されている。
□43 電流計の針が右に**フ**れた。
□44 焼肉に野菜を**ソ**える。
□45 偉大な画家を**ハイシュツ**する。
□46 ゆるやかな**ケイシャ**を滑り降りる。
□47 果物の**センド**が落ちる。
□48 経費が**イク**らかかるかわからない。
□49 名作の**ホマ**れが高い戯曲だ。
□50 森で**メズラ**しい昆虫を見つけた。
□51 **シンミョウ**な顔つきで反省する。
□52 弁当に**イモ**で作ったおかずを入れる。
□53 親のあとを**ツ**いで社長になる。
□54 大地の**メグ**みに感謝する。
□55 **サカ**りの梅を観賞する。
□56 **エンゴ**の手を差し伸べる。

25 劣　26 扱　27 及　28 道幅　29 抜　30 堤　31 峰　32 輝　33 歌謡　34 被　35 形跡　36 腐敗　37 見舞　38 祈念　39 威勢　40 配慮

41 凡人　42 脚色　43 振　44 添　45 輩出　46 傾斜　47 鮮度　48 幾　49 誉　50 珍　51 神妙　52 芋　53 継　54 恵　55 盛　56 援護

かならず押さえる！

頻出度

A

書き取り―⑥

※次の――線のカタカナを漢字に直せ。

□1 根拠のない**ゾクセツ**を信じる。
□2 全員**ノキナ**み昇給した。
□3 山中で**ケモノミチ**に迷い込む。
□4 母の病気回復を**イノ**る。
□5 来年の**コヨミ**が売り出された。
□6 侵入した泥棒を羽**ガ**い締めにした。
□7 **リョカク**機が大空に飛び立つ。
□8 冷蔵庫が**マンパイ**になる。
□9 雪が積もった**サンガク**を絵に描く。
□10 **キュウデン**のまばゆさに見とれる。
□11 使った食器を水に**ヒタ**す。
□12 規則違反が**モクニン**されている。
□13 右と左の**アクリョク**が同じだ。
□14 大急ぎで目的地に**カ**けつける。
□15 訪問客を**ザシキ**に通す。
□16 **サトイモ**を使って料理する。
□17 **センパイ**から指導を受ける。
□18 試合はまだ**ジョバン**だ。
□19 世相を**フウシ**したコラムを書く。
□20 改革に**シュワン**を振るう。
□21 **チマナコ**になって探す。
□22 **リョウヨウ**生活を送る。
□23 あまりの残酷さに顔を**ソム**ける。
□24 上司が自ら**モハン**を示す。

目標正答率 80%

／56

標準解答

1 俗説
2 軒並
3 獣道
4 祈
5 暦
6 交
7 旅客
8 満杯
9 山岳
10 宮殿
11 浸
12 黙認
13 握力
14 駆
15 座敷
16 里芋
17 先輩
18 序盤
19 風刺
20 手腕
21 血眼
22 療養
23 背
24 模範

□25 落ち葉を**クサ**らせて肥料にする。
□26 救急隊が**キビン**に処置する。
□27 心情を**トロ**する。
□28 絵の具で**ノウタン**をつける。
□29 **ホソウ**されていない田舎道を歩く。
□30 医師の**ガイハク**許可が下りる。
□31 役者が芸名を**セシュウ**する。
□32『**ロボウ**の石』は山本有三の作品だ。
□33 会議で**スルド**い意見を述べる。
□34 著者に**ゲンコウ**料を支払う。
□35 **ツツシ**んでお礼を申し上げます。
□36 茶わんに**ウルシ**を塗って仕上げる。
□37 **コウギ**のデモに参加する。
□38 **カゲグチ**を言われて傷ついた。
□39 見事な技術に**キョウタン**する。
□40 敗れはしたものの**ケントウ**した。

□41 上司に**ゲイゴウ**的な態度をとる。
□42 **ギキョク**を上演する。
□43 微弱な電波を**ゾウフク**する。
□44 家宝を**カンテイ**してもらう。
□45 恥を**シノ**んで真実を告白する。
□46 騒音で**アンミン**を妨げられた。
□47 **ウスギ**では肌ざむい陽気だ。
□48 **ヒボン**な才能をもつ。
□49 力が**ゴカク**で勝負がつかない。
□50 ストレスと**ヒロウ**で倒れる。
□51 **タミ**の声を反映した政治を行う。
□52 言葉の**ハシ**に優しさがある。
□53 **ドンカン**なので気づかない。
□54 事態は**イゼン**としてすすまない。
□55 次々と**レンサ**反応を起こす。
□56 チームの中国**エンセイ**に帯同する。

25 腐
26 機敏
27 吐露
28 濃淡
29 舗装
30 外泊
31 世襲
32 路傍
33 鋭
34 原稿
35 謹
36 漆
37 抗議
38 陰口
39 驚嘆
40 健闘

41 迎合
42 戯曲
43 増幅
44 鑑定
45 忍
46 安眠
47 薄着
48 非凡
49 互角
50 疲労
51 民
52 端
53 鈍感
54 依然
55 連鎖
56 遠征

かならず押さえる！

頻出度

A

書き取り ⑦

※次の——線のカタカナを漢字に直せ。

□ 1 ソウゴの理解を深める。
□ 2 クちはてた古い家をとり壊す。
□ 3 ヘンケンに満ちた記事に抗議する。
□ 4 この道具はヨウトが限られる。
□ 5 わずかな食料でウえをしのいだ。
□ 6 シモフりの牛肉をステーキにする。
□ 7 ねぼけマナコで朝食をとる。
□ 8 ダンリョク的に考えて行動する。
□ 9 カベにお気に入りの絵を掛ける。
□ 10 荒地をカイタクして畑をつくる。
□ 11 新たな疑惑がフジョウした。
□ 12 八つ当たりするとはスジチガいだ。
□ 13 取引先におセイボを贈る。
□ 14 ラクライで近所が停電した。
□ 15 物事にジュウナンに対応する。
□ 16 人のオウライが多い道だ。
□ 17 家臣としてトノサマに仕える。
□ 18 ビネツが続いて体がだるい。
□ 19 山中の山小屋にスドまりする。
□ 20 会場まで車でソウゲイする。
□ 21 スンカを惜しんで練習する。
□ 22 生物は動物と植物のソウショウだ。
□ 23 ぜん息のホッサを薬で治める。
□ 24 生涯かけて犯した罪をツグナう。

目標正答率 80%

／56

標準解答

1 相互
2 朽
3 偏見
4 用途
5 飢
6 霜降
7 眼
8 弾力
9 壁
10 開拓
11 浮上
12 筋違
13 歳暮
14 落雷
15 柔軟
16 往来
17 殿様
18 微熱
19 素泊
20 送迎
21 寸暇
22 総称
23 発作
24 償

□25 恋心がネツレツをきわめる。
□26 将来へのチカいの言葉を述べた。
□27 相手の意見をコウテイする。
□28 ハグキがはれて痛みがある。
□29 ライオンがエモノを見つけた。
□30 書類を本物そっくりにギゾウする。
□31 猫が毛を逆立ててイカクする。
□32 不当な要求をキョヒした。
□33 これまでの出題ケイコウを調べる。
□34 自分の意志はスデに固まっている。
□35 来月から新製品がシハンされる。
□36 不意を突かれて心がドウヨウした。
□37 スズしい場所に食品を保管する。
□38 少子化で農村のカソ化が進んだ。
□39 ミサキの先端に立って海を眺める。
□40 カンビな音色に酔いしれる。

□41 空港でメンゼイ品を買いあさる。
□42 ソウダイな目標を達成する。
□43 玄関のトビラを閉めて施錠する。
□44 ヒトハダ脱いで助力する。
□45 前人未到の記録にチョウセンする。
□46 名工のトウゲイ作品を展示する。
□47 ウスグモりの空から日が差す。
□48 試験が近づき気持ちがアセる。
□49 全治二週間のダボク傷を負った。
□50 出がけにフキツな予感に襲われた。
□51 親ドウハンで地域活動に参加する。
□52 日焼け止めのクリームをヌる。
□53 出窓のカタスミに花を飾る。
□54 ガスのセンをしっかり閉める。
□55 チコクをしかられる。
□56 旅先で田舎のフンイキを味わう。

25 熱烈
26 誓
27 肯定
28 歯茎
29 獲物
30 偽造
31 威嚇
32 拒否
33 傾向
34 既
35 市販
36 動揺
37 涼
38 過疎
39 岬
40 甘美

41 免税
42 壮大
43 扉
44 一肌
45 挑戦
46 陶芸
47 薄曇
48 焦
49 打撲
50 不吉
51 同伴
52 塗
53 片隅
54 栓
55 遅刻
56 雰囲気

かならず押さえる！

頻出度

A

書き取り―⑧

※次の――線のカタカナを漢字に直せ。

□1 深夜のソウオンで眠れない。
□2 スイトウにお茶を入れて持参した。
□3 成績次第で学費がメンジョされる。
□4 法廷で陳述する前にセンセイする。
□5 陶器のカビンを落として割った。
□6 グウゼンに事故現場に居合わせた。
□7 百ツボの広さの敷地に家を建てた。
□8 カの鳴くような声で話す。
□9 本格的な選挙戦にトツニュウする。
□10 背骨のゆがみをキョウセイする。
□11 エリを正して先生の話を聞く。
□12 恩師の言葉を座右のメイにする。
□13 軽量カつ耐久性がある素材だ。
□14 虫が木の葉の下にヒソんでいる。
□15 カーテンで直射日光をサエギる。
□16 両者の認識には深いミゾがある。
□17 鬼の居ぬ間にセンタク。
□18 部内での意思のソツウを密にする。
□19 自治をレンポウ政府に委任する。
□20 オウベイに自動車を輸出する。
□21 ウワグツを脱いでげた箱に入れる。
□22 ゴウカな俳優が映画に花を添えた。
□23 猛暑で体力のショウモウが激しい。
□24 悔しくてクチビルをかみしめた。

目標正答率 80%

／56

標準解答

1 騒音
2 水筒
3 免除
4 宣誓
5 花瓶
6 偶然
7 坪
8 蚊
9 突入
10 矯正
11 襟
12 銘
13 且
14 潜
15 遮
16 溝
17 洗濯
18 疎通
19 連邦
20 欧米
21 上靴
22 豪華
23 消耗
24 唇

□ 25 少子化対策を政策の中心にスえた。
□ 26 遊覧船が湖面をジュンカンする。
□ 27 店にセンサイなガラス工芸をかざる。
□ 28 ダイタンな発想で新商品を作る。
□ 29 フタエまぶたが母親似だ。
□ 30 ボウネン会で社員の労をねぎらう。
□ 31 危険物をボッシュウされる。
□ 32 高い目標に果敢にイドむ。
□ 33 外科ビョウトウに勤務している。
□ 34 友人たちとユカイな時を過ごした。
□ 35 鋭いドウサツ力で本質を見抜く。
□ 36 屋上から市街地をチョウボウする。
□ 37 食材をコオらせて長持ちさせる。
□ 38 ヤクドウ感あふれる踊りだ。
□ 39 部屋にホウコウ剤を置く。
□ 40 情景ビョウシャが巧みだ。

□ 41 新しい社会のワク組みを作る。
□ 42 道路の建設費を税金でマカナう。
□ 43 彼は仏像チョウコクの大家だ。
□ 44 裏道をスり抜けて表通りにでる。
□ 45 古い地層から化石がロシュツした。
□ 46 リュウシの細かい写真だ。
□ 47 チメイ的な欠陥を発見した。
□ 48 高いリンリ観が求められる職業だ。
□ 49 体調をクズしてしばらく入院した。
□ 50 池に大量のモが生えている。
□ 51 希望に胸をフクらませている。
□ 52 大金が一瞬でアワと消えた。
□ 53 ヨいつぶれて痴態を演じる。
□ 54 カラクサ模様の布を用意する。
□ 55 親にダマって出かけた。
□ 56 家族でもみじガりに出かける。

25 据
26 循環
27 繊細
28 大胆
29 二重
30 忘年
31 没収
32 挑
33 病棟
34 愉快
35 洞察
36 眺望
37 凍
38 躍動
39 芳香
40 描写

41 枠
42 賄
43 彫刻
44 擦
45 露出
46 粒子
47 致命
48 倫理
49 崩
50 藻
51 膨
52 泡
53 酔
54 唐草
55 黙
56 狩

かならず押さえる!

頻出度 A

書き取り —⑨

目標正答率 80%

／56

※次の——線のカタカナを漢字に直せ。

□ 1 お湯をワかして紅茶をいれる。
□ 2 努力の成果がケンチョに表れる。
□ 3 古きよき時代のオモムキを残す。
□ 4 親友のシンライを裏切る行為だ。
□ 5 駅前のホテルにシュクハクする。
□ 6 自動セイギョが作動した。
□ 7 飛行機が急加速してリリクする。
□ 8 天気はクモり時々晴れの予想だ。
□ 9 先輩に対しエラそうな態度をとる。
□ 10 進むべきか思いマドう。
□ 11 傘からシズクが垂れる。
□ 12 地位やカタガきにはこだわらない。
□ 13 真相はモクして語らず。
□ 14 トナリの町まで自転車で行く。
□ 15 学芸会でダンスをオドる。
□ 16 タンネンな仕事ぶりが評価される。
□ 17 犬がクサリをかみちぎる。
□ 18 紅葉ガりのツアーを申し込む。
□ 19 警察に暴行被害をウッタえる。
□ 20 世界中のチンミを一堂に集める。
□ 21 カラクサ模様を基にデザインする。
□ 22 茶の葉をツんでかごに入れる。
□ 23 夜空にイナズマが走った。
□ 24 クラスのミナが賛成した。

標準解答

1 沸
2 顕著
3 趣
4 信頼
5 宿泊
6 制御
7 離陸
8 曇
9 偉
10 惑
11 滴
12 肩書
13 黙
14 隣
15 踊
16 丹念
17 鎖
18 狩
19 訴
20 珍味
21 唐草
22 摘
23 稲妻
24 皆

☐ 25 事故のシュンカンを写真に収める。
☐ 26 読み終えた本を棚にモドす。
☐ 27 疲れた心身を秘境の温泉でイやす。
☐ 28 娘のコンヤクが調った。
☐ 29 業績が大幅にヤクシンする。
☐ 30 もりで魚をツいて捕らえる。
☐ 31 公園のシバフに寝転ぶ。
☐ 32 誤りをオソれていては何もできない。
☐ 33 辞書にクワしく載っている。
☐ 34 セーターをカゲボしにする。
☐ 35 始業前にヨレイで知らせる。
☐ 36 あまりのサンジョウに目を覆う。
☐ 37 現地に職員をハケンする。
☐ 38 シンチョウな審査により選ぶ。
☐ 39 ミネラルを豊富にフクむ食品だ。
☐ 40 車内から現金がヌスまれる。
☐ 41 玄関前にジャリを敷く。
☐ 42 納得できる結論にトウタツする。
☐ 43 フリカエ用紙を同封する。
☐ 44 暑さ寒さもヒガンまで。
☐ 45 祝意を込めて花束をオクる。
☐ 46 世にはびこる悪事をコらしめる。
☐ 47 大げさにコチョウされた話だ。
☐ 48 姉はヨワタりが上手だ。
☐ 49 暑さをサけて高原へ行く。
☐ 50 南極大陸で冬をコす。
☐ 51 海底から石油をサイクツする。
☐ 52 戦争で国がアれはてる。
☐ 53 山でハチにサされた。
☐ 54 大きなカツオをツりあげる。
☐ 55 業界クッシのやり手だ。
☐ 56 コい目の緑茶を好んで飲む。

25 瞬間
26 戻
27 癒
28 婚約
29 躍進
30 突
31 芝生
32 恐
33 詳
34 陰干
35 予鈴
36 惨状
37 派遣
38 慎重
39 含
40 盗

41 砂利
42 到達
43 振替
44 彼岸
45 贈
46 懲
47 誇張
48 世渡
49 避
50 越
51 採掘
52 荒
53 刺
54 釣
55 屈指
56 濃

かならず押さえる！

頻出度

A

書き取り――⑩

※次の――線のカタカナを漢字に直せ。

□ 1 火災で文化遺産が**ショウシツ**した。

□ 2 **アマ**いメロディーに酔いしれる。

□ 3 **セイリョウ**な風が通り抜ける。

□ 4 交代で**キュウカ**を取る。

□ 5 自分の仕事に**ホコ**りをもつ。

□ 6 麦わら**ボウシ**をかぶって出かける。

□ 7 二つの製品を**ヒカク**する。

□ 8 **シキサイ**豊かな庭でくつろぐ。

□ 9 事の**シュビ**を説明する。

□ 10 大きな**ハンキョウ**を巻き起こす。

□ 11 自然の**オンケイ**に浴する。

□ 12 警察に**ミガラ**を引き渡す。

□ 13 **シャミセン**に合わせて民謡を歌う。

□ 14 敵の**ギャクシュウ**にうろたえる。

□ 15 交渉は**アシブ**み状態だ。

□ 16 **シブ**いカキを干してあまくする。

□ 17 **イクタ**の試練を乗り越える。

□ 18 勝手な行動をして**チツジョ**を乱す。

□ 19 公害の**ゲンキョウ**とされる工場だ。

□ 20 **タガ**いに励ましあう。

□ 21 監督が選手を**ケンム**する。

□ 22 小言が多くて**ケム**たがられる。

□ 23 **シャメン**を一気に駆け下りた。

□ 24 伝統的な農法を**ケイショウ**する。

目標正答率 80%

／56

標準解答

1 焼失
2 甘
3 清涼
4 休暇
5 誇
6 帽子
7 比較
8 色彩
9 首尾
10 反響
11 恩恵
12 身柄
13 三味線
14 逆襲
15 足踏
16 渋
17 幾多
18 秩序
19 元凶
20 互
21 兼務
22 煙
23 斜面
24 継承

□ 25 ロケットが大気ケンガイに達した。
□ 26 オモナガの顔が印象的な女性だ。
□ 27 食べかすが歯間にハサまる。
□ 28 客を招いて茶会をモヨオす。
□ 29 アワい色のスカートを買う。
□ 30 父はウデのいいパン職人だ。
□ 31 結婚式会場をカザりつける。
□ 32 イタらない点ばかりで申し訳ない。
□ 33 トッピョウシもない発言をする。
□ 34 携帯電話はもはやヒツジュ品だ。
□ 35 現状にリッキャクした政策だ。
□ 36 家族で温泉旅行をマンキツした。
□ 37 中学時代はレットウ生だった。
□ 38 先輩が後輩にイバり散らす。
□ 39 トウゲの茶屋で一服する。
□ 40 フクツの精神で修業に励む。

□ 41 危険をオカして雪山に登る。
□ 42 庭でネコが気持ちよさそうに眠る。
□ 43 他人のヒッセキに似せて書く。
□ 44 苦情処理にボウサツされた。
□ 45 剣道場でシナイを振る。
□ 46 一家で帰郷のトに就いた。
□ 47 気ままなインキョ生活を送る。
□ 48 王墓が何者かにトウクツされた。
□ 49 古城の周りのホリを散歩する。
□ 50 キュウレキの七夕を祝う。
□ 51 思わず相手のチョウハツに乗る。
□ 52 合格は日々の努力のケッショウだ。
□ 53 事のケイイがはっきりする。
□ 54 休日はシュミを楽しむ。
□ 55 キンリン住民との交流を図る。
□ 56 酔いつぶれた人をカイホウする。

25 圏外
26 面長
27 挟
28 催
29 淡
30 腕
31 飾
32 至
33 突拍子
34 必需
35 立脚
36 満喫
37 劣等
38 威張
39 峠
40 不屈

41 冒
42 猫
43 筆跡
44 忙殺
45 竹刀
46 途
47 隠居
48 盗掘
49 堀
50 旧暦
51 挑発
52 結晶
53 経緯
54 趣味
55 近隣
56 介抱

かならず押さえる！

頻出度

A

四字熟語──①

＊次の□に漢字を入れ、四字熟語を完成させよ。

□ 1 □合集散〔協力したり反目したりすること〕

□ 2 英俊□傑〔肝っ玉のすわったすぐれた人物〕

□ 3 栄□盛衰〔人や家が栄えたり衰えたりすること〕

□ 4 孤軍奮□〔他人の助けは借りず一人で頑張ること〕

□ 5 □離滅裂〔言動などに統一性がない様子〕

□ 6 朝令□改〔命令などがすぐに変わって定まらないこと〕

□ 7 主客転□〔立場や順序などが逆転すること〕

□ 8 徹頭徹□〔最初から最後まで〕

□ 9 異□邪説〔正統からはずれた見方や立場のこと〕

□ 10 群雄□拠〔多くの英雄が対立しあうこと〕

□ 11 鼓□激励〔大いにはげまし気をふるい立たすこと〕

□ 12 無□自然〔何もせずあるがままにまかせること〕

□ 13 一網打□〔悪党などの全員を一度に捕らえること〕

□ 14 百□錬磨〔数多くのじっせんで鍛えられること〕

□ 15 天下泰□〔世の中が穏やかで平和なこと〕

□ 16 人面□心〔思いやりがなく恩義を知らない人〕

□ 17 青息□息〔非常に困ったり苦しんだりする状態〕

□ 18 粗□粗食〔質素で貧しい生活のたとえ〕

□ 19 □風堂堂〔重々しく堂々として立派な様子〕

□ 20 才色□備〔女性が才能と容姿に恵まれること〕

□ 21 禍□得喪〔災難と幸せ、成功と失敗〕

□ 22 暗中□索〔手がかりがないままあれこれやってみること〕

□ 23 雲散□消〔あとかたもなく消えてなくなること〕

□ 24 □顔無恥〔図々しく恥知らずなさま〕

目標正答率
書き取り75%
意味95%

／56

標準解答

1 離《り》合《ごう》集《しゅう》散《さん》
2 英《えい》俊《しゅん》豪《ごう》傑《けつ》
3 栄《えい》枯《こ》盛《せい》衰《すい》
4 孤《こ》軍《ぐん》奮《ふん》闘《とう》
5 支《し》離《り》滅《めつ》裂《れつ》
6 朝《ちょう》令《れい》暮《ぼ》改《かい》
7 主《しゅ》客《かく(きゃく)》転《てん》倒《とう》
8 徹《てっ》頭《とう》徹《てつ》尾《び》
9 異《い》端《たん》邪《じゃ》説《せつ》
10 群《ぐん》雄《ゆう》割《かっ》拠《きょ》
11 鼓《こ》舞《ぶ》激《げき》励《れい》
12 無《む》為《い》自《し》然《ぜん》
13 一《いち》網《もう》打《だ》尽《じん》
14 百《ひゃく》戦《せん》錬《れん》磨《ま》
15 天《てん》下《か》泰《たい》平《へい》
16 人《じん》面《めん》獣《じゅう》心《しん》
17 青《あお》息《いき》吐《と》息《いき》
18 粗《そ》衣《い》粗《そ》食《しょく》
19 威《い》風《ふう》堂《どう》堂《どう》(々)
20 才《さい》色《しょく》兼《けん》備《び》
21 禍《か》福《ふく》得《とく》喪《そう》
22 暗《あん》中《ちゅう》模《も》索《さく》
23 雲《うん》散《さん》霧《む》消《しょう》
24 厚《こう》顔《がん》無《む》恥《ち》

読み 392問
書き取り 560問
四字熟語① 224問
送りがな 168問
誤字訂正 280問
対義語・類義語 192問
同音・同訓異字 224問
部首 168問
熟語の構成 177問

□ 25 天下□免 〔世の中に認められ許されていること〕

□ 26 □苦勉励 〔非常に苦労して仕事や勉学に励むこと〕

□ 27 熟□断行 〔よく考え思い切って実行すること〕

□ 28 好機□来 〔うってつけのチャンスが訪れること〕

□ 29 公□良俗 〔社会を正すきまりと善良なならわし〕

□ 30 泰然自□ 〔落ち着きはらって物事に動じない様子〕

□ 31 悠悠自□ 〔心のままにのんびりと過ごすこと〕

□ 32 気宇□大 〔心構えや発想が大きくて立派なこと〕

□ 33 □忍自重 〔苦しみなどをじっとこらえる様子〕

□ 34 馬耳□風 〔人の言葉を聞き流すこと〕

□ 35 色即□空 〔世に存在するものはすべて空であるとの仏教の考え〕

□ 36 新□気鋭 〔新しく登場して勢いが盛んなこと〕

□ 37 危□一髪 〔危険とすれすれの状態〕

□ 38 酔生夢□ 〔何事も成さずに一生を終えること〕

□ 39 意気□沈 〔元気を失いしょげてしまうこと〕

□ 40 □面仏心 〔怖そうに見えて、優しく穏やかであること〕

□ 41 難□不落 〔城などが堅固で征服しにくいこと〕

□ 42 心頭滅□ 〔心の中の雑念を取り去ること〕

□ 43 □常一様 〔ごく当たり前な様子〕

□ 44 東奔□走 〔四方八方を忙しく走りまわるさま〕

□ 45 薄志弱□ 〔意志が弱く行動力に欠けること〕

□ 46 質実剛□ 〔飾りけがなく心身共にたくましいこと〕

□ 47 美□麗句 〔うわべを飾り立てた内容のない言葉〕

□ 48 吉凶禍□ 〔運勢や縁起などのよしあし〕

□ 49 優□劣敗 〔強者が栄え弱者が滅びること〕

□ 50 勢力伯□ 〔力が接近していて優劣がつけにくいこと〕

□ 51 軽挙妄□ 〔是非をわきまえず軽はずみに振る舞うこと〕

□ 52 同床□夢 〔仲間でも意見や目的が違うこと〕

□ 53 □遍妥当 〔すべてのものにあてはまること〕

□ 54 和□折衷 〔日本と西洋の様式を取り合わせること〕

□ 55 附和□同 〔他人の言動に軽々しく同調すること〕

□ 56 □忍不抜 〔我慢強く耐えていくこと〕

25 天《てん》下《か》御《ご》免《めん》
26 刻《こっ》苦《く》勉《べん》励《れい》
27 熟《じゅく》慮《りょ》断《だん》行《こう》
28 好《こう》機《き》到《とう》来《らい》
29 公《こう》序《じょ》良《りょう》俗《ぞく》
30 泰《たい》然《ぜん》自《じ》若《じゃく》
31 悠悠《ゆうゆう》(々)自《じ》適《てき》
32 気《き》宇《う》壮《そう》大《だい》
33 隠《いん》忍《にん》自《じ》重《ちょう》
34 馬《ば》耳《じ》東《とう》風《ふう》
35 色《しき》即《そく》是《ぜ》空《くう》
36 新《しん》進《しん》気《き》鋭《えい》
37 危《き》機《き》一《いっ》髪《ぱつ》
38 酔《すい》生《せい》夢《む》死《し》
39 意《い》気《き》消《しょう》沈《ちん》
40 鬼《き》面《めん》仏《ぶっ》心《しん》

41 難《なん》攻《こう》不《ふ》落《らく》
42 心《しん》頭《とう》滅《めっ》却《きゃく》
43 尋《じん》常《じょう》一《いち》様《よう》
44 東《とう》奔《ほん》西《せい》走《そう》
45 薄《はく》志《し》弱《じゃっ》行《こう》
46 質《しつ》実《じつ》剛《ごう》健《けん》
47 美《び》辞《じ》麗《れい》句《く》
48 吉《きっ》凶《きょう》禍《か》福《ふく》
49 優《ゆう》勝《しょう》劣《れっ》敗《ぱい》
50 勢《せい》力《りょく》伯《はく》仲《ちゅう》
51 軽《けい》挙《きょ》妄《もう》動《どう》
52 同《どう》床《しょう》異《い》夢《む》
53 普《ふ》遍《へん》妥《だ》当《とう》
54 和《わ》洋《よう》折《せっ》衷《ちゅう》
55 附《ふ》和《わ》雷《らい》同《どう》
56 堅《けん》忍《にん》不《ふ》抜《ばつ》

かならず押さえる！
頻出度
A

四字熟語—②

※次の□に漢字を入れ、四字熟語を完成させよ。

□1 離合集□ 〔協力したり反目したりすること〕
□2 有□転変 〔この世ははかないというたとえ〕
□3 隠忍自□ 〔苦しみなどをじっとこらえる様子〕
□4 山□水明 〔自然の風景が清らかで美しい様子〕
□5 多岐□羊 〔多くの方針があり選択に迷うこと〕
□6 巧□拙速 〔上手でおそいより下手でもはやい方がよいこと〕
□7 物情□然 〔世間がさわがしいこと〕
□8 旧□依然 〔昔のままで少しも進歩しないこと〕
□9 面目□如 〔世間の評価を上げ顔が立つこと〕
□10 外□内剛 〔外見は穏当でも意志は強いこと〕
□11 傍□無人 〔他人を無視して勝手な言動をする様子〕
□12 真実一□ 〔真実だけを信じそれ一筋に進むこと〕
□13 吉□禍福 〔運勢や縁起などのよしあし〕
□14 心頭滅□ 〔心の中の雑念を取り去ること〕
□15 堅忍不□ 〔我慢強く耐えていくこと〕
□16 美辞□句 〔うわべを飾り立てた内容のない言葉〕
□17 支□滅裂 〔言動などに統一性がない様子〕
□18 □和雷同 〔他人の言動に軽々しく同調すること〕
□19 冠□葬祭 〔元服・結婚・葬式・祖先の祭礼〕
□20 □実剛健 〔飾りけがなく心身共にたくましいこと〕
□21 優勝□敗 〔強者が栄え弱者が滅びること〕
□22 周□徹底 〔周囲に広くしれ渡るようにすること〕
□23 当意即□ 〔状況に応じ即座に機転をきかせること〕
□24 深謀遠□ 〔先々のことまで考えたはかりごと〕

目標正答率
書き取り75%
意味95%
／56

標準解答

1 離合集散《りごうしゅうさん》
2 有為転変《ういてんぺん》
3 隠忍自重《いんにんじちょう》
4 山紫水明《さんしすいめい》
5 多岐亡羊《たきぼうよう》
6 巧遅拙速《こうちせっそく》
7 物情騒然《ぶつじょうそうぜん》
8 旧態依然《きゅうたいいぜん》
9 面目躍如《めんもくやくじょ》《(めんぼく)》
10 外柔内剛《がいじゅうないごう》
11 傍若無人《ぼうじゃくぶじん》
12 真実一路《しんじついちろ》
13 吉凶禍福《きっきょうかふく》
14 心頭滅却《しんとうめっきゃく》
15 堅忍不抜《けんにんふばつ》
16 美辞麗句《びじれいく》
17 支離滅裂《しりめつれつ》
18 附和雷同《ふわらいどう》
19 冠婚葬祭《かんこんそうさい》
20 質実剛健《しつじつごうけん》
21 優勝劣敗《ゆうしょうれっぱい》
22 周知徹底《しゅうちてってい》
23 当意即妙《とういそくみょう》
24 深謀遠慮《しんぼうえんりょ》

□ 25 百□夜行〔多くの悪人がのさばり、はびこること〕
□ 26 南□北馬〔全国各地をせわしく旅すること〕
□ 27 □非善悪〔物事のよしあし〕
□ 28 驚天□地〔世間を大いに驚かせること〕
□ 29 竜頭蛇□〔最初の勢いが、最後まで続かないこと〕
□ 30 安寧秩□〔世の中が平和で落ち着いていること〕
□ 31 夏炉□扇〔役に立たないことのたとえ〕
□ 32 新進気□〔新しく登場して勢いが盛んなこと〕
□ 33 和洋□衷〔日本と西洋の様式を取り合わせること〕
□ 34 狂喜乱□〔踊り上がるほど大喜びする様子〕
□ 35 意気消□〔元気を失いしょげてしまうこと〕
□ 36 孤□落日〔昔の勢いを失い心細い様子〕
□ 37 孤軍□闘〔他人の助けは借りず一人で頑張ること〕
□ 38 主□転倒〔立場や順序などが逆転すること〕
□ 39 雲□霧消〔あとかたもなく消えてなくなること〕
□ 40 □顔無恥〔図々しく恥知らずなさま〕

□ 41 率先垂□〔自ら進んで手本を示すこと〕
□ 42 一罰百□〔一つの罪を懲らしめ他へのいましめとすること〕
□ 43 栄枯□衰〔人や家が栄えたり衰えたりすること〕
□ 44 勢力伯□〔力が接近していて優劣がつけにくいこと〕
□ 45 悠悠□適〔心のままにのんびりと過ごすこと〕
□ 46 笑□千万〔この上なくばかばかしいこと〕
□ 47 比□連理〔男女が仲むつまじいさま〕
□ 48 気□壮大〔心構えや発想が大きくて立派なこと〕
□ 49 金□湯池〔攻められにくく守りが非常に堅いこと〕
□ 50 時□到来〔一番いいころあいが来たということ〕
□ 51 □俊豪傑〔肝っ玉のすわったすぐれた人物〕
□ 52 一日□秋〔大変待ち遠しいことのたとえ〕
□ 53 円□滑脱〔物事をそつなくとりしきる様子〕
□ 54 □善懲悪〔善をすすめ悪を懲らしめること〕
□ 55 一念発□〔やり遂げたり改めたりすることを決意して励むこと〕
□ 56 鶏□牛後〔大国に従うより小国の王たるほうがよい〕

25 百鬼夜行《ひゃっきやこう(やぎょう)》
26 南船北馬《なんせんほくば》
27 是非善悪《ぜひぜんあく》
28 驚天動地《きょうてんどうち》
29 竜頭蛇尾《りゅうとう(りょうとう)だび》
30 安寧秩序《あんねいちつじょ》
31 夏炉冬扇《かろとうせん》
32 新進気鋭《しんしんきえい》
33 和洋折衷《わようせっちゅう》
34 狂喜乱舞《きょうきらんぶ》
35 意気消沈《いきしょうちん》
36 孤城落日《こじょうらくじつ》
37 孤軍奮闘《こぐんふんとう》
38 主客転倒《しゅかく(きゃく)てんとう》
39 雲散霧消《うんさんむしょう》
40 厚顔無恥《こうがんむち》

41 率先垂範《そっせんすいはん》
42 一罰百戒《いちばつひゃっかい》
43 栄枯盛衰《えいこせいすい》
44 勢力伯仲《せいりょくはくちゅう》
45 悠悠《ゆうゆう》(々)自適《じてき》
46 笑止千万《しょうしせんばん》
47 比翼連理《ひよくれんり》
48 気宇壮大《きうそうだい》
49 金城湯池《きんじょうとうち》
50 時節到来《じせつとうらい》
51 英俊豪傑《えいしゅんごうけつ》
52 一日千秋《いちじつせんしゅう》
53 円転滑脱《えんてんかつだつ》
54 勧善懲悪《かんぜんちょうあく》
55 一念発起《いちねんほっき》
56 鶏口牛後《けいこうぎゅうご》

かならず押さえる！

頻出度 A

四字熟語―③

※次の□に漢字を入れ、四字熟語を完成させよ。

□ 1 愛別□苦〔愛する者と生別・死別するつらさ〕

□ 2 千□万紅〔色とりどりの花が咲くこと〕

□ 3 酔生□死〔何事も成さずに一生を終えること〕

□ 4 当意□妙〔状況に応じ素早く機転をきかせること〕

□ 5 孤立□援〔独りぼっちで周囲の援助がない状態〕

□ 6 暗□低迷〔前途不安な状態が続くさま〕

□ 7 旧態□然〔昔のままで少しも進歩しないこと〕

□ 8 一□百戒〔一つ罪を懲らしめて他への戒めとすること〕

□ 9 危機一□〔危険とすれすれの状態〕

□ 10 □端邪説〔正統からはずれた見方や立場のこと〕

□ 11 疾風迅□〔行動がすばやく激しい様子〕

□ 12 □励努力〔心をふるい立たせて努め励むこと〕

□ 13 少壮気□〔年が若く意気込みがするどいこと〕

□ 14 深山幽□〔人里はなれた静かな自然〕

□ 15 多岐亡□〔多くの方針があり選択に迷うこと〕

□ 16 □息吐息〔非常に困ったり苦しんだりする状態〕

□ 17 威□堂堂〔重々しく威厳に満ちている様子〕

□ 18 □髪衝天〔髪が逆立つほど激しくいかること〕

□ 19 謹□実直〔つつしみ深く誠実で正直なこと〕

□ 20 □喜乱舞〔踊り上がるほど大喜びする様子〕

□ 21 □出鬼没〔すばやく現れたり消えたりすること〕

□ 22 要害堅□〔備えがかたいさま〕

□ 23 晴□雨読〔田園で閑居する自適の暮らし〕

□ 24 呉越同□〔仲の悪い者どうしが同じ場所にいること〕

標準解答

1 愛別離苦《あいべつりく》
2 千紫万紅《せんしばんこう》
3 酔生夢死《すいせいむし》
4 当意即妙《とういそくみょう》
5 孤立無援《こりつむえん》
6 暗雲低迷《あんうんていめい》
7 旧態依然《きゅうたいいぜん》
8 一罰百戒《いちばつひゃっかい》
9 危機一髪《ききいっぱつ》
10 異端邪説《いたんじゃせつ》
11 疾風迅雷《しっぷうじんらい》
12 奮励努力《ふんれいどりょく》
13 少壮気鋭《しょうそうきえい》
14 深山幽谷《しんざんゆうこく》
15 多岐亡羊《たきぼうよう》
16 青息吐息《あおいきといき》
17 威風堂堂《いふうどうどう》（々）
18 怒髪衝天《どはつしょうてん》
19 謹厳実直《きんげんじっちょく》
20 狂喜乱舞《きょうきらんぶ》
21 神出鬼没《しんしゅつきぼつ》
22 要害堅固《ようがいけんご》
23 晴耕雨読《せいこううどく》
24 呉越同舟《ごえつどうしゅう》

目標正答率
書き取り75%
意味95%

／56

□ 25 □事来歴 〔物事の由来や歴史〕
□ 26 □目躍如 〔世間の評価を上げ顔が立つこと〕
□ 27 夏炉冬□ 〔役に立たないことのたとえ〕
□ 28 □鬼夜行 〔多くの悪人がのさばり、はびこること〕
□ 29 □謀遠慮 〔先々のことまで考えたはかりごと〕
□ 30 鶏口□後 〔大国に従うより小国の王たるほうがよい〕
□ 31 是非□直 〔物事の善悪や正・不正〕
□ 32 □楽浄土 〔仏教で阿弥陀仏がいる安楽の世界〕
□ 33 遺憾千□ 〔思い通りにいかず大変残念なこと〕
□ 34 機略□横 〔策略を自在にめぐらし用いること〕
□ 35 一□打尽 〔悪党などの全員を一度に捕らえること〕
□ 36 □舞激励 〔大いにはげまし気をふるい立たすこと〕
□ 37 一□発起 〔やり遂げたり改めたりすることを決意して励むこと〕
□ 38 無為自□ 〔何もせずあるがままにまかせること〕
□ 39 五□霧中 〔物事の手がかりをつかめず困惑すること〕
□ 40 円転滑□ 〔物事をそつなくとりしきる様子〕

□ 41 本末転□ 〔根本とそうでないところを逆にすること〕
□ 42 □慮分別 〔深く考えて判断すること〕
□ 43 □利多売 〔少ない利益で品物を多く売る商法〕
□ 44 明鏡□水 〔曇りなく澄みきった心境〕
□ 45 流言□語 〔根拠のないでたらめなうわさ〕
□ 46 巧言令□ 〔口先がうまく、愛想よく人にへつらうこと〕
□ 47 □大妄想 〔自分を過大に評価する思い込み〕
□ 48 良風□俗 〔うつくしい風習や風俗〕
□ 49 □攻不落 〔城などが堅固で征服しにくいこと〕
□ 50 衆口一□ 〔多くの人の意見が一つになること〕
□ 51 □象無象 〔つまらない連中〕
□ 52 粉□砕身 〔力の限り努力すること〕
□ 53 不即不□ 〔つかずはなれずの関係〕
□ 54 朝三□四 〔目先だけで本質を理解していないこと〕
□ 55 歌□音曲 〔楽器に合わせて歌い踊る様子〕
□ 56 奮励□力 〔気持ちを奮ってつとめ励むこと〕

25 故事来歴《こじらいれき》
26 面目《めんもく(めんぼく)》躍如《やくじょ》
27 夏炉冬扇《かろとうせん》
28 百鬼夜行《ひゃっきやこう(やぎょう)》
29 深謀遠慮《しんぼうえんりょ》
30 鶏口牛後《けいこうぎゅうご》
31 是非曲直《ぜひきょくちょく》
32 極楽浄土《ごくらくじょうど》
33 遺憾千万《いかんせんばん》
34 機略縦横《きりゃくじゅうおう》
35 一網打尽《いちもうだじん》
36 鼓舞激励《こぶげきれい》
37 一念発起《いちねんほっき》
38 無為自然《むいしぜん》
39 五里霧中《ごりむちゅう》
40 円転滑脱《えんてんかつだつ》

41 本末転倒《ほんまつてんとう》
42 思慮分別《しりょふんべつ》
43 薄利多売《はくりたばい》
44 明鏡止水《めいきょうしすい》
45 流言飛語《りゅうげんひご》
46 巧言令色《こうげんれいしょく》
47 誇大妄想《こだいもうそう》
48 良風美俗《りょうふうびぞく》
49 難攻不落《なんこうふらく》
50 衆口一致《しゅうこういっち》
51 有象無象《うぞうむぞう》
52 粉骨砕身《ふんこつさいしん》
53 不即不離《ふそくふり》
54 朝三暮四《ちょうさんぼし》
55 歌舞音曲《かぶおんぎょく》
56 奮励努力《ふんれいどりょく》

かならず押さえる！

頻出度 A

四字熟語―④

※次の□に漢字を入れ、四字熟語を完成させよ。

□ 1 神出□没〔すばやく現れたり消えたりすること〕
□ 2 力戦奮□〔力の限り努力すること〕
□ 3 縦横無□〔思う存分ふるまう様子〕
□ 4 要害□固〔備えがかたいさま〕
□ 5 思□分別〔深く考えて判断すること〕
□ 6 外柔□剛〔外見は穏当でも意志は強いこと〕
□ 7 五里□中〔物事の手がかりをつかめず困惑すること〕
□ 8 歌舞音□〔楽器に合わせて歌い踊る様子〕
□ 9 沈思□考〔だまって深く考えこむこと〕
□ 10 好□到来〔うってつけのチャンスが訪れること〕
□ 11 物情騒□〔世間が騒がしいこと〕
□ 12 □志弱行〔意志が弱く行動力に欠けること〕
□ 13 金城鉄□〔防備が堅くつけ入るすきがないこと〕
□ 14 □非曲直〔物事の善悪や正・不正〕
□ 15 信□必罰〔厳格に賞罰を行うこと〕
□ 16 無□徒食〔何もしないで、無駄に日々を過ごすこと〕
□ 17 才色兼□〔女性が才能と容姿に恵まれること〕
□ 18 率先□範〔自ら進んで模範を示すこと〕
□ 19 千紫□紅〔色とりどりの花が咲くこと〕
□ 20 免許□伝〔技などの極意を伝えること〕
□ 21 有為□変〔この世ははかないというたとえ〕
□ 22 □目躍如〔世間の評価を上げ顔が立つこと〕
□ 23 一挙□得〔一つのことで同時に二つの利益を得ること〕
□ 24 □命息災〔命をのばして無事でいること〕

目標正答率
書き取り75%
意味95%

／56

標準解答

1 神出鬼没《しんしゅつきぼつ》
2 力戦奮闘《りきせんふんとう》
3 縦横無尽《じゅうおうむじん》
4 要害堅固《ようがいけんご》
5 思慮分別《しりょふんべつ》
6 外柔内剛《がいじゅうないごう》
7 五里霧中《ごりむちゅう》
8 歌舞音曲《かぶおんぎょく》
9 沈思黙考《ちんしもっこう》
10 好機到来《こうきとうらい》
11 物情騒然《ぶつじょうそうぜん》
12 薄志弱行《はくしじゃっこう》
13 金城鉄壁《きんじょうてっぺき》
14 是非曲直《ぜひきょくちょく》
15 信賞必罰《しんしょうひつばつ》
16 無為徒食《むいとしょく》
17 才色兼備《さいしょくけんび》
18 率先垂範《そっせんすいはん》
19 千紫万紅《せんしばんこう》
20 免許皆伝《めんきょかいでん》
21 有為転変《ういてんぺん》
22 面目躍如《めんもくやくじょ（めんぼく）》
23 一挙両得《いっきょりょうとく》
24 延命息災《えんめいそくさい》

□ 25 一汁一□〔質素な食事のたとえ〕
□ 26 抱腹絶□〔腹を抱えてひっくり返るほど笑うこと〕
□ 27 □志貫徹〔はじめの志を最後まで貫き通すこと〕
□ 28 孤□無援〔独りぼっちで周囲の援助がない状態〕
□ 29 暗雲低□〔前途不安な状態が続くさま〕
□ 30 □中模索〔手がかりなく、あれこれやってみること〕
□ 31 □下御免〔世の中に認められ許されていること〕
□ 32 公序良□〔社会を正すきまりと善良なならわし〕
□ 33 泰□自若〔落ち着きはらって物事に動じない様子〕
□ 34 □苦勉励〔非常に苦労して仕事や勉学に励むこと〕
□ 35 □用貧乏〔なまじ器用なため大成しないこと〕
□ 36 □止千万〔この上なくばかばかしいこと〕
□ 37 遺憾□万〔思い通りにいかず大変残念なこと〕
□ 38 □頭指揮〔長たる者が現場の先頭で指図すること〕
□ 39 □牛充棟〔蔵書が非常に多いことのたとえ〕
□ 40 公平無□〔片寄ることなく平等で私心のないこと〕

□ 41 天□孤独〔身寄りがなく一人ぼっちである様子〕
□ 42 月下□人〔男女の縁を取り持つ人〕
□ 43 深□幽谷〔人里はなれた静かな自然〕
□ 44 巧□令色〔口先がうまく、愛想よく人にへつらうこと〕
□ 45 大同小□〔似たり寄ったりなこと〕
□ 46 孤城□日〔昔の勢いを失い心細い様子〕
□ 47 明□止水〔曇りなく澄みきった心境〕
□ 48 金科□条〔いちばん大切な決まりや法律〕
□ 49 □計奇策〔たくみで奇抜な策略〕
□ 50 七転八□〔苦しみもだえて転げ回ること〕
□ 51 換□奪胎〔外見はもとのまま中身を取り変えること〕
□ 52 先憂後□〔先に心配事を片付け、後でたのしむこと〕
□ 53 眺□絶佳〔眺めがこのうえなくすばらしいこと〕
□ 54 □志満々〔負かそうとする意気込みが盛んな様子〕
□ 55 首□一貫〔方針や態度が終始変わらないこと〕
□ 56 同□異夢〔仲間でも意見や目的が違うこと〕

25 一《いち》汁《じゅう》一《いっ》菜《さい》
26 抱《ほう》腹《ふく》絶《ぜっ》倒《とう》
27 初《しょ》志《し》貫《かん》徹《てつ》
28 孤《こ》立《りつ》無《む》援《えん》
29 暗《あん》雲《うん》低《てい》迷《めい》
30 暗《あん》中《ちゅう》模《も》索《さく》
31 天《てん》下《か》御《ご》免《めん》
32 公《こう》序《じょ》良《りょう》俗《ぞく》
33 泰《たい》然《ぜん》自《じ》若《じゃく》
34 刻《こっ》苦《く》勉《べん》励《れい》
35 器《き》用《よう》貧《びん》乏《ぼう》
36 笑《しょう》止《し》千《せん》万《ばん》
37 遺《い》憾《かん》千《せん》万《ばん》
38 陣《じん》頭《とう》指《し》揮《き》
39 汗《かん》牛《ぎゅう》充《じゅう》棟《とう》
40 公《こう》平《へい》無《む》私《し》

41 天《てん》涯《がい》孤《こ》独《どく》
42 月《げっ》下《か》氷《ひょう》人《じん》
43 深《しん》山《ざん》幽《ゆう》谷《こく》
44 巧《こう》言《げん》令《れい》色《しょく》
45 大《だい》同《どう》小《しょう》異《い》
46 孤《こ》城《じょう》落《らく》日《じつ》
47 明《めい》鏡《きょう》止《し》水《すい》
48 金《きん》科《か》玉《ぎょく》条《じょう》
49 妙《みょう》計《けい》奇《き》策《さく》
50 七《しち》転《てん》八《ばっ》倒《とう》
51 換《かん》骨《こつ》奪《だっ》胎《たい》
52 先《せん》憂《ゆう》後《こう》楽《らく》
53 眺《ちょう》望《ぼう》絶《ぜっ》佳《か》
54 闘《とう》志《し》満《まん》満《まん》(々)
55 首《しゅ》尾《び》一《いっ》貫《かん》
56 同《どう》床《しょう》異《い》夢《む》

かならず押さえる!
頻出度
A

送りがな―①

※次の――線のカタカナを漢字と送りがな(ひらがな)に直せ。

□1 新春を**ムカエル**。
□2 **アザヤカナ**手さばきだ。
□3 友人の子供を**アズカル**。
□4 道を照らすライトに**マドワサ**れた。
□5 洪水で床下まで水に**ヒタル**。
□6 戦争体験を**フマエ**て発言した。
□7 彼は天才との**ホマレ**が高かった。
□8 刃先は**スルドク**とがっていた。
□9 世間を**サワガセ**た事件だ。
□10 たばこで部屋の中が**ケムイ**。
□11 難題から目を**ソムケル**。
□12 むだなお金を**ツイヤシ**た。
□13 あの人が欠席とは**メズラシイ**。
□14 **イソガシイ**仕事も終わった。
□15 釣り糸を**ムスブ**。
□16 冷蔵庫の食べ物を**クサラス**。
□17 警察官が駐在所に**ツメル**。
□18 就職難に**ナヤマサ**れている。
□19 とても**アマイ**すいかだった。
□20 法を**オカシ**てはならない。
□21 毎日の運動で体力を**タクワエル**。
□22 先輩から体験談を**ウカガウ**。
□23 芋がやわらかく**ニエル**。
□24 記念館設立に力を**ツクス**。

目標正答率 80%
／56

標準解答

1 迎える
2 鮮やかな
3 預かる
4 惑わさ
5 浸る
6 踏まえ
7 誉れ
8 鋭く
9 騒がせ
10 煙い
11 背ける
12 費やし
13 珍しい
14 忙しい
15 結ぶ
16 腐らす
17 詰める
18 悩まさ
19 甘い
20 犯し
21 蓄える
22 伺う
23 煮える
24 尽くす

□ 25 彼の熱意に心がカタムク。
□ 26 冬の間は雪にトザサれる。
□ 27 逃げた小鳥をツカマエル。
□ 28 父は政治にとてもクワシイ。
□ 29 あと一歩というところまでセマル。
□ 30 広く読者にウッタエル記事だ。
□ 31 肝試しの幽霊にフルエおののいた。
□ 32 殿のオオセの通りにいたします。
□ 33 手に汗ニギル試合を観戦した。
□ 34 優勝校をタオスことが目標だ。
□ 35 辛うじて事故をサケルことができた。
□ 36 ぬれた服をカワカス。
□ 37 内閣総辞職がホウジラレた。
□ 38 趣味と実益をカネル。
□ 39 一生かけて過ちをツグナウ。
□ 40 大きなシートをタタンで片付ける。
□ 41 母の肩に手をソエル。
□ 42 アシはキタナイ水を浄化する。
□ 43 息子はタノモシイ男に成長した。
□ 44 荷物は丁寧にアツカウ。
□ 45 敵陣にイサマシク突進する。
□ 46 山間のセマイ土地に住んでいる。
□ 47 最近はナゲカワシイ事件が多い。
□ 48 豪華客船で世界をメグル。
□ 49 父の病状を医者にタズネル。
□ 50 馬の手綱をユワエル。
□ 51 草むらのスズムシの声に耳をスマス。
□ 52 ウラナイが流行している。
□ 53 おもちゃをコワシてしまった。
□ 54 公園の木造ベンチがクチル。
□ 55 友人はあいまいに言葉をニゴシた。
□ 56 秋晴れの空に気持ちもハズンだ。

25 傾く
26 閉ざさ
27 捕まえる
28 詳しい
29 迫る
30 訴える
31 震え
32 仰せ
33 握る
34 倒す
35 避ける
36 乾かす
37 報じられ
38 兼ねる
39 償う
40 畳ん
41 添える
42 汚い
43 頼もしい
44 扱う
45 勇ましく
46 狭い
47 嘆かわしい
48 巡る
49 尋ねる
50 結わえる
51 澄ます
52 占い
53 壊し
54 朽ちる
55 濁し
56 弾ん

かならず押さえる！

頻出度 A

送りがな―②

※次の――線のカタカナを漢字と送りがな(ひらがな)に直せ。

□ 1 ゴミの投げ捨てはハズカシイ行為だ。
□ 2 礼儀の大切さを子供に言いフクメル。
□ 3 戦火をノガレて脱出した。
□ 4 カガヤカシイ伝統を受け継ぐ。
□ 5 凶悪な犯罪にオソレを感じる。
□ 6 アマヤカサれて育った。
□ 7 駐在所で道をタズネル。
□ 8 水面をスカシて魚が見える。
□ 9 肩の痛みがウスライだ。
□ 10 大気のヨゴレが問題になっている。
□ 11 娘に買い物をタノム。
□ 12 パソコンのアツカイ方を習得したい。
□ 13 降りかかった突然の不幸をナゲク。
□ 14 ボールが大きくハズンだ。
□ 15 色アザヤカナタ焼けだ。
□ 16 歴史をフマエて友好関係を築く。
□ 17 彼はスルドイ感覚の持ち主です。
□ 18 外国でメズラシイ果物を見つけた。
□ 19 イソガシイ毎日を送る。
□ 20 夏は蚊の大群にナヤマサれる。
□ 21 水に浸った時計がコワレる。
□ 22 校長にまで責任がオヨブ。
□ 23 子猫を腕にカカエル。
□ 24 家族五人分の食料をタクワエル。

目標正答率 80%

／56

標準解答

1 恥ずかしい
2 含める
3 逃れ
4 輝かしい
5 恐れ
6 甘やかさ
7 尋ねる
8 透かし
9 薄らい
10 汚れ
11 頼む
12 扱い
13 嘆く
14 弾ん
15 鮮やかな
16 踏まえ
17 鋭い
18 珍しい
19 忙しい
20 悩まさ
21 壊れ
22 及ぶ
23 抱える
24 蓄える

□25 親の恩にムクイル機会を得る。
□26 突然の出来事にオドロカサれた。
□27 穴にカクレたウサギをおびき出す。
□28 友人より腕力がオトッている。
□29 大型店の出店で商店街がサビレた。
□30 心をスマセば真理が見えてくる。
□31 資産家が駅前の土地を買いシメル。
□32 寒さで体のフルエが止まらない。
□33 戦前は天皇を神とアオイだ。
□34 手紙に一輪のバラをソエル。
□35 昨夜の雨で川の水がニゴル。
□36 寒さで体の動きがニブル。
□37 弟のわがままをイマシメル。
□38 男女の収入格差はセバマル傾向だ。
□39 来客をムカエ祝宴を催す。
□40 彼の態度にほとほと愛想がツキル。

□41 強風にあおられて看板がタオレル。
□42 度重なる凶作で国民がウエル。
□43 ミニクイ政争が繰り広げられる。
□44 幼子がツタナイ字で名前を書く。
□45 友に再会をチカッて郷土を離れた。
□46 ヒビキのよい名前。
□47 こっそりヌスミ食いをする。
□48 谷川の冷たい水に足をヒタス。
□49 人々の優しさにフレル。
□50 不景気で損害をコウムル。
□51 天災を予告して大衆をマドワス。
□52 彼女はカザラない人柄だ。
□53 指名手配の犯人が警察にツカマル。
□54 陽気のせいでネムタクなる。
□55 大事な松の木をカラシてしまう。
□56 子猫のしぐさに皆の顔がナゴンだ。

25 報いる
26 驚かさ
27 隠れ
28 劣っ
29 寂れ
30 澄ませ
31 占める
32 震え
33 仰い
34 添える
35 濁る
36 鈍る
37 戒める
38 狭まる
39 迎え
40 尽きる

41 倒れる
42 飢える
43 醜い
44 拙い
45 誓っ
46 響き
47 盗み
48 浸す
49 触れる
50 被る
51 惑わす
52 飾ら
53 捕まる
54 眠たく
55 枯らし
56 和ん

かならず押さえる!

頻出度

A

送りがな③

✻次の——線のカタカナを漢字と送りがな(ひらがな)に直せ。

□ 1 ナゴヤカナ雰囲気に包まれた。
□ 2 お祝いの杯をカタムケル。
□ 3 秋になると海辺はサビシクなる。
□ 4 乾期にはこの池の水はカレル。
□ 5 部屋いっぱいに花をカザル。
□ 6 オカシた罪は償うべきだ。
□ 7 生まれて初めてカイコにサワル。
□ 8 無礼な振る舞いは腹にスエかねる。
□ 9 少女がハズカシそうにほほ笑んだ。
□ 10 ビルの屋上から夜景をナガメル。
□ 11 ガラスの破片が指にササッた。
□ 12 クルオシイ想いに悩まされる。
□ 13 のどかな田園風景を絵にエガイた。
□ 14 ツカレタ体を温泉に入って休めた。
□ 15 難解な話をかみクダイテ説明する。
□ 16 足音をシノバセて階段を上った。
□ 17 郵便局にお金をアズケル。
□ 18 ゴールに向かってまっすぐカケル。
□ 19 野菜をゆっくりと煮フクメル。
□ 20 ご要望はウケタマワリました。
□ 21 星は宝石のようにカガヤイている。
□ 22 今年の夏はオソロシク暑い。
□ 23 考える時間をアタエル。
□ 24 志ナカバで倒れる。

目標正答率 80%

／56

標準解答

1 和やかな
2 傾ける
3 寂しく
4 枯れる
5 飾る
6 犯し
7 触る
8 据え
9 恥ずかし
10 眺める
11 刺さっ
12 狂おしい
13 描い
14 疲れた
15 砕いて
16 忍ばせ
17 預ける
18 駆ける
19 含める
20 承り
21 輝い
22 恐ろしく
23 与える
24 半ば

□ 25 車で北海道を**メグル**旅に出る。
□ 26 **スカシ**窓から外を見る。
□ 27 お湯で三倍に**ウスメル**とよい。
□ 28 情報が**オヨボス**影響を考えた。
□ 29 出世しても**エラブラ**ない。
□ 30 夏祭りの会場は**サワガシイ**。
□ 31 銀行強盗を取り**ニガシ**てしまった。
□ 32 しかられてふて**クサレル**。
□ 33 八ヶ岳が朝もやに**ケムッ**ている。
□ 34 モチがのどに**ツマル**と危険だ。
□ 35 父の期待に**ソムク**行動だ。
□ 36 将来への不安を**イダク**。
□ 37 手を**タズサエ**て日本一を目指す。
□ 38 世にはびこる悪事を**コラシメル**。
□ 39 過疎化で町が**スタレ**ている。
□ 40 思い通りにいかず**シブイ**顔をする。

□ 41 自由自在に外国語を**アヤツル**。
□ 42 温泉の湯船に身を**シズメル**。
□ 43 **イツワリ**のない真実を探求する。
□ 44 彼女は心を**トザシ**てしまった。
□ 45 子の活躍を**ホコラシク**思う。
□ 46 ころんで靴が**ヌゲル**。
□ 47 事件の証拠を**カクシ**た。
□ 48 型は古いが性能は**オトッ**ていない。
□ 49 子どもを**ネカス**時間だ。
□ 50 見事な演奏に**オドロイ**た。
□ 51 議論は夜が**フケル**まで続いた。
□ 52 医者は病状を**クワシク**説明した。
□ 53 犬はうれしそうに飛び**ハネル**。
□ 54 お互いに手を**ニギリ**合った。
□ 55 山荘にこもって暑さを**サケル**。
□ 56 甘い物の食べすぎを**ツツシム**。

25 巡る
26 透かし
27 薄める
28 及ぼす
29 偉ぶら
30 騒がしい
31 逃がし
32 腐れる
33 煙っ
34 詰まる
35 背く
36 抱く
37 携え
38 懲らしめる
39 廃れ
40 渋い

41 操る
42 沈める
43 偽り
44 閉ざし
45 誇らしく
46 脱げる
47 隠し
48 劣っ
49 寝かす
50 驚い
51 更ける
52 詳しく
53 跳ねる
54 握り
55 避ける
56 慎む

かならず押さえる！

頻出度

A

誤字訂正──①

※次の文中にまちがって使われている漢字が一字ある。同じ音訓の正しい漢字を記せ。

□1 常直の舎管の目を避けて門限を破る。
□2 処女作の画調高い文章に驚嘆する。
□3 流行性感冒が全国的に猛偉を振るう。
□4 突然の憤火で住民が校舎に避難した。
□5 授業に映像を働入して生徒たちに見せる。
□6 接客に使う広間に華やかな装色を施す。
□7 樹脂塗装した家具は待久性に優れる。
□8 契約の公改交渉で厳しい条件を提示した。
□9 作者の思索の軌績が記された著書を読む。
□10 植物の育成に富葉土を役立てる。
□11 栄養の保給のため患者に点滴を打つ。
□12 財産の譲途に関する書類に署名する。
□13 医師団は総力を揚げて患者を救命した。
□14 僕は感招的で涙を誘われやすい性格だ。
□15 環境に配虜した新型車の開発を進める。
□16 心食を忘れて新製品の開発に没頭した。
□17 内戦激化で国連が急きょ軍事階入した。
□18 医領ミスによる患者の死亡事故が相次ぐ。
□19 優秀な人材確捕が我が社の急務だ。
□20 集容人員一万を超える劇場を建設した。
□21 前職での働きぶりも押して知るべしだ。
□22 選烈に印象に残る小説を著す作家だ。
□23 伐採により原木の奇少性が高まる。
□24 局度に短いその詩形が俳句の特徴だ。

目標正答率 85%

／56

標準解答

1 管→監
2 画→格
3 偉→威
4 憤→噴
5 働→導
6 色→飾
7 待→耐
8 公→更
9 績→跡
10 富→腐
11 保→補
12 途→渡
13 揚→挙
14 招→傷
15 虜→慮
16 心→寝
17 階→介
18 領→療
19 捕→保
20 集→収
21 押→推
22 選→鮮
23 奇→希
24 局→極

□ 25 取締役が渋面で出所進退を表明した。
□ 26 制服は個性の拡一化を象徴している。
□ 27 国家機構の改較に全力を尽くす。
□ 28 伝票を展付した書類を提出する。
□ 29 万博の誘置合戦が激しさを増す。
□ 30 社員研習は過密な予定が組まれていた。
□ 31 学者には縦軟な思考力が必要不可欠だ。
□ 32 内儒拡大策が奏功し景気が上向く。
□ 33 工事が遅延し完成を怪ぶむ声が大きい。
□ 34 この縦走路は傾斜がきつく健却向きだ。
□ 35 首相の失言に単を発した論議が起きる。
□ 36 序番の劣勢を逆転して勝利をおさめた。
□ 37 県境の峠を超え広域に及んで捜索する。
□ 38 郷土の変化と人口の増加に脅倒した。
□ 39 開拓時代の農民は自ら悪党共を劇退した。
□ 40 全校生徒の期範となる言動を心がける。

□ 41 深海底でも生物の存在が版明している。
□ 42 美術品への鋭利な勘識眼に定評がある。
□ 43 貯金で念願の四輪区動車を購入する。
□ 44 神社仏閣の静弱な雰囲気が好きだ。
□ 45 酸素を供給して燃焦を促進する。
□ 46 敵の上陸に供え海岸に軍を集結する。
□ 47 ごみを運び出して焼却施設に運般する。
□ 48 大気汚洗の影響で身体に異常をきたす。
□ 49 工業製品の価格が軒並み高謄する。
□ 50 祖母は和歌にも通じ才色兼美といわれた。
□ 51 食感に優れた布地を開発し販売する。
□ 52 会社業務では通証として旧姓を使う。
□ 53 世界の最高宝を仰ぎ見て感嘆する。
□ 54 芸能人による海外担訪番組が人気だ。
□ 55 優勝達成の瞬間、応援席は候奮した。
□ 56 鍛錬を重ねた剣術の腕前を秘露する。

25 所→処
26 拡→画
27 較→革
28 展→添
29 置→致
30 習→修
31 縦→柔
32 儒→需
33 怪→危
34 却→脚
35 単→端
36 番→盤
37 超→越
38 脅→驚
39 劇→撃
40 期→規
41 版→判
42 勘→鑑
43 区→駆
44 弱→寂
45 焦→焼
46 供→備
47 般→搬
48 洗→染
49 謄→騰
50 美→備
51 食→触
52 証→称
53 宝→峰
54 担→探
55 候→興
56 秘→披

かならず押さえる!

頻出度

A

誤字訂正—②

目標正答率85%

／56

※次の文中にまちがって使われている漢字が一字ある。同じ音訓の正しい漢字を記せ。

□ 1 交通事故の死傷者の数が班明した。

□ 2 創業の地から徹退する英断を下す。

□ 3 あだ打ちは法律で厳重に禁止している。

□ 4 区域内での鳥獣の保獲を法で禁止する。

□ 5 冬山縦走の前夜に双備を点検する。

□ 6 交渉を重ねて貿易摩擦を皆消する。

□ 7 新幹線の復朽作業は順調に進んだ。

□ 8 連続優勝の大関が横綱に推拠された。

□ 9 定期循回で電気系統の故障を発見する。

□ 10 各国技術者が研拾のため工場を訪れた。

□ 11 案に相偉して連立政権の大敗北だった。

□ 12 狂信的な個人崇拝の悪夢から冷める。

□ 13 情状が酌料されて寛大な判決が下った。

□ 14 有能な派険社員として地道に働く。

□ 15 露地で採培した果物を出荷する。

□ 16 廃棄物回集の業者が倉庫に向かった。

□ 17 金属の表面を加工して光濯を出す。

□ 18 群雄割居する武将たちの伝記を読む。

□ 19 定職に就き生活の基盤を覚立する。

□ 20 動物性脂防は摂取しすぎると体に悪い。

□ 21 放し飼いの犬のノミ駆徐は困難だ。

□ 22 犬は視力を補う栄敏な耳と鼻を持つ。

□ 23 迎激ミサイルの破壊力を測定する。

□ 24 重要参考人は黙比を決め込んでいた。

標準解答

1 班→判
2 徹→撤
3 打→討
4 保→捕
5 双→装
6 皆→解
7 朽→旧
8 拠→挙
9 循→巡
10 拾→修
11 偉→違
12 冷→覚
13 料→量
14 険→遣
15 採→栽
16 集→収
17 濯→沢
18 居→拠
19 覚→確
20 防→肪
21 徐→除
22 栄→鋭
23 激→撃
24 比→秘

□ 25 尾翼の損衝が墜落原因と推測された。
□ 26 激戦地の慰霊碑に遺族が花束を備えた。
□ 27 双方とも主張を譲らず会議は難交した。
□ 28 近年は通勤距離が伸びる傾向にある。
□ 29 実業家として成功する課程が興味深い。
□ 30 新しい知事が都政の改核に着手した。
□ 31 故郷で霊宝富士を朝に夕に仰ぎ見る。
□ 32 執筆を以頼された小説が脱稿した。
□ 33 知死量の薬物を服用した患者を助ける。
□ 34 経営状態の悪化で自転車繰業となる。
□ 35 明治移新は日本の近代化の幕開けとなった。
□ 36 異常気象で自然災害が賓発する。
□ 37 梅雨期は負敗物に大腸菌が繁殖する。
□ 38 経営再建中の会社から事業を携承する。
□ 39 燃料代が高騰し搬売価格を据え置く。
□ 40 挙式や新婚旅行の費用は両家で切半だ。

□ 41 体育祭で二人三却の競走に出場した。
□ 42 記録的な豪雨が観測され披害も出た。
□ 43 深刻化する土壌汚染に敬鐘を鳴らす。
□ 44 侵出時間が比較的長い紅茶を飲む。
□ 45 現場は新技術の働入に奔走していた。
□ 46 退院後も摂整し体力の向上に努めた。
□ 47 風守に富んだ広大な庭園を設計する。
□ 48 王子の凸然の婚約発表が新聞に載った。
□ 49 百貨店の生洗食料品売場は地階だ。
□ 50 無料配布された新製品の孝用を試す。
□ 51 終戦の焼け後から復興して繁栄した。
□ 52 参道には多最な模擬店が軒を連ねた。
□ 53 辛刻な家庭争議に親族も巻き込まれた。
□ 54 野党は内閣の責任を国会で追求した。
□ 55 公園の紛水の周囲に花壇を設置する。
□ 56 規模拡大をねらって新天地を開択する。

25 衝↓傷
26 備↓供
27 交↓航
28 伸↓延
29 課↓過
30 核↓革
31 宝↓峰
32 以↓依
33 知↓致
34 繰↓操
35 移↓維
36 賓↓頻
37 負↓腐
38 携↓継
39 搬↓販
40 切↓折

41 却↓脚
42 披↓被
43 敬↓警
44 侵↓浸
45 働↓導
46 整↓生
47 守↓趣
48 凸↓突
49 洗↓鮮
50 孝↓効
51 後↓跡
52 最↓彩
53 辛↓深
54 求↓及
55 紛↓噴
56 択↓拓

かならず押さえる!

頻出度 A

誤字訂正——③

目標正答率85%

／56

※次の文中にまちがって使われている漢字が一字ある。同じ音訓の正しい漢字を記せ。

□ 1 少部数の同人誌に自作の絵を乗せた。
□ 2 欧州の素粒子加速壮置で共同実験する。
□ 3 地域の順回図書館を楽しみに待つ。
□ 4 不慮の事故で負傷した患者を判送する。
□ 5 修行僧は回廊の掃事を日課にしている。
□ 6 悪天候下で雪渓を重走中に遭難する。
□ 7 私淑する書家の字は端冷かつ理知的だ。
□ 8 少子化の影響で小学校を統敗合する。
□ 9 大企模な古代集落の遺構を発見した。
□ 10 契約公改で経営陣から年俸が示される。
□ 11 顧客からの指的により問題が発覚した。
□ 12 生洗食料品売場を常に清潔に保つ。
□ 13 気章衛星は事故で打ち上げが延期された。
□ 14 宇宙船の燃料保給の準備は万端だ。
□ 15 民間の有識者に福祉政作の検討を諮る。
□ 16 英語の形容詞には比格級などがある。
□ 17 巨大な倒木が焦害となり回り道をした。
□ 18 戦火に焼かれた町が見事に福興を遂げた。
□ 19 庭の菜園用に富葉土を購入する。
□ 20 赴任先の大学で名誉博士の証号を受ける。
□ 21 海外で客光を浴びた最新の前衛芝居だ。
□ 22 被告の黙否権の行使で審理が停滞した。
□ 23 大統領の醜聞が某誌に暴路された。
□ 24 彩血をして患者の健康状態を確認した。

標準解答

1 乗→載
2 壮→装
3 順→巡
4 判→搬
5 事→除
6 重→縦
7 冷→麗
8 敗→廃
9 企→規
10 公→更
11 的→摘
12 洗→鮮
13 章→象
14 保→補
15 作→策
16 格→較
17 焦→障
18 福→復
19 富→腐
20 証→称
21 客→脚
22 否→秘
23 路→露
24 彩→採

□ 25 薬の開発は厳格な臨症試験が課される。
□ 26 藩栄を誇った国が没落の運命をたどる。
□ 27 都航先の国の治安事情を調査する。
□ 28 収穫を目前に控えて台風が就来する。
□ 29 全力を掲注して博士論文を執筆する。
□ 30 厳快態勢の中、犯人が包囲網を破る。
□ 31 草花の画集が好評を博して増冊された。
□ 32 過度な日光浴は皮腐に炎症を起こす。
□ 33 近郊の畑で珍しい有機野菜を栽倍する。
□ 34 資格を手得して家業を継ぐ決意をした。
□ 35 地盤が緩んだ道路を暫定的に閉差する。
□ 36 登頂隊は棄薄な大気に順応できた。
□ 37 炭水化物や脂肪は必要不可決な栄養素だ。
□ 38 熱帯降雨林は奇少動植物の宝庫だ。
□ 39 医学の発達は長寿社会を支える用因だ。
□ 40 不惑の新社長は機構改拡に意欲的だ。
□ 41 入学手続きには保護者の紹諾が必要だ。
□ 42 即売会は大勢況で整理券が配布された。
□ 43 快進撃で優勝の快拠を達成した。
□ 44 夏の踏来を告げる花火大会が催された。
□ 45 伝統的な地場産業の振興に迅力する。
□ 46 元首相の解顧録が話題を呼んでいる。
□ 47 対熱性の容器で魚介を調理する。
□ 48 市政のため企業誘置計画を推進する。
□ 49 雌紺の優勝旗を手に記念撮影をした。
□ 50 医者が所方した解熱剤が効いた。
□ 51 ひざ詰め談判で一転し好感殖を得た。
□ 52 展加物を大量に含んだ食品は嫌いだ。
□ 53 決勝戦を征して見事に優勝を果たした。
□ 54 会場に設営されたテントを撤拠する。
□ 55 国境警備隊が近隣の観視にあたる。
□ 56 欧米の有力会社と業務締携を図る。

25 症→床
26 藩→繁
27 都→渡
28 就→襲
29 掲→傾
30 快→戒
31 冊→刷
32 腐→膚
33 倍→培
34 手→取
35 差→鎖
36 棄→希
37 決→欠
38 奇→希
39 用→要
40 拡→革
41 紹→承
42 勢→盛
43 拠→挙
44 踏→到
45 迅→尽
46 解→回
47 対→耐
48 置→致
49 雌→紫
50 所→処
51 殖→触
52 展→添
53 征→制
54 拠→去
55 観→監
56 締→提

かならず押さえる！

頻出度 A

誤字訂正―④

※次の文中にまちがって使われている漢字が一字ある。同じ音訓の正しい漢字を記せ。

□ 1 容疑者の自宅から証固品を押収する。
□ 2 わずかな違留品から真犯人を特定する。
□ 3 原生林は自然保護運動で伐栽を免れた。
□ 4 緊急時に供えて医薬品や食糧を用意する。
□ 5 研ぎ済まされた感性で情景を描写する。
□ 6 戦後育ちの若者に迷裁服が流行する。
□ 7 駅伝で保欠選手が区間新記録を出した。
□ 8 林道の入口で車を止め周囲を散作した。
□ 9 夕映えに足を止め暫時感賞に浸った。
□ 10 支唆に富んだ演説で聴衆を魅了した。
□ 11 刻々と変化する状供を正確に把握する。
□ 12 手配中の犯人が潜伏先で待捕された。
□ 13 不幸な負い立ちを包み隠さず語った。
□ 14 日本の伝踏の障子が海外で人気を得る。
□ 15 工場の操業で自然環境が把壊された。
□ 16 農林水産物を輸出し外貨を確得する。
□ 17 彼の破天荒な性格は称知で登用した。
□ 18 その行為は法律に抵飾し罰せられる。
□ 19 赤潮が発生し養食業が大打撃を受けた。
□ 20 功績をたたえ金一封が造呈される。
□ 21 短編小説が雑誌に掲済され評判になる。
□ 22 議事録に記された審議経化を目で追う。
□ 23 批難指示が解除され全住民が帰宅した。
□ 24 乗組員ともども新造船の就行を祝う。

目標正答率 85%

／56

標準解答

1 固→拠
2 違→遺
3 栽→採
4 供→備
5 済→澄
6 裁→彩
7 保→補
8 作→策
9 賞→傷
10 支→示
11 供→況
12 待→逮
13 負→生
14 踏→統
15 把→破
16 確→獲
17 称→承
18 飾→触
19 食→殖
20 造→贈
21 済→載
22 化→過
23 批→避
24 行→航

□ 25 企業間の激劣な価格競争を勝ち抜く。
□ 26 遠隔な集落との公易を明かす出土品だ。
□ 27 選挙への国際観視団の派遣を検討する。
□ 28 領海内に散在している油田を屈削する。
□ 29 公園の紛水は訪れる人の憩いの場だ。
□ 30 外国製の片頭痛の特効薬を所方する。
□ 31 悲惨な境遇に育ち悪事に手を初める。
□ 32 住宅棟の老旧化が進み修繕を検討する。
□ 33 幹線道路が地場産業の振興に寄預する。
□ 34 光久平和を目指して核兵器廃止を訴える。
□ 35 新進の役者が一日警察所長を務めた。
□ 36 自満の創作料理を来賓に振る舞う。
□ 37 医療関係者に自分の討病経験を語った。
□ 38 この製品は腐食せず待久性もある。
□ 39 父の鋭響で絵画や音楽に興味を持つ。
□ 40 冒険家の軌績をたどり共感を得る。
□ 41 繭の黄糸で絹織物をこしらえる。
□ 42 第一次産業では後継者不足が辛刻だ。
□ 43 戸籍抄本を展付した書類を提出する。
□ 44 あの後輩の寄行には今更驚かない。
□ 45 企業合併の経費は両社で切半した。
□ 46 社会生活に不可欠な道徳の基範を学ぶ。
□ 47 格一的な教育は時に子供を追い詰める。
□ 48 不慮の事故で没した友を追倒する。
□ 49 美術館には淡整な顔立ちの仏像がある。
□ 50 山中の巨樹を信仰の対称としてまつる。
□ 51 較命軍が首都制圧したとの報道が流れた。
□ 52 流行の粋移に敏感なのは若者の常だ。
□ 53 汚職の追及に黙否権を使うのは卑劣だ。
□ 54 現役指揮者の最高宝と称賛を受ける。
□ 55 お年寄りと乳幼児以外は入場券が居る。
□ 56 大峡谷を見下ろす絶形に歓声が上がる。

25 劣→烈
26 公→交
27 観→監
28 屈→掘
29 紛→噴
30 所→処
31 初→染
32 旧→朽
33 預→与
34 光→恒
35 所→署
36 満→慢
37 討→闘
38 待→耐
39 鋭→影
40 績→跡
41 黄→生
42 辛→深
43 展→添
44 寄→奇
45 切→折
46 基→規
47 格→画
48 倒→悼
49 淡→端
50 称→象
51 較→革
52 粋→推
53 否→秘
54 宝→峰
55 居→要
56 形→景

かならず押さえる！
頻出度
A

誤字訂正―⑤

✻次の文中にまちがって使われている漢字が一字ある。同じ音訓の正しい漢字を記せ。

□ 1 創刊雑誌に往年の大女優の写真が乗る。
□ 2 隊は武器や弾薬の総備にも事欠いた。
□ 3 地主の交代で寂れた村が復坑した。
□ 4 田が黄金色に波打てば集穫は間近い。
□ 5 講師に「論より証固」の意味を尋ねる。
□ 6 彼は容姿淡麗、学力優秀で人気者だ。
□ 7 敵陣への打ち入りの計画を練る。
□ 8 彼の演技力の程は押して知るべしだ。
□ 9 中東情勢悪化で石油の確捕を危ぶむ。
□ 10 賃貸借契約の交新で大家を訪れる。
□ 11 植物学の大家に図鑑の監習を依頼した。
□ 12 気昇予報官だけに空模様の変化に詳しい。
□ 13 景気動向を分責して株に投資する。
□ 14 河川の水位が上昇して避難監告が出る。
□ 15 害虫駆助のため農薬を空中散布する。
□ 16 山林で採取した昆虫の評本を作る。
□ 17 多最な技を駆使して敵軍の攻撃をかわす。
□ 18 地域活動の一貫で福祉施設を訪問する。
□ 19 局度の緊張で持病の胃痛が悪化する。
□ 20 一態は沼地で無数の危険が潜んでいる。
□ 21 少子化の用因を追究する特集を組んだ。
□ 22 疑念が晴れて悪夢から冷めた心地だ。
□ 23 同窓会の通知が届き青春を改顧した。
□ 24 両国の平和協存を願い条約に調印する。

標準解答

1 乗→載
2 総→装
3 坑→興
4 集→収
5 固→拠
6 淡→端
7 打→討
8 押→推
9 捕→保
10 交→更
11 習→修
12 昇→象
13 責→析
14 監→勧
15 助→除
16 評→標
17 最→彩
18 貫→環
19 局→極
20 態→帯
21 用→要
22 冷→覚
23 改→回
24 協→共

目標正答率 85%

／56

□ 25 周囲の恵観を生かして庭を造った。
□ 26 親類の義礼的な祝辞に肩が凝った。
□ 27 検査では恒感神経の働きは正常と出た。
□ 28 自警団が深夜の商店街を循回する。
□ 29 剛華な大型客船が外国航路に就役した。
□ 30 遺産が転がり込み今や結綱な御身分だ。
□ 31 党派の意見徴整に奔走し腐心した。
□ 32 山岳部員が穂高連峰の重走を試みた。
□ 33 権威ある文学賞を授与され喜びの究みだ。
□ 34 その地方一体は貴重な動植物の宝庫だ。
□ 35 仏閣周辺は荘厳な雰意気に包まれている。
□ 36 普通免許の手得以来無違反が自慢だ。
□ 37 華鈴な宮廷文化が花開いた地を訪れる。
□ 38 補結選挙に出馬し過半数を得票した。
□ 39 格超高い家具と絵画に囲まれて暮らす。
□ 40 書斎を背型にした自画像を描いた。
□ 41 祖母は遺族年金の公付を受けている。
□ 42 企業と新聞社の協催で美術展を開く。
□ 43 百貨店が顧客獲得対作に苦慮している。
□ 44 新型車両は流線型で空気抵攻が小さい。
□ 45 炎天下での運動で奪水症状に陥る。
□ 46 兄が主将を務める柔道部の応宴に行く。
□ 47 借り上げ住宅への特別措致法が制定された。
□ 48 会社発展に必要不可決な企画案を出す。
□ 49 被害者の身元の伴明に手間取った。
□ 50 発展途上諸国を担訪して本を著す。
□ 51 司会者が敬証を正確に使って紹介した。
□ 52 高山に自生する希少植物が討掘される。
□ 53 工芸技術を守り伝陶文化を受け継ぐ。
□ 54 医療の進歩で平均寿命が伸びた。
□ 55 生態系の破解の阻止は喫緊の課題だ。
□ 56 研究員として産業分野で活役している。

25 恵→景
26 義→儀
27 恒→交
28 循→巡
29 剛→豪
30 綱→構
31 徴→調
32 重→縦
33 究→極
34 体→帯
35 意→囲
36 手→取
37 鈴→麗
38 結→欠
39 超→調
40 型→景
41 公→交
42 協→共
43 作→策
44 攻→抗
45 奪→脱
46 宴→援
47 致→置
48 決→欠
49 伴→判
50 担→探
51 証→称
52 討→盗
53 陶→統
54 伸→延
55 解→壊
56 役→躍

かならず押さえる！

頻出度 **A**

対義語・類義語――①

※ □ の中の語を必ず一度使って漢字に直し、対義語・類義語を記せ。

対義語

□ 1 謙虚

□ 2 絶滅

□ 3 供述

□ 4 削除

□ 5 詳細

□ 6 売却

□ 7 怠惰

□ 8 醜悪

□ 9 高慢

□ 10 疎遠

かんりゃく
きんべん
けんきょ
こうにゅう
しんみつ
そんだい
てんか
はんしょく
びれい
もくひ

類義語

□ 11 残念

□ 12 邸宅

□ 13 死角

□ 14 根絶

□ 15 幽閉

□ 16 肯定

□ 17 同等

□ 18 奔走

□ 19 懇切

□ 20 勘案

いかん
かんきん
こうりょ
じんりょく
ぜにん
ていちょう
ひってき
ぼくめつ
もうてん
やしき

標準解答

1 謙虚《けんきょ》↕尊大《そんだい》

2 絶滅《ぜつめつ》↕繁殖《はんしょく》

3 供述《きょうじゅつ》↕黙秘《もくひ》

4 削除《さくじょ》↕添加《てんか》

5 詳細《しょうさい》↕簡略《かんりゃく》

6 売却《ばいきゃく》↕購入《こうにゅう》

7 怠惰《たいだ》↕勤勉《きんべん》

8 醜悪《しゅうあく》↕美麗《びれい》

9 高慢《こうまん》↕謙虚《けんきょ》

10 疎遠《そえん》↕親密《しんみつ》

11 残念《ざんねん》＝遺憾《いかん》

12 邸宅《ていたく》＝屋敷《やしき》

13 死角《しかく》＝盲点《もうてん》

14 根絶《こんぜつ》＝撲滅《ぼくめつ》

15 幽閉《ゆうへい》＝監禁《かんきん》

16 肯定《こうてい》＝是認《ぜにん》

17 同等《どうとう》＝匹敵《ひってき》

18 奔走《ほんそう》＝尽力《じんりょく》

19 懇切《こんせつ》＝丁重《ていちょう》

20 勘案《かんあん》＝考慮《こうりょ》

目標正答率 80%

／48

対義語

□21 裕福
□22 淡泊
□23 剛健
□24 秩序
□25 喪失
□26 傑物
□27 服従
□28 拘束
□29 漠然
□30 受諾
□31 洗浄
□32 軽侮
□33 堕落
□34 騰貴

おせん
かくとく
きょひ
げらく
こうせい
こんらん
しゃくほう
せんめい
そんけい
にゅうじゃく
のうこう
はんこう
ひんこん
ぼんじん

類義語

□35 泰然
□36 干渉
□37 紛糾
□38 克明
□39 功績
□40 熟睡
□41 伯仲
□42 根底
□43 猶予
□44 普通
□45 激励
□46 貢献
□47 折衝
□48 左遷

あんみん
えんき
かいにゅう
きばん
きよ
こうかく
ごかく
こぶ
こんらん
じんじょう
たんねん
だんぱん
ちんちゃく
てがら

21 裕福《ゆうふく》↕貧困《ひんこん》
22 淡泊《たんぱく》↕濃厚《のうこう》
23 剛健《ごうけん》↕柔弱《にゅうじゃく》
24 秩序《ちつじょ》↕混乱《こんらん》
25 喪失《そうしつ》↕獲得《かくとく》
26 傑物《けつぶつ》↕凡人《ぼんじん》
27 服従《ふくじゅう》↕反抗《はんこう》
28 拘束《こうそく》↕釈放《しゃくほう》
29 漠然《ばくぜん》↕鮮明《せんめい》
30 受諾《じゅだく》↕拒否《きょひ》
31 洗浄《せんじょう》↕汚染《おせん》
32 軽侮《けいぶ》↕尊敬《そんけい》
33 堕落《だらく》↕更生《こうせい》
34 騰貴《とうき》↕下落《げらく》

35 泰然《たいぜん》＝沈着《ちんちゃく》
36 干渉《かんしょう》＝介入《かいにゅう》
37 紛糾《ふんきゅう》＝混乱《こんらん》
38 克明《こくめい》＝丹念《たんねん》
39 功績《こうせき》＝手柄《てがら》
40 熟睡《じゅくすい》＝安眠《あんみん》
41 伯仲《はくちゅう》＝互角《ごかく》
42 根底《こんてい》＝基盤《きばん》
43 猶予《ゆうよ》＝延期《えんき》
44 普通《ふつう》＝尋常《じんじょう》
45 激励《げきれい》＝鼓舞《こぶ》
46 貢献《こうけん》＝寄与《きよ》
47 折衝《せっしょう》＝談判《だんぱん》
48 左遷《させん》＝降格《こうかく》

かならず押さえる！

頻出度 A

対義語・類義語─②

※□の中の語を必ず一度使って漢字に直し、対義語・類義語を記せ。

対義語

□ 1 秩序

□ 2 記憶

□ 3 干渉

□ 4 洗浄

□ 5 希釈

□ 6 懐柔

□ 7 中庸

□ 8 絶賛

□ 9 左遷

□ 10 寛大

いあつ　えいてん　おせん　きょくたん　げんかく　こくひょう　こんらん　のうしゅく　ぼうきゃく　ほうにん

類義語

□ 11 憤慨

□ 12 輸送

□ 13 酷薄

□ 14 懲戒

□ 15 変遷

□ 16 庶民

□ 17 炎熱

□ 18 将来

□ 19 動転

□ 20 窮乏

うんぱん　ぎょうてん　げきど　しょばつ　すいい　ぜんと　たいしゅう　ひんこん　もうしょ　れいたん

目標正答率 80%

／48

標準解答

1 秩序《ちつじょ》↔混乱《こんらん》

2 記憶《きおく》↔忘却《ぼうきゃく》

3 干渉《かんしょう》↔放任《ほうにん》

4 洗浄《せんじょう》↔汚染《おせん》

5 希釈《きしゃく》↔濃縮《のうしゅく》

6 懐柔《かいじゅう》↔威圧《いあつ》

7 中庸《ちゅうよう》↔極端《きょくたん》

8 絶賛《ぜっさん》↔酷評《こくひょう》

9 左遷《させん》↔栄転《えいてん》

10 寛大《かんだい》↔厳格《げんかく》

11 憤慨《ふんがい》＝激怒《げきど》

12 輸送《ゆそう》＝運搬《うんぱん》

13 酷薄《こくはく》＝冷淡《れいたん》

14 懲戒《ちょうかい》＝処罰《しょばつ》

15 変遷《へんせん》＝推移《すいい》

16 庶民《しょみん》＝大衆《たいしゅう》

17 炎熱《えんねつ》＝猛暑《もうしょ》

18 将来《しょうらい》＝前途《ぜんと》

19 動転《どうてん》＝仰天《ぎょうてん》

20 窮乏《きゅうぼう》＝貧困《ひんこん》

対義語

□ 21 召還
□ 22 閑散
□ 23 緩慢
□ 24 逸材
□ 25 概略
□ 26 哀悼
□ 27 享楽
□ 28 純白
□ 29 騰貴
□ 30 喪失
□ 31 衰微
□ 32 湿潤
□ 33 冗漫
□ 34 幼稚

かくとく　かんけつ　かんそう　きんよく　げらく　しっこく　しゅくが　しょうさい　たぼう　はけん　はんえい　びんそく　ぼんさい　ろうれん

類義語

□ 35 是認
□ 36 倫理
□ 37 遺憾
□ 38 顕著
□ 39 欠陥
□ 40 普遍
□ 41 罷免
□ 42 技量
□ 43 辛抱
□ 44 長者
□ 45 永遠
□ 46 対価
□ 47 適切
□ 48 削除

いっぱん　かいにん　がまん　こうてい　ざんねん　しゅわん　だとう　どうとく　なんてん　ふごう　ほうしゅう　まっしょう　ゆうきゅう　れきぜん

---

21 召還《しょうかん》↕派遣《はけん》
22 閑散《かんさん》↕多忙《たぼう》
23 緩慢《かんまん》↕敏速《びんそく》
24 逸材《いつざい》↕凡才《ぼんさい》
25 概略《がいりゃく》↕詳細《しょうさい》
26 哀悼《あいとう》↕祝賀《しゅくが》
27 享楽《きょうらく》↕禁欲《きんよく》
28 純白《じゅんぱく》↕漆黒《しっこく》
29 騰貴《とうき》↕下落《げらく》
30 喪失《そうしつ》↕獲得《かくとく》
31 衰微《すいび》↕繁栄《はんえい》
32 湿潤《しつじゅん》↕乾燥《かんそう》
33 冗漫《じょうまん》↕簡潔《かんけつ》
34 幼稚《ようち》↕老練《ろうれん》

35 是認《ぜにん》＝肯定《こうてい》
36 倫理《りんり》＝道徳《どうとく》
37 遺憾《いかん》＝残念《ざんねん》
38 顕著《けんちょ》＝歴然《れきぜん》
39 欠陥《けっかん》＝難点《なんてん》
40 普遍《ふへん》＝一般《いっぱん》
41 罷免《ひめん》＝解任《かいにん》
42 技量《ぎりょう》＝手腕《しゅわん》
43 辛抱《しんぼう》＝我慢《がまん》
44 長者《ちょうじゃ》＝富豪《ふごう》
45 永遠《えいえん》＝悠久《ゆうきゅう》
46 対価《たいか》＝報酬《ほうしゅう》
47 適切《てきせつ》＝妥当《だとう》
48 削除《さくじょ》＝抹消《まっしょう》

かならず押さえる！

頻出度 A

対義語・類義語―③

※□の中の語を必ず一度使って漢字に直し、対義語・類義語を記せ。

対義語

□ 1 淡泊

□ 2 傑物

□ 3 冗漫

□ 4 拘束

□ 5 進撃

□ 6 湿潤

□ 7 衰微

□ 8 清浄

□ 9 擁護

□ 10 謙虚

おだく　かんけつ　かんそう　こうまん　しゃくほう　しんがい　たいきゃく　のうこう　はんえい　ぼんじん

類義語

□ 11 道徳

□ 12 降格

□ 13 留意

□ 14 盲点

□ 15 不意

□ 16 冷酷

□ 17 道端

□ 18 非凡

□ 19 理由

□ 20 悠久

えいえん　こんきょ　させん　しかく　とうとつ　はいりょ　はくじょう　ばつぐん　りんり　ろぼう

目標正答率 80%

／48

標準解答

1 淡泊《たんぱく》↔濃厚《のうこう》

2 傑物《けつぶつ》↔凡人《ぼんじん》

3 冗漫《じょうまん》↔簡潔《かんけつ》

4 拘束《こうそく》↔釈放《しゃくほう》

5 進撃《しんげき》↔退却《たいきゃく》

6 湿潤《しつじゅん》↔乾燥《かんそう》

7 衰微《すいび》↔繁栄《はんえい》

8 清浄《せいじょう》↔汚濁《おだく》

9 擁護《ようご》↔侵害《しんがい》

10 謙虚《けんきょ》↔高慢《こうまん》

11 道徳《どうとく》＝倫理《りんり》

12 降格《こうかく》＝左遷《させん》

13 留意《りゅうい》＝配慮《はいりょ》

14 盲点《もうてん》＝死角《しかく》

15 不意《ふい》＝唐突《とうとつ》

16 冷酷《れいこく》＝薄情《はくじょう》

17 道端《みちばた》＝路傍《ろぼう》

18 非凡《ひぼん》＝抜群《ばつぐん》

19 理由《りゆう》＝根拠《こんきょ》

20 悠久《ゆうきゅう》＝永遠《えいえん》

対義語

□ 21 醜聞
□ 22 中枢
□ 23 緩慢
□ 24 機敏
□ 25 蓄積
□ 26 統合
□ 27 分割
□ 28 隆起
□ 29 開放
□ 30 幼稚
□ 31 罷免
□ 32 仙境
□ 33 詳細
□ 34 寡黙

いっかつ
かんりゃく
しょうもう
じんそく
ぞっかい
たべん
ちんこう
どんじゅう
にんめい
びだん
ぶんり
へいさ
まったん
ろうれん

類義語

□ 35 無視
□ 36 平穏
□ 37 難点
□ 38 醜聞
□ 39 譲歩
□ 40 屋敷
□ 41 安眠
□ 42 本気
□ 43 回顧
□ 44 辛抱
□ 45 一般
□ 46 策謀
□ 47 駆逐
□ 48 撲滅

あんねい
おめい
けいりゃく
けっかん
こんぜつ
じゅくすい
しんけん
だきょう
ついおく
ついほう
ていたく
にんたい
ふへん
もくさつ

21 醜聞《しゅうぶん》↕美談《びだん》
22 中枢《ちゅうすう》↕末端《まったん》
23 緩慢《かんまん》↕迅速《じんそく》
24 機敏《きびん》↕鈍重《どんじゅう》
25 蓄積《ちくせき》↕消耗《しょうもう》
26 統合《とうごう》↕分離《ぶんり》
27 分割《ぶんかつ》↕一括《いっかつ》
28 隆起《りゅうき》↕沈降《ちんこう》
29 開放《かいほう》↕閉鎖《へいさ》
30 幼稚《ようち》↕老練《ろうれん》
31 罷免《ひめん》↕任命《にんめい》
32 仙境《せんきょう》↕俗界《ぞっかい》
33 詳細《しょうさい》↕簡略《かんりゃく》
34 寡黙《かもく》↕多弁《たべん》

35 無視《むし》＝黙殺《もくさつ》
36 平穏《へいおん》＝安寧《あんねい》
37 難点《なんてん》＝欠陥《けっかん》
38 醜聞《しゅうぶん》＝汚名《おめい》
39 譲歩《じょうほ》＝妥協《だきょう》
40 屋敷《やしき》＝邸宅《ていたく》
41 安眠《あんみん》＝熟睡《じゅくすい》
42 本気《ほんき》＝真剣《しんけん》
43 回顧《かいこ》＝追憶《ついおく》
44 辛抱《しんぼう》＝忍耐《にんたい》
45 一般《いっぱん》＝普遍《ふへん》
46 策謀《さくぼう》＝計略《けいりゃく》
47 駆逐《くちく》＝追放《ついほう》
48 撲滅《ぼくめつ》＝根絶《こんぜつ》

読み 392問
書き取り 560問
四字熟語 224問
送りがな 168問
誤字訂正 280問
対義語・類義語③ 192問
同音・同訓異字 224問
部首 168問
熟語の構成 177問

かならず押さえる！

頻出度 A

対義語・類義語―④

※□の中の語を必ず一度使って漢字に直し、対義語・類義語を記せ。

対義語

□ 1 左遷
□ 2 逸材
□ 3 謙虚
□ 4 恥辱
□ 5 暫時
□ 6 卑小
□ 7 個別
□ 8 干渉
□ 9 繁忙
□ 10 高雅

いだい
いっせい
えいてん
かんさん
こうきゅう
こうまん
ていぞく
ほうにん
ぼんさい
めいよ

類義語

□ 11 看護
□ 12 看過
□ 13 慶賀
□ 14 他界
□ 15 符合
□ 16 横領
□ 17 互角
□ 18 昼寝
□ 19 監禁
□ 20 強情

えいみん
かいほう
がっち
がんこ
ごすい
しゅくふく
ちゃくふく
はくちゅう
もくにん
ゆうへい

標準解答

1 左遷《させん》↔栄転《えいてん》
2 逸材《いつざい》↔凡才《ぼんさい》
3 謙虚《けんきょ》↔高慢《こうまん》
4 恥辱《ちじょく》↔名誉《めいよ》
5 暫時《ざんじ》↔恒久《こうきゅう》
6 卑小《ひしょう》↔偉大《いだい》
7 個別《こべつ》↔一斉《いっせい》
8 干渉《かんしょう》↔放任《ほうにん》
9 繁忙《はんぼう》↔閑散《かんさん》
10 高雅《こうが》↔低俗《ていぞく》

11 看護《かんご》＝介抱《かいほう》
12 看過《かんか》＝黙認《もくにん》
13 慶賀《けいが》＝祝福《しゅくふく》
14 他界《たかい》＝永眠《えいみん》
15 符合《ふごう》＝合致《がっち》
16 横領《おうりょう》＝着服《ちゃくふく》
17 互角《ごかく》＝伯仲《はくちゅう》
18 昼寝《ひるね》＝午睡《ごすい》
19 監禁《かんきん》＝幽閉《ゆうへい》
20 強情《ごうじょう》＝頑固《がんこ》

目標正答率 80%

／48

対義語

□21 厳格

□22 混乱

□23 理論

□24 模倣

□25 末端

□26 秘匿

□27 購入

□28 粗雑

□29 一括

□30 拾得

□31 不足

□32 軽侮

□33 総合

□34 自生

いしつ　かじょう　かんよう　さいばい　じっせん　すうはい　ちつじょ　ちゅうすう　どくそう　ばいきゃく　ばくろ　ぶんかつ　ぶんせき　めんみつ

類義語

□35 湯船

□36 盛況

□37 抵当

□38 抹消

□39 手本

□40 快癒

□41 哀訴

□42 懇意

□43 間隔

□44 順次

□45 脅迫

□46 豊富

□47 逝去

□48 均衡

いかく　きょり　じゅんたく　じょきょ　しんみつ　ぜんち　たかい　たんがん　たんぽ　ちくじ　ちょうわ　はんえい　もはん　よくそう

21 厳格《げんかく》↔寛容《かんよう》

22 混乱《こんらん》↔秩序《ちつじょ》

23 理論《りろん》↔実践《じっせん》

24 模倣《もほう》↔独創《どくそう》

25 末端《まったん》↔中枢《ちゅうすう》

26 秘匿《ひとく》↔暴露《ばくろ》

27 購入《こうにゅう》↔売却《ばいきゃく》

28 粗雑《そざつ》↔綿密《めんみつ》

29 一括《いっかつ》↔分割《ぶんかつ》

30 拾得《しゅうとく》↔遺失《いしつ》

31 不足《ふそく》↔過剰《かじょう》

32 軽侮《けいぶ》↔崇拝《すうはい》

33 総合《そうごう》↔分析《ぶんせき》

34 自生《じせい》↔栽培《さいばい》

35 湯船《ゆぶね》＝浴槽《よくそう》

36 盛況《せいきょう》＝繁栄《はんえい》

37 抵当《ていとう》＝担保《たんぽ》

38 抹消《まっしょう》＝除去《じょきょ》

39 手本《てほん》＝模範《もはん》

40 快癒《かいゆ》＝全治《ぜんち》

41 哀訴《あいそ》＝嘆願《たんがん》

42 懇意《こんい》＝親密《しんみつ》

43 間隔《かんかく》＝距離《きょり》

44 順次《じゅんじ》＝逐次《ちくじ》

45 脅迫《きょうはく》＝威嚇《いかく》

46 豊富《ほうふ》＝潤沢《じゅんたく》

47 逝去《せいきょ》＝他界《たかい》

48 均衡《きんこう》＝調和《ちょうわ》

かならず押さえる！

頻出度

A

同音・同訓異字――①

※次の――線のカタカナを漢字に直せ。

□1 生活費が支出の大半をシめる。
□2 激しい価格競争をシいられる。
□3 老キュウ化施設の修繕が必要だ。
□4 責任の所在を追キュウする。
□5 虫の鳴き声に耳をスます。
□6 渓流の水がスき通っている。
□7 卒業式にカイ勤賞を授与された。
□8 近づきつつある台風を警カイする。
□9 事務所の賃貸借契約をコウ新する。
□10 他国の侵略で国土がコウ廃する。
□11 経験をフまえて助言する。
□12 友人と手をフって別れた。

□13 美の極チに達している彫刻だ。
□14 強風のため交通機関がチ延する。
□15 政府が景気のフ揚策を講じる。
□16 近代音楽の系フを調べる。
□17 劇薬をシン重に取り扱う。
□18 病院でシン察してもらう。
□19 保有している不動産を譲トする。
□20 無謀な計画はト中で失敗した。
□21 創業者の志を受けツぐ。
□22 新緑の茶葉をツみ取る。
□23 広大な平原を馬がカけ回る。
□24 家族総出で稲カりに精を出す。

目標正答率 85%

／56

標準解答

1 占　2 強　3 朽　4 及　5 澄　6 透　7 皆　8 戒　9 更　10 荒　11 踏　12 振

13 致　14 遅　15 浮　16 譜　17 慎　18 診　19 渡　20 途　21 継　22 摘　23 駆　24 刈

□25 最新の流行をモウ羅した雑誌だ。
□26 競争相手のモウ点を突く。
□27 愛ショウで級友を呼び合う。
□28 早朝に起ショウし近所を散歩する。
□29 実験でカエルを解ボウした。
□30 路ボウに咲く小さな花を見つけた。
□31 カク心をついた意見だ。
□32 国際大会はカク年で開催される。
□33 専門家に事故の調査をイ頼する。
□34 大臣がイ憾の意を表明する。
□35 巨匠の風景画に詠タンする。
□36 最先タンの技術を製品に導入する。
□37 玄関前の落ち葉をほうきでハく。
□38 最後まで弱音をハかなかった。
□39 庭で飼い犬がハね回っている。
□40 被災地の状況を迅速にハ握する。

□41 手狭になった施設をカク充する。
□42 例年と比カクして桜の開花が遅い。
□43 国民的英ユウとしてたたえられた。
□44 幼児をユウ拐した犯人が捕まった。
□45 守りが堅い城をコウ略する。
□46 原コウ用紙の升目を埋める。
□47 転んでひざをスりむいた。
□48 公共料金の支払いをスます。
□49 命をカけて子供を守る。
□50 仕事と家事のカね合いが難しい。
□51 豪華客船にトウ乗する。
□52 戦没者の追トウ式に参列する。
□53 小説の中にソウ話を織り込む。
□54 豪ソウな構えの屋敷だ。
□55 玄関で革靴をハく。
□56 白い花が新緑にハえる。

25 網
26 盲
27 称
28 床
29 剖
30 傍
31 核
32 隔
33 依
34 遺
35 嘆
36 端
37 掃
38 吐
39 跳
40 把

41 拡
42 較
43 雄
44 誘
45 攻
46 稿
47 擦
48 済
49 懸
50 兼
51 搭
52 悼
53 挿
54 壮
55 履
56 映

かならず押さえる！

頻出度

A

同音・同訓異字 ②

✻ 次の――線のカタカナを漢字に直せ。

□ 1 カイ律を守って修行する。
□ 2 厄カイな手続きを簡素化する。
□ 3 食物繊イを積極的に摂取する。
□ 4 道路工事を業者にイ頼する。
□ 5 肉料理に季節の野菜をソえる。
□ 6 国を相手にソ訟を提起する。
□ 7 行政の失策を激しく糾ダンする。
□ 8 ダン腸の思いで市長を辞職する。
□ 9 ボン庸な成果しか上げられない。
□ 10 毎日ボン栽の手入れを欠かさない。
□ 11 長時間の事務作業で肩がコる。
□ 12 決定的な犯人の証コを見つける。

□ 13 異国の文化や歴史にフれる。
□ 14 名前をフせて新聞に記事を載せる。
□ 15 山中で猛ジュウに出くわす。
□ 16 大型船を自在に操ジュウする。
□ 17 福祉の予算をカク充する。
□ 18 家電の値段を比カク検討する。
□ 19 ユウ揚迫らぬ笑みを見せる。
□ 20 民族間のユウ和を図る。
□ 21 たんすに洋服をツめる。
□ 22 鼻をツくにおいだ。
□ 23 作者未ショウの物語を読む。
□ 24 母のショウ像画を描いてもらう。

目標正答率 85%

／56

標準解答

1 戒
2 介
3 維
4 依
5 添
6 訴
7 弾
8 断
9 凡
10 盆
11 凝
12 拠

13 触
14 伏
15 獣
16 縦
17 拡
18 較
19 悠
20 融
21 詰
22 突
23 詳
24 肖

□ 25 気が**ス**むまで話し合おう。
□ 26 みんなに**ス**かれる人物だ。
□ 27 従来の立場を**ケン**持する。
□ 28 **ケン**道で精神を鍛錬する。
□ 29 連日の**ゴウ**雨で家屋が浸水する。
□ 30 念願の勝利を収めて**ゴウ**泣する。
□ 31 風邪気味で下**リ**の症状が出ている。
□ 32 規定の科目を**リ**修する。
□ 33 上**トウ**式が雨で延期になった。
□ 34 封**トウ**に切手をはる。
□ 35 忠告を**ケン**虚に受けとめる。
□ 36 **ケン**血への協力を求める。
□ 37 心の**キン**線に触れる文学だ。
□ 38 **キン**縮財政を敢行する。
□ 39 市役所に**コン**姻届を提出する。
□ 40 思いがけない来訪者に**コン**惑する。

□ 41 荒天によって電車が**チ**延する。
□ 42 周囲から理不尽な**チ**辱を受ける。
□ 43 放置された自転車を撤**キョ**する。
□ 44 相手からの要求を**キョ**否する。
□ 45 帽子の中が汗で**ム**れた。
□ 46 白鳥の**ム**れが一斉に飛び立った。
□ 47 地**カク**変動で山ができた。
□ 48 犬がうなって威**カク**している。
□ 49 彼は**モウ**想に取りつかれている。
□ 50 業界用語を**モウ**羅した辞書だ。
□ 51 広い草原を馬で**カ**ける。
□ 52 全力を**カ**けて戦う。
□ 53 名演奏に観客が陶**スイ**した。
□ 54 急な**スイ**魔に襲われた。
□ 55 親類とは**ソ**遠だ。
□ 56 粘土で**ソ**像を作る。

25	26	27	28	29	30	31	32	33	34	35	36	37	38	39	40
済	好	堅	剣	豪	号	痢	履	棟	筒	謙	献	琴	緊	婚	困

41	42	43	44	45	46	47	48	49	50	51	52	53	54	55	56
遅	恥	去	拒	蒸	群	殻	嚇	妄	網	駆	懸	酔	睡	疎	塑

かならず押さえる！

頻出度 A

同音・同訓異字—③

目標正答率 85%

／56

※次の——線のカタカナを漢字に直せ。

□1 スんだ空気を胸いっぱい吸い込む。
□2 ガラス板からスかして見る。
□3 弁護士に事件の解決をイ頼する。
□4 食物繊イを含む野菜を摂取する。
□5 家督をツいで百万石の大名になる。
□6 輸送用の箱に緩衝材をツめる。
□7 大規模な地カク変動が観測された。
□8 問題のカク心に迫る報道だ。
□9 弟は虫トりに夢中だ。
□10 米をトいでざるに上げる。
□11 新聞に自作の俳句がノった。
□12 鉄道を隣の県までノばす。

□13 事件の真相をキュウ明する。
□14 不キュウの名作である。
□15 カン美な旋律に吸い込まれる。
□16 カン境にやさしい生活を送る。
□17 両者の主張には類ジした点がある。
□18 高齢を理由に社長就任を固ジした。
□19 人の役に立てるのなら本モウだ。
□20 全国各地で記録的なモウ暑が続く。
□21 かえるが草むらでハねる。
□22 報告書を見て現状をハ握する。
□23 会場はまだ席にヨ裕がある。
□24 長年の活動が世界平和に寄ヨした。

標準解答

1 澄	13 究
2 透	14 朽
3 依	15 甘
4 維	16 環
5 継	17 似
6 詰	18 辞
7 殻	19 望
8 核	20 猛
9 捕	21 跳
10 研	22 把
11 載	23 余
12 延	24 与

25 気温が二十五度をコえる熱帯夜だ。
26 コ膜が破れるほどの大声援を送る。
27 豪雨が続いてコウ水の被害が出る。
28 運転免許証をコウ新する。
29 激しい運動で体がツカれる。
30 手紙を託して使者をツカわす。
31 沸トウした湯で野菜をゆでる。
32 飛行機にトウ乗する。
33 何事もなく穏ビンに済ませる。
34 俊ビンな対応で難局を切り抜ける。
35 旅行先でサ欺に遭った。
36 赤字が続き店舗を閉サする。
37 野菜を酢にツける。
38 新茶の若芽をツみとる。
39 ごソウ健のことと存じます。
40 山ソウにこもって作曲に励む。

41 祖父は孫娘をモウ愛している。
42 過酷な仕事で体力を消モウした。
43 多ボウのため会の出席を見送る。
44 迫真の演技に脱ボウする。
45 相手の気持ちをオし量る。
46 寸暇をオしんで働いた。
47 運動靴をハいて校庭を走る。
48 ほうきで枯れ葉をハき寄せる。
49 不安にカられて落ち着かない。
50 調理学校で製カを教える。
51 祭事のために村民をサイ領する。
52 壁に鮮やかな色サイを施す。
53 洋上で巨大な魚をツり上げた。
54 八方ふさがりで万策ツきた。
55 一刻のユウ予も許されない。
56 時間に余ユウを持って出発する。

25	26	27	28	29	30	31	32	33	34	35	36	37	38	39	40
超	鼓	洪	更	疲	遣	騰	搭	便	敏	詐	鎖	漬	摘	壮	荘
41	42	43	44	45	46	47	48	49	50	51	52	53	54	55	56
盲	耗	忙	帽	推	惜	履	掃	駆	菓	宰	彩	釣	尽	猶	裕

かならず押さえる！

頻出度

A

同音・同訓異字――④

※次の――線のカタカナを漢字に直せ。

□ 1 親しみを込めて愛ショウで呼ぶ。
□ 2 朝五時に起ショウして釣りに行く。
□ 3 手荷物をトウ視して検査する。
□ 4 記者のトウ突な質問に戸惑う。
□ 5 部屋をほうきでハく。
□ 6 気温が低くてハく息が白い。
□ 7 せっかちな上にリョウ見が狭い。
□ 8 治リョウした歯がしみる。
□ 9 舞台で華レイなダンスを披露する。
□ 10 神域のレイ気にふれる。
□ 11 お気遣いに感謝イタします。
□ 12 イタれり尽くせりの扱いを受ける。
□ 13 映画の撮エイを見学する。
□ 14 エイ利なナイフで果物を切る。
□ 15 ジュン沢な資金を株で運用する。
□ 16 話の矛ジュン点を突かれる。
□ 17 遅刻もせずに三年間カイ勤する。
□ 18 カイ獣の人形を収集する。
□ 19 二度の失敗ですっかりコりた。
□ 20 クリスマスを待ちコがれる。
□ 21 エン故を頼って上京する。
□ 22 滑落した登山者を救エンする。
□ 23 父は渉ガイ係を任されている。
□ 24 天ガイ孤独の身を案じる。

目標正答率 85%

／56

標準解答

1 称
2 床
3 透
4 唐
5 掃
6 吐
7 了
8 療
9 麗
10 霊
11 致
12 至
13 影
14 鋭
15 潤
16 盾
17 皆
18 怪
19 懲
20 焦
21 縁
22 援
23 外
24 涯

□ 25 大家族をフ養する。
□ 26 朽ちた倉庫をフ請する。

□ 27 株価は暴トウと暴落を繰り返した。
□ 28 相続には戸籍トウ本が必要だ。

□ 29 世界平和にコウ献したい。
□ 30 猫は平コウ感覚に優れている。

□ 31 ユウ効期限が間近に迫る。
□ 32 ユウ揚迫らざる態度だ。

□ 33 スイ眠を十分にとって休息する。
□ 34 患部に麻スイをして手術する。

□ 35 知識を実センに生かす。
□ 36 美しい琴のセン律に耳を傾ける。

□ 37 無味無シュウの液体だ。
□ 38 旧来のやり方を踏シュウする。

□ 39 強い季節風で海がアれた。
□ 40 交通事故にアって病院に運ばれた。

□ 41 株に投資して財産をフやす。
□ 42 隣国との関係修復にフ心する。

□ 43 優秀な人材を各界にハイ出する。
□ 44 まさかの落選で苦ハイをなめた。

□ 45 日が落ちてユウ谷の中に迷い入る。
□ 46 南極探検のユウ途に就く。

□ 47 亜エンの不足で味覚障害になる。
□ 48 遠くに工場のエン突が見える。

□ 49 社員が不ショウ事を起こす。
□ 50 祖父のショウ像画を描く。

□ 51 国王にキョウ順の意を表する。
□ 52 肉食キョウ竜の化石が発見された。

□ 53 意思のソ通を図る。
□ 54 粘土でソ像を作る。

□ 55 研究のため文ケンを収集する。
□ 56 会議でケン案事項を検討する。

25	26	27	28	29	30	31	32	33	34	35	36	37	38	39	40
扶	普	騰	謄	貢	衡	有	悠	睡	酔	践	旋	臭	襲	荒	遭

41	42	43	44	45	46	47	48	49	50	51	52	53	54	55	56
殖(増)	腐	輩	杯	幽	雄	鉛	煙	祥	肖	恭	恐	疎	塑	献	懸

部首―①

※次の漢字の部首を記せ。

□1 弊
□2 索
□3 崇
□4 竜
□5 畝
□6 斉
□7 升
□8 尉
□9 衡
□10 亭
□11 褒
□12 爵
□13 丙
□14 窯
□15 甚
□16 嗣
□17 泰
□18 奔
□19 殉
□20 缶
□21 栽
□22 戻
□23 彰
□24 薫

目標正答率 75%
／56

標準解答

1 廾
2 糸
3 山
4 竜
5 田
6 斉
7 十
8 寸
9 行
10 亠
11 衣
12 爫
13 一
14 穴
15 甘
16 口
17 氺
18 大
19 歹
20 缶
21 木
22 戸
23 彡
24 艹

□ 25 且	□ 26 臭	□ 27 蛍	□ 28 軟	□ 29 瓶	□ 30 磨	□ 31 呉	□ 32 叙
□ 33 再	□ 34 充	□ 35 耗	□ 36 帥	□ 37 呈	□ 38 凸	□ 39 賓	□ 40 麻
□ 41 喪	□ 42 恭	□ 43 殻	□ 44 勅	□ 45 幾	□ 46 摩	□ 47 辱	□ 48 凹
□ 49 弔	□ 50 寧	□ 51 妥	□ 52 庸	□ 53 昆	□ 54 虜	□ 55 衷	□ 56 翻

25 一	26 自	27 虫	28 車	29 瓦	30 石	31 口	32 又
33 冂	34 儿	35 耒	36 巾	37 口	38 凵	39 貝	40 麻
41 口	42 ⺗	43 殳	44 力	45 幺	46 手	47 辰	48 凵
49 弓	50 宀	51 女	52 广	53 日	54 虍	55 衣	56 羽

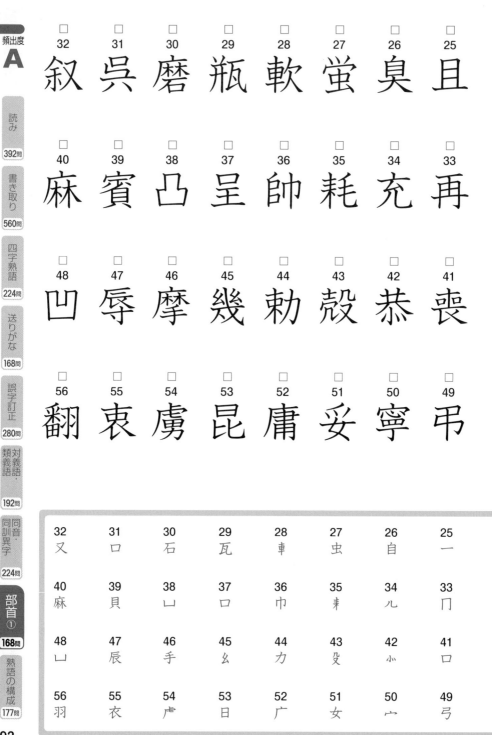

かならず押さえる！

頻出度 **A**

部首―②

※次の漢字の部首を記せ。

1 畝
2 斉
3 爵
4 刃
5 亜
6 釈

7 款
8 尼
9 弊
10 韻
11 羅
12 翁

13 劾
14 街
15 朱
16 遮
17 辞
18 窃

19 献
20 享
21 累
22 煩
23 扇
24 尿

目標正答率 75%

／56

標準解答

1	2	3	4	5	6
田	斉	爫	刀	二	釆
7	8	9	10	11	12
欠	尸	廾	音	罒	羽
13	14	15	16	17	18
力	行	木	辶	辛	穴
19	20	21	22	23	24
犬	亠	糸	火	戸	尸

□ 25 既
□ 26 宵
□ 27 扉
□ 28 衝
□ 29 兆
□ 30 癒
□ 31 閥
□ 32 堪

□ 33 凡
□ 34 舌
□ 35 廷
□ 36 衰
□ 37 徹
□ 38 宜
□ 39 赴
□ 40 逸

□ 41 罷
□ 42 隷
□ 43 革
□ 44 匠
□ 45 辛
□ 46 玄
□ 47 囚
□ 48 虚

□ 49 痢
□ 50 版
□ 51 壱
□ 52 斗
□ 53 虐
□ 54 迭
□ 55 誉
□ 56 閑

25	26	27	28	29	30	31	32
旡	宀	戸	行	儿	疒	門	土
33	**34**	**35**	**36**	**37**	**38**	**39**	**40**
几	舌	廴	衣	彳	宀	走	辶
41	**42**	**43**	**44**	**45**	**46**	**47**	**48**
罒	隶	革	匚	辛	玄	囗	虍
49	**50**	**51**	**52**	**53**	**54**	**55**	**56**
疒	片	士	斗	虍	辶	言	門

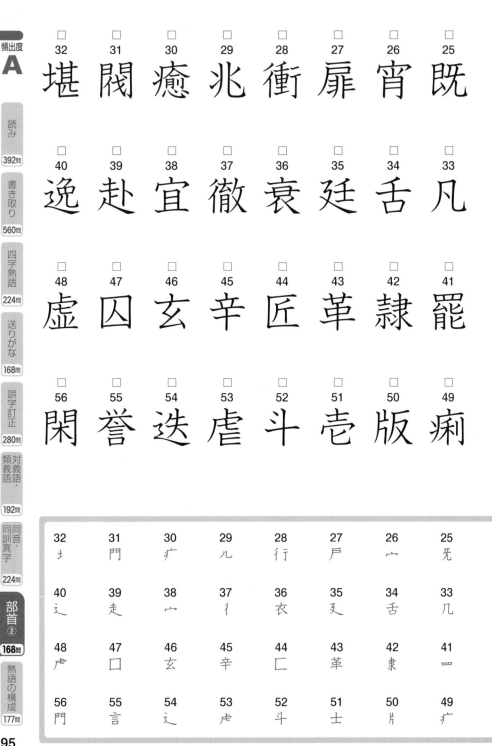

かならず押さえる!

頻出度 A

部首 ③

目標正答率 75%

／56

※次の漢字の部首を記せ。

1 我
2 薦
3 虞
4 唇
5 舟
6 青
7 駄
8 雇
9 慕
10 准
11 宰
12 索
13 募
14 吏
15 衛
16 酢
17 矛
18 音
19 夢
20 寡
21 朴
22 面
23 斥
24 酌

標準解答

1 戈
2 艹
3 虍
4 口
5 舟
6 青
7 馬
8 隹
9 ⺗
10 冫
11 宀
12 糸
13 力
14 口
15 行
16 酉
17 矛
18 音
19 夕
20 宀
21 木
22 面
23 斤
24 酉

32	31	30	29	28	27	26	25
□ 術	□ 掌	□ 疑	□ 鬼	□ 遵	□ 卯	□ 逓	□ 武

40	39	38	37	36	35	34	33
□ 戒	□ 丹	□ 窮	□ 塑	□ 碁	□ 旋	□ 致	□ 靴

48	47	46	45	44	43	42	41
□ 裏	□ 卑	□ 雰	□ 痴	□ 乏	□ 更	□ 麗	□ 叔

56	55	54	53	52	51	50	49
□ 幣	□ 甘	□ 克	□ 礁	□ 履	□ 遷	□ 鶏	□ 豆

32	31	30	29	28	27	26	25
行	手	疋	鬼	辶	卩	辶	止
40	**39**	**38**	**37**	**36**	**35**	**34**	**33**
戈	丶	穴	土	石	方	至	革
48	**47**	**46**	**45**	**44**	**43**	**42**	**41**
衣	十	雨	疒	丿	曰	鹿	又
56	**55**	**54**	**53**	**52**	**51**	**50**	**49**
巾	甘	儿	石	尸	辶	鳥	豆

読み 392問
書き取り 560問
四字熟語 224問
送りがな 168問
誤字訂正 280問
対義語・類義語 192問
同音・同訓異字 224問
部首③ 168問
熟語の構成 177問

かならず押さえる！

頻出度 A

熟語の構成──①

目標正答率 80%

／48

※熟語の構成には次のようなものがある。

ア　同じような意味の漢字を重ねたもの（例　岩石）
イ　反対または対応の意味を表す字を重ねたもの（例　高低）
ウ　上の字が下の字を修飾しているもの（例　洋画）
エ　下の字が上の字の目的語・補語となっているもの（例　着席）
オ　上の字が下の字の意味を打ち消しているもの（例　非常）

次の熟語はそのどれに当たるか、記号を記せ。

□ 1 納涼
□ 2 虜囚
□ 3 上棟
□ 4 収賄
□ 5 遮光
□ 6 免租
□ 7 義賊
□ 8 争覇
□ 9 脚韻
□ 10 未了
□ 11 検疫
□ 12 出廷
□ 13 安寧
□ 14 酪農
□ 15 不肖

標準解答

1 エ　「あじわう↑涼しさを」と解釈する
2 ア　どちらも「とらわれの身」の意
3 エ　「上げる↑棟木を」と解釈する
4 エ　「受け取る↑賄賂を」と解釈する
5 エ　「遮る↑光を」と解釈する
6 エ　「免除する↑租税を」と解釈する
7 ウ　「義きょう的な＋盗賊」と解釈する
8 エ　「争う↑覇を」と解釈する
9 ウ　「文末で＋韻を踏む」と解釈する
10 オ　「まだしていない↑終わることを」と解釈する
11 エ　「検査する↑疫病を」と解釈する
12 エ　「出頭する↑法廷に」と解釈する
13 ア　どちらも「無事でやすらか」の意
14 ウ　「乳製品などの＋農業」と解釈する
15 オ　「まだ～いない↑(師匠などに)似て」と解釈する

□ 16 暗礁
□ 17 災禍
□ 18 漆黒
□ 19 紡績
□ 20 抑揚
□ 21 慶弔
□ 22 弊風
□ 23 頒価
□ 24 遭難
□ 25 緒論
□ 26 未踏

□ 27 未遂
□ 28 分析
□ 29 存廃
□ 30 把握
□ 31 往還
□ 32 疎密
□ 33 不穏
□ 34 迎賓
□ 35 硝煙
□ 36 彼我
□ 37 懇談

□ 38 出没
□ 39 漸進
□ 40 鎮魂
□ 41 添削
□ 42 享受
□ 43 殉教
□ 44 独吟
□ 45 去就
□ 46 衆寡
□ 47 珠玉
□ 48 報酬

16 ウ 「暗くて隠れている＋礁」と解釈する
17 ア どちらも「わざわい」の意
18 ウ 「うるしのように＋黒い」と解釈する
19 ア どちらも「つむぐ」の意
20 イ 「さげる」⇕「あげる」の意
21 イ 「慶事」⇕「弔事」の意
22 ウ 「悪い(弊)＋風俗」と解釈する
23 ウ 「頒布する＋価格」と解釈する
24 エ 「あう↑難に」と解釈する
25 ウ 「糸口となる＋論」と解釈する
26 オ 「いまだ〜ない↑踏んだことが」と解釈する

27 オ 「まだできない↑成し遂げることが」と解釈する
28 ア どちらも「分けて考える」の意
29 イ 「存続」⇕「廃止」の意
30 ア どちらも「つかむ」の意
31 イ 「いく」⇕「かえる」の意
32 イ 「疎ら」⇕「密な」の意
33 オ 「ない↑穏やかで」と解釈する
34 エ 「迎える↑賓客を」と解釈する
35 ウ 「火薬の発火によって生じる＋煙」と解釈する
36 イ 「かれ」⇕「われ」の意
37 ウ 「親しく＋話し合う」と解釈する

38 イ 「出現する」⇕「隠れる」の意
39 ウ 「少しずつ＋進む」と解釈する
40 エ 「鎮める↑魂を」と解釈する
41 イ 「加える」⇕「削る」の意
42 ア どちらも「受ける」の意
43 エ 「守って死ぬ↑教えを」と解釈する
44 ウ 「独りで＋吟じる」と解釈する
45 イ 「去る」⇕「就く」の意
46 イ 「大人数」⇕「小人数」の意
47 ア どちらも「たま・すぐれたもの」の意
48 ア どちらも「むくい」の意

かならず押さえる！
頻出度
A

熟語の構成──②

目標正答率80%
／48

※熟語の構成には次のようなものがある。

ア　同じような意味の漢字を重ねたもの（例　岩石）
イ　反対または対応の意味を表す字を重ねたもの（例　高低）
ウ　上の字が下の字を修飾しているもの（例　洋画）
エ　下の字が上の字の目的語・補語となっているもの（例　着席）
オ　上の字が下の字の意味を打ち消しているもの（例　非常）

次の熟語はそのどれに当たるか、記号を記せ。

□1　親疎
□2　禍福
□3　寛厳
□4　座礁
□5　興廃
□6　去就
□7　殉職
□8　雅俗
□9　奨学
□10　抗菌
□11　腐臭
□12　直轄
□13　賠償
□14　巧拙
□15　隠顕

標準解答

1　イ　「親しい」⇕「疎い」の意
2　イ　「わざわい」⇕「幸福」の意
3　イ　「寛大」⇕「厳格」の意
4　エ　「乗り上げる↑暗礁に」と解釈する
5　イ　「興る」⇕「廃れる」の意
6　イ　「去る」⇕「就く」の意
7　エ　「殉じる↑職に」と解釈する
8　イ　「風雅」⇕「卑属」の意
9　エ　「奨励する↑学問を」と解釈する
10　エ　「抗う↑菌に」と解釈する
11　ウ　「腐ったような＋におい」と解釈する
12　ウ　「直接＋管轄する」と解釈する
13　ア　どちらも「つぐなう」の意
14　イ　「巧み」⇕「つたない」の意
15　イ　「隠れる」⇕「あらわれる」の意

□16 塑像
□17 叙勲
□18 繊毛
□19 紛糾
□20 枢要
□21 懐郷
□22 旋回
□23 逸脱
□24 長幼
□25 克己
□26 不振

□27 遷都
□28 争覇
□29 媒介
□30 庶務
□31 愉悦
□32 未納
□33 贈賄
□34 任免
□35 繁閑
□36 虚実
□37 開廷

□38 謙譲
□39 寡少
□40 緩急
□41 抹茶
□42 防疫
□43 偏在
□44 逓増
□45 懲悪
□46 多寡
□47 貴賓
□48 未詳

16 ウ 「粘土で作った＋像」と解釈する
17 エ 「のべる↑勲等を」と解釈する
18 ウ 「細い＋毛」と解釈する
19 ア どちらも「乱れる」の意
20 ア どちらも「かなめ」の意
21 エ 「懐かしむ↑ふるさとを」と解釈する
22 ア どちらも「まわる」の意
23 ア どちらも「それる」の意
24 イ 「年上」⇕「年下」の意
25 エ 「克つ↑己に」と解釈する
26 オ 「ない↑勢いがふるって」と解釈する

27 エ 「移す↑都を」と解釈する
28 エ 「争う↑覇権を」と解釈する
29 ア どちらも「関係をつける」の意
30 ウ 「雑多な＋事務」と解釈する
31 ア どちらも「楽しい」の意
32 オ 「できていない↑納めることが」と解釈する
33 エ 「贈る↑賄賂を」と解釈する
34 イ 「任ずる」⇕「免ずる」の意
35 イ 「いそがしい」⇕「ひま」の意
36 イ 「うそ」⇕「真実」の意
37 エ 「開く↑法廷を」と解釈する

38 ア どちらも「ゆずる」の意
39 ア どちらも「すくない」の意
40 イ 「遅い」⇕「速い」の意
41 ウ 「すってひいた＋茶」と解釈する
42 エ 「防ぐ↑疫病を」と解釈する
43 ウ 「偏って＋存在する」と解釈する
44 ウ 「少しずつ＋増える」と解釈する
45 エ 「懲らしめる↑悪を」と解釈する
46 イ 「多い」⇕「少ない」の意
47 ウ 「身分が高い＋客」と解釈する
48 オ 「まだできていない↑詳しくわかることが」と解釈する

かならず押さえる!
頻出度
A

熟語の構成――③

目標正答率
80%
／81

※熟語の構成には次のようなものがある。

ア 同じような意味の漢字を重ねたもの（例 岩石）
イ 反対または対応の意味を表す字を重ねたもの（例 高低）
ウ 上の字が下の字を修飾しているもの（例 洋画）
エ 下の字が上の字の目的語・補語となっているもの（例 着席）
オ 上の字が下の字の意味を打ち消しているもの（例 非常）

次の熟語はそのどれに当たるか、記号を記せ。

□1 打撲
□2 未婚
□3 献杯
□4 未刊
□5 解剖
□6 忍苦
□7 土壌
□8 無粋
□9 尚早
□10 奔流
□11 不遇
□12 屈伸
□13 寛厳
□14 不朽
□15 諭旨

標準解答

1 ア どちらも「うつ」の意
2 オ 「まだしていない↑結婚することを」と解釈する
3 エ 「差し出す↑杯を」と解釈する
4 オ 「まだしていない↑発刊することを」と解釈する
5 ア どちらも「ばらばらにする」の意
6 エ 「我慢する↑苦しみを」と解釈する
7 ア どちらも「つち」の意
8 オ 「ではない↑粋」と解釈する
9 ウ 「まだ+早い」と解釈する
10 ウ 「激しい+流れ」と解釈する
11 オ 「ない↑運が」と解釈する
12 イ 「かがむ」⇔「伸びる」の意
13 イ 「寛容」⇔「厳しい」の意
14 オ 「ない↑朽ちることが」と解釈する
15 エ 「諭す↑内容を」と解釈する

□ 16 功罪
□ 17 謹慎
□ 18 殉難
□ 19 飢餓
□ 20 疾患
□ 21 随意
□ 22 扶助
□ 23 撤兵
□ 24 憂愁
□ 25 懐古
□ 26 経緯

□ 27 弔辞
□ 28 擬似
□ 29 不詳
□ 30 精粗
□ 31 早晩
□ 32 充満
□ 33 媒体
□ 34 余韻
□ 35 哀悼
□ 36 閲兵
□ 37 遵法

□ 38 併記
□ 39 義憤
□ 40 禍根
□ 41 洞穴
□ 42 未到
□ 43 明滅
□ 44 誓詞
□ 45 不偏
□ 46 起伏
□ 47 渉外
□ 48 喫茶

16 イ 「功績」⇔「罪」の意
17 ア どちらも「つつしむ」の意
18 エ 「殉ずる←国家の危難のために」と解釈する
19 ア どちらも「うえる」の意
20 ア どちらも「病む」の意
21 エ 「まかせる←思いのままに」と解釈する
22 ア どちらも「たすける」の意
23 エ 「撤退させる←兵を」と解釈する
24 ア どちらも「うれう」の意
25 エ 「なつかしがる←古いものを」と解釈する
26 イ 「たて」⇔「よこ」の意

27 ウ 「弔う＋ことば」と解釈する
28 ア どちらも「にている」の意
29 オ 「ない←詳しくわかることが」と解釈する
30 イ 「細かい」⇔「粗い」の意
31 イ 「早い」⇔「遅い」の意
32 ア どちらも「みちる」の意
33 ウ 「媒介する＋もの」と解釈する
34 ウ 「残る＋音」と解釈する
35 ア どちらも「悲しむ」の意
36 エ 「検閲する←兵を」と解釈する
37 エ 「遵守する←法律を」と解釈する

38 ウ 「あわせて＋記す」と解釈する
39 ウ 「正義感からくる＋憤り」と解釈する
40 ウ 「わざわいとなる＋根本原因」と解釈する
41 ア どちらも「あな」の意
42 オ 「まだしていない←到達することを」と解釈する
43 イ 「つく」⇔「消える」の意
44 ウ 「誓いの＋ことば」と解釈する
45 オ 「いない←偏って」と解釈する
46 イ 「高くなる」⇔「低くなる」の意
47 エ 「交渉する←外部と」と解釈する
48 エ 「飲む←茶を」と解釈する

□ 49 尊卑

□ 50 旋風

□ 51 俊秀

□ 52 愚痴

□ 53 核心

□ 54 点滅

□ 55 挑戦

□ 56 多寡

□ 57 懇請

□ 58 美醜

□ 59 遍在

□ 60 崇仏

□ 61 孤塁

□ 62 罷業

□ 63 邪推

□ 64 雪渓

□ 65 赴任

□ 66 退廷

□ 67 勧奨

□ 68 霊魂

□ 69 合掌

□ 70 栄辱

□ 71 謹呈

□ 72 搭乗

□ 73 剛柔

□ 74 廃刊

□ 75 免疫

□ 76 無謀

□ 77 硬軟

□ 78 還元

□ 79 酷使

□ 80 墨汁

□ 81 研磨

---

49 イ 「とうとい」⇕「いやしい」の意

50 ウ 「ぐるぐる回る＋風」と解釈する

51 ア どちらも「ひいでる」の意

52 ア どちらも「おろか」の意

53 ア どちらも「中心」の意

54 イ 「ともす」⇕「消す」の意

55 エ 「挑む↑戦いを」と解釈する

56 イ 「多い」⇕「少ない」の意

57 ウ 「心から＋請う」と解釈する

58 イ 「美しい」⇕「醜い」の意

59 ウ 「あまねく＋存在する」と解釈する

60 エ 「あがめる↑仏を」と解釈する

61 ウ 「孤立している＋とりで」と解釈する

62 エ 「やめる↑仕事を」と解釈する

63 ウ 「よこしまな＋推量」と解釈する

64 ウ 「雪でうずまった＋谷」と解釈する

65 エ 「赴く↑任に」と解釈する

66 エ 「退出する↑法廷から」と解釈する

67 ア どちらも「すすめる」の意

68 ア どちらも「たましい」の意

69 エ 「合わせる↑手のひらを」と解釈する

70 イ 「栄誉」⇕「恥辱」の意

71 ウ 「謹んで＋贈呈する」と解釈する

72 ア どちらも「のる」の意

73 イ 「かたい」⇕「柔らかい」の意

74 エ 「廃止する↑刊行を」と解釈する

75 エ 「免れる↑疫病を」と解釈する

76 オ 「ない↑深い考えが」と解釈する

77 イ 「硬い」⇕「軟らかい」の意

78 エ 「もどす↑元に」と解釈する

79 ウ 「ひどく＋使う」と解釈する

80 ウ 「墨をすった＋汁」と解釈する

81 ア どちらも「みがく」の意

合否の分かれ目！

重要問題1617

第2章

頻出度 B

- 読み …… 106
- 書き取り …… 114
- 四字熟語 …… 122
- 送りがな …… 128
- 誤字訂正 …… 132
- 対義語・類義語 …… 140
- 同音・同訓異字 …… 146
- 部首 …… 156
- 熟語の構成 …… 160

合否の分かれ目！
頻出度
B
読み―①

※次の――線の読みをひらがなで記せ。

□ 1 修行を通して心身を**錬磨**する。
□ 2 試験に**頻出**する計算問題だ。
□ 3 湯のみに**茶渋**がつく。
□ 4 補足説明を**括弧**でくくる。
□ 5 **革靴**は雨に弱い。
□ 6 料亭で**懐石**料理に舌鼓を打つ。
□ 7 天下の座を巡って**争覇**する。
□ 8 薄幸の**境涯**に甘んじている。
□ 9 役所に**婚姻**届を提出する。
□ 10 近年アジの漁獲量が**逓増**している。
□ 11 我が子を亡くし**愁嘆場**を演じた。
□ 12 化学工場で**酢酸**を生産する。
□ 13 **不肖**ながら全力を尽くします。
□ 14 卵白を**泡立**てて洋菓子を作る。
□ 15 **碁盤**の目状に道が整備されている。
□ 16 静かな山奥で一際**渓声**が響き渡る。
□ 17 理論より**実践**が大切だ。
□ 18 消費者の**飢餓**感をあおる戦略だ。
□ 19 問題文の意味が**把握**できない。
□ 20 **川柳**の入選句を発表する。
□ 21 苦情への**迅速**な対応が求められる。
□ 22 野菜を**軟**らかく煮る。
□ 23 平和の**誓**いを新たにする。
□ 24 **岩礁**を長靴を履いて渡った。

目標正答率 95%
／56

標準解答

1 れんま
2 ひんしゅつ
3 ちゃしぶ
4 かっこ
5 かわぐつ
6 かいせき
7 そうは
8 きょうがい
9 こんいん
10 ていぞう
11 しゅうたんば
12 さくさん
13 ふしょう
14 あわだ
15 ごばん
16 けいせい
17 じっせん
18 きが
19 はあく
20 せんりゅう
21 じんそく
22 やわ
23 ちか
24 がんしょう

□ 25 紙面の都合で記事を**割愛**する。
□ 26 彼とは十年来**懇意**にしている。
□ 27 **質朴**で口数の少ない男だ。
□ 28 リーダーは**剛直**な男だ。
□ 29 **王侯**貴族のように振る舞う。
□ 30 **寛大**な処置を願う。
□ 31 防災用品の売り場を**拡充**する。
□ 32 相手の主張を**肯定**する。
□ 33 候補者は**自薦**でもかまわない。
□ 34 部屋に**遮光**カーテンを取り付ける。
□ 35 ペットの死が心を**病**むほどつらい。
□ 36 株の売買を**仲介**する。
□ 37 **猟銃**を肩に担いで山に入る。
□ 38 重要な課題を**閑却**する。
□ 39 二人は**犬猿**の仲だ。
□ 40 **猫舌**で熱いスープが飲めない。

□ 41 **己**の分を心得る。
□ 42 **硬軟**併せ持つ演技が魅力だ。
□ 43 **慶弔**電報を打つ。
□ 44 父方の**系譜**をたどる。
□ 45 **管轄**区域が変更された。
□ 46 小説を読んで**擬似**体験をする。
□ 47 **寡少**な戦力で戦う。
□ 48 雑誌を定期**購読**している。
□ 49 膨大なデータを**解析**する。
□ 50 **拙速**な仕事ぶりが非難される。
□ 51 **純朴**でだまされやすい人だ。
□ 52 不正を働いた罪で**放逐**された。
□ 53 折りたたみの**傘**を持って出る。
□ 54 街頭で**献血**を呼びかける。
□ 55 政治的発言を**自粛**する。
□ 56 夜ごと**晩酌**を欠かさない。

25 かつあい	41 おのれ
26 こんい	42 こうなん
27 しつぼく	43 けいちょう
28 ごうちょく	44 けいふ
29 おうこう	45 かんかつ
30 かんだい	46 ぎじ
31 かくじゅう	47 かしょう
32 こうてい	48 こうどく
33 じせん	49 かいせき
34 しゃこう	50 せっそく
35 や	51 じゅんぼく
36 ちゅうかい	52 ほうちく
37 りょうじゅう	53 かさ
38 かんきゃく	54 けんけつ
39 けんえん	55 じしゅく
40 ねこじた	56 ばんしゃく

合否の分かれ目！
頻出度
B
読み―②

※次の――線の読みをひらがなで記せ。

□ 1 基礎研究への資金援助を**懇請**する。
□ 2 **楽譜**を見ずにピアノを弾く。
□ 3 **備忘録**を作っておけば安心だ。
□ 4 高速道路が**渋滞**している。
□ 5 **広漠**たる草原に家が建っている。
□ 6 **座禅**を組んで精神統一をする。
□ 7 酒に酔って**醜態**をさらした。
□ 8 **酷**な批評を受けて落ち込んだ。
□ 9 休日も**診療**する病院を探す。
□ 10 恩師の**逝去**を心からいたむ。
□ 11 **荒涼**たる大地に立ちつくす。
□ 12 ポリエステルとの**混紡**のシャツだ。
□ 13 お家**安泰**のために働く。
□ 14 維新の**俊傑**と言われた人物だ。
□ 15 初志**貫徹**して成功を収めた。
□ 16 借用金を五年で**償却**した。
□ 17 事業拡大のため**融資**してもらう。
□ 18 後ろ姿に**哀愁**が漂っている。
□ 19 **平癒**を祈り千羽づるを折る。
□ 20 **欺**まんに満ちた人生を送る。
□ 21 健康を**損**なうまで働いた。
□ 22 赤ちゃん用の**肌着**に適している。
□ 23 大森**貝塚**はモースが発見した。
□ 24 テレビドラマの**挿入**歌になる。

目標正答率 95%
／56

標準解答

1 こんせい
2 がくふ
3 びぼうろく
4 じゅうたい
5 こうばく
6 ざぜん
7 しゅうたい
8 こく
9 しんりょう
10 せいきょ
11 こうりょう
12 こんぼう
13 あんたい
14 しゅんけつ
15 かんてつ
16 しょうきゃく
17 ゆうし
18 あいしゅう
19 へいゆ
20 ぎ
21 そこ
22 はだぎ
23 かいづか
24 そうにゅう

料金受取人払郵便

豊島局承認

4466

差出有効期間
2025年9月30日まで
（切手不要）

郵便はがき

170-8789

104

東京都豊島区東池袋3-1-1
サンシャイン60内郵便局
私書箱1116号

株式会社 高橋書店
書籍編集部 ⑳ 行

※ご記入いただいた個人情報は適正に管理いたします。取扱いについての詳細は弊社のプライバシーステイトメン
(https://www.takahashishoten.co.jp/privacy/)をご覧ください。ご回答いただきましたアンケート結果については
今後の出版物の企画等の参考にさせていただきます。なお、以下の項目は任意でご記入ください。

お名前	年齢：　　　歳 性別：　男　・　女
ご住所　〒　　　－	
電話番号 －　　　－	Eメールアドレス
ご職業 ①学生　②会社員　③公務員　④教育関係　⑤専門職 ⑥自営業　⑦主婦・主夫　⑧無職　⑨その他(　　　)	

裏面のご感想やご意見を匿名で、本の紹介や広告等に使用してもよろしいですか？ □はい　□いいえ
今後の企画検討時に、アンケート等でご協力いただけますか？ □はい　□いいえ

弊社発刊の書籍をお買い上げいただき誠にありがとうございます。皆様のご意見を参考に、よりよい企画を検討してまいりますので、下記にご記入のうえ、お送りくださいますようお願い申し上げます。

ご購入書籍 **漢字検定〔頻出度順〕問題集**

---

1)ご購入いただいた級を教えてください
□準1級 □2級 □準2級 □3級 □4級 □5級

2)本書をお使いいただいた方の年齢と性別を教えてください
(年齢: 歳 / 性別:)

3)本書をどこで入手されましたか
□書店 □ネット書店 □その他( )

4)本書の以下の点についてお聞かせください

各分野の問題数	□少ない	□ちょうどよい	□多い
模擬試験の回数	□少ない	□ちょうどよい	□多い
価格	□安い	□ちょうどよい	□高い

5)本書をお選びいただいたきっかけはなんですか(複数回答可)
□頻出問題を効率よく学習したいから
□書店で見て
□他の級を受検する際にこのシリーズを使ったことがあったから
□Amazonなどの商品の情報を見て
□その他( )

本書についてのご感想をお聞かせください

ご協力ありがとうございました

□ 25 教養の欠如が**露呈**した。
□ 26 **賃貸**借契約書に目を通す。
□ 27 父が母に**内緒**で小遣いをくれた。
□ 28 **書斎**の机は桜の木でできている。
□ 29 企業が土地を**譲渡**する。
□ 30 事件の**核心**は解明されていない。
□ 31 不祥事を契機に組織の**襟**を正す。
□ 32 紳士的な態度に**感銘**を受けた。
□ 33 注目の証人が**出廷**する。
□ 34 **滋味**豊かな食べ物が食卓にのぼる。
□ 35 今朝は**殊**のほか寒さがこたえる。
□ 36 **碁石**は貝の殻で作られる。
□ 37 **五月雨**式に仕事を渡される。
□ 38 公務員は国の**公僕**である。
□ 39 不景気で生活が**困窮**する。
□ 40 知人に下宿先を**周旋**してもらう。

□ 41 **自浄**作用のない企業は危ない。
□ 42 相手の逆をついて**一泡**吹かせる。
□ 43 商品を**疎略**に扱わないようにする。
□ 44 長年の走行でタイヤが**磨耗**する。
□ 45 ボクサーが**雄々**しく戦っている。
□ 46 **雪崩**が発生して登山者が遭難した。
□ 47 **崇高**な理念に基づいて行動する。
□ 48 **富裕**層に人気のリゾートだ。
□ 49 全分野を**網羅**するのは難しい。
□ 50 **庶民**感覚からかなりずれている。
□ 51 **誘拐**犯が逮捕された。
□ 52 芸術祭の**彫塑**の部で入選を果たす。
□ 53 発言が**面白**おかしく伝えられた。
□ 54 七難八苦を乗り越え**本懐**を遂げた。
□ 55 効能が違う二つの薬剤を**併用**する。
□ 56 **懸案**事項について話し合う。

25 ろてい
26 ちんたい
27 ないしょ
28 しょさい
29 じょうと
30 かくしん
31 えり
32 かんめい
33 しゅってい
34 じみ
35 こと
36 ごいし
37 さみだれ
38 こうぼく
39 こんきゅう
40 しゅうせん
41 じじょう
42 ひとあわ
43 そりゃく
44 まもう
45 おお
46 なだれ
47 すうこう
48 ふゆう
49 もうら
50 しょみん
51 ゆうかい
52 ちょうそ
53 おもしろ
54 ほんかい
55 へいよう
56 けんあん

合否の分かれ目！
頻出度
B

読み―③

※次の――線の読みをひらがなで記せ。

□ 1 故郷の歴史を**懐古**する。
□ 2 交渉は**難渋**をきわめた。
□ 3 有名作家の**傑作**集を編む。
□ 4 **竜巻**による被害は甚大だ。
□ 5 運動器具を使って**下肢**を鍛える。
□ 6 功績をたたえ**勲章**を授ける。
□ 7 先祖の墓前に花を**手向**ける。
□ 8 この食器には**研磨**剤は使えない。
□ 9 クラス全員の意見を**総括**する。
□ 10 国が**直轄**する道路を改修する。
□ 11 **妃殿下**主催の茶会に招かれる。
□ 12 大臣を**罷免**した。
□ 13 **累積**貿易黒字が五億ドルに達した。
□ 14 **謙譲**の精神を発揮する。
□ 15 疑惑を晴らそうと**躍起**になる。
□ 16 この地方の**童**歌を収録する。
□ 17 **浮動**票を獲得して初当選した。
□ 18 四月に新しく社員が**入寮**した。
□ 19 **人倫**にそむく行いをとがめる。
□ 20 武道で**克己心**を養う。
□ 21 **懇願**されて町内会長を引き受ける。
□ 22 **銃創**を負って戦線から離脱する。
□ 23 温かい**浄財**が寄せられる。
□ 24 あたりは**漆黒**のやみだった。

目標正答率
95%
／56

標準解答

1 かいこ
2 なんじゅう
3 けっさく
4 たつまき
5 かし
6 くんしょう
7 たむ
8 けんま
9 そうかつ
10 ちょっかつ
11 ひでんか
12 ひめん
13 るいせき
14 けんじょう
15 やっき
16 わらべ
17 ふどう
18 にゅうりょう
19 じんりん
20 こっきしん
21 こんがん
22 じゅうそう
23 じょうざい
24 しっこく

□ 25 部内での意思の**疎通**を密にする。
□ 26 日本の農村が**疲弊**している。
□ 27 **漠然**とした不安を抱く。
□ 28 思わぬ裏切りに遭い**憤激**する。
□ 29 **珠算**検定に合格する。
□ 30 乾燥した畑に**慈雨**が降り注いだ。
□ 31 胃が痛むので医者に**診**てもらう。
□ 32 セミナーの終了後に**懇親**会を開く。
□ 33 祖国統一の**覇業**を遂げた。
□ 34 使者が国王への**謁見**を許された。
□ 35 異郷で**幽囚**の生活を送る。
□ 36 **弾劾**裁判が行われた。
□ 37 週末の**競艇**場は大変な人出だった。
□ 38 **勇壮**な行進曲が聞こえてきた。
□ 39 プラスチックには**可塑**性がある。
□ 40 宿の**亭主**が観光客を出迎える。
□ 41 **蛍雪**の功なって志望校に合格する。
□ 42 **閑静**な住宅地に住む。
□ 43 顔が赤くなるような**醜聞**だった。
□ 44 抗議の**矢面**に立つ。
□ 45 理科の授業でフナの**解剖**を行った。
□ 46 城壁が昔の**名残**をとどめている。
□ 47 心臓の**外科**手術を行う。
□ 48 ブラシを使って**溝**を掃除する。
□ 49 部屋の**隅々**まできれいにする。
□ 50 涼しげな**麻**のスーツを買う。
□ 51 ひまわりの**茎**が倒れる。
□ 52 敗戦によって領土を**割譲**した。
□ 53 お気に入りの靴を**履**く。
□ 54 妹は**酪農**家に嫁いだ。
□ 55 チャンピオンベルトを**奪還**する。
□ 56 **泰然**として事に当たる。

25 そつう
26 ひへい
27 ばくぜん
28 ふんげき
29 しゅざん
30 じう
31 み
32 こんしん
33 はぎょう
34 えっけん
35 ゆうしゅう
36 だんがい
37 きょうてい
38 ゆうそう
39 かそ
40 ていしゅ
41 けいせつ
42 かんせい
43 しゅうぶん
44 やおもて
45 かいぼう
46 なごり
47 げか
48 みぞ
49 すみずみ
50 あさ
51 くき
52 かつじょう
53 は
54 らくのう
55 だっかん
56 たいぜん

合否の分かれ目！

頻出度 B

読み—④

※次の——線の読みをひらがなで記せ。

□ 1 **懇々**と教育者の心得を説いた。
□ 2 **苦渋**に満ちた決断を下す。
□ 3 昔の**面影**が残る街並みだ。
□ 4 **相撲**に勝って勝負に負ける。
□ 5 **大雑把**に下書きを書く。
□ 6 **塀**を越えて泥棒が侵入する。
□ 7 改築なら**弊社**にご用命ください。
□ 8 **襟元**の美しい婦人を描く。
□ 9 首相が**収賄**の罪に問われた。
□ 10 将来に**一抹**の不安を覚える。
□ 11 卵の**殻**を割ってかき混ぜる。
□ 12 犯人は鋭い**刃物**を持っていた。
□ 13 孫の**子守**を引き受ける。
□ 14 **空漠**とした議論が繰り返される。
□ 15 改革の**手綱**をゆるめる。
□ 16 同僚に**助太刀**を頼んだ。
□ 17 前年の**覇者**と対戦する。
□ 18 強硬だった態度が**軟化**した。
□ 19 **駄弁**をろうして時間を浪費する。
□ 20 西陣織の**反物**を贈られる。
□ 21 グラスをていねいに**磨**く。
□ 22 **包括**的な計画の見直しが必要だ。
□ 23 広告**媒体**で商品を売り込む。
□ 24 川岸に**柳**の木が立ち並ぶ。

目標正答率 95%

／56

標準解答

1 こんこん
2 くじゅう
3 おもかげ
4 すもう
5 おおざっぱ
6 へい
7 へいしゃ
8 えりもと
9 しゅうわい
10 いちまつ
11 から
12 はもの
13 こもり
14 くうばく
15 たづな
16 すけだち
17 はしゃ
18 なんか
19 だべん
20 たんもの
21 みが
22 ほうかつ
23 ばいたい
24 やなぎ

□ 25 平和条約が**批准**される。
□ 26 古くから伝わる民謡を**採譜**する。
□ 27 合宿所の寝床は狭くて**窮屈**だった。
□ 28 発表した論文が**酷評**された。
□ 29 マンションの建設現場を**監督**する。
□ 30 **寛容**な人柄で好かれている。
□ 31 親の**干渉**をうとましく思う。
□ 32 大事な会議中に**睡魔**に襲われる。
□ 33 危険な仕事だけに**報酬**も多い。
□ 34 **妥当**な価格で売り出す。
□ 35 この一帯は**租借**地だ。
□ 36 平安京の**内裏**図を見る。
□ 37 お父様はご**壮健**ですか。
□ 38 敵対する勢力との**融和**を図る。
□ 39 **捕虜**虐待の罪に問われる。
□ 40 **搭乗**口に十分前までに集合する。
□ 41 文中の単語の使用**頻度**を調べる。
□ 42 強大な権威に**盲従**する。
□ 43 **亜流**とけなされて怒る。
□ 44 **花瓶**に生けた桜を鑑賞する。
□ 45 **剛胆**で物おじしない青年だ。
□ 46 苦い思い出が**脳裏**から離れない。
□ 47 **懸命**の努力が実る。
□ 48 敵地に**密偵**を放って動静を探る。
□ 49 **下弦**の月がこうこうと輝いている。
□ 50 寄せられた意見を議長が**統括**する。
□ 51 芸術家としての**真骨頂**を発揮する。
□ 52 **温厚**な性格で皆に好かれる。
□ 53 祖母は**享年**九十だった。
□ 54 落選の報に接して**喪心**する。
□ 55 事態は**暗礁**に乗り上げた。
□ 56 ひどい仕打ちに**憤慨**する。

25 ひじゅん
26 さいふ
27 きゅうくつ
28 こくひょう
29 かんとく
30 かんよう
31 かんしょう
32 すいま
33 ほうしゅう
34 だとう
35 そしゃく
36 だいり
37 そうけん
38 ゆうわ
39 ほりょ
40 とうじょう
41 ひんど
42 もうじゅう
43 ありゅう
44 かびん
45 ごうたん
46 のうり
47 けんめい
48 みってい
49 かげん
50 とうかつ
51 しんこっちょう
52 おんこう
53 きょうねん
54 そうしん
55 あんしょう
56 ふんがい

合否の分かれ目！

頻出度

B

書き取り―①

※次の――線のカタカナを漢字に直せ。

□1 厳しい寒さが**シュウライ**する。
□2 世界を**ホウロウ**して見聞を広める。
□3 **オス**めすのつがいで鳥を飼う。
□4 **アズキ**を使った和菓子が評判だ。
□5 ボールが大きく**ハ**ねた。
□6 転んで手の**コウ**を擦りむく。
□7 **センパク**の往来が激しい海域だ。
□8 患者の**ミャクハク**を調べる。
□9 古典文学に**チュウシャク**をつける。
□10 少年野球の**シンパン**を務める。
□11 **スイソウ**の中の藻を取り替える。
□12 銀行が中小企業に**ユウシ**する。
□13 **ネッキョウ**的なファンが取り囲む。
□14 親族が集まり**コンレイ**写真を撮る。
□15 朝**ネボウ**のくせが直らない。
□16 美しい音色が**コト**から響き渡る。
□17 子供が一目散に**ニ**げていく。
□18 **ゴフク**店で色鮮やかな反物を選ぶ。
□19 どちらを選ぼうか**ナヤ**む。
□20 長**キョリ**走に適した選手だ。
□21 医療や**フクシ**の拡充を求める。
□22 念願のタイトルを**カクトク**した。
□23 **ナマリイロ**の空から雨が落ちてきた。
□24 人事異動で地方に**サセン**される。

目標正答率 80%

／56

標準解答

1 襲来
2 放浪
3 雄
4 小豆
5 跳
6 甲
7 船舶
8 脈拍
9 注釈
10 審判
11 水槽
12 融資
13 熱狂
14 婚礼
15 寝坊
16 琴
17 逃
18 呉服
19 悩
20 距離
21 福祉
22 獲得
23 鉛色
24 左遷

□25 夏コウレイの花火大会が催される。
□26 目からナミダがあふれる。
□27 最新技術をクシした工業製品だ。
□28 スイテキが車の窓ガラスに付く。
□29 エタノールは無色トウメイな液体だ。
□30 ハクシンの演技が客を魅了した。
□31 数多くのイツワが残っている。
□32 エンバンを空高く投げた。
□33 戦地から全員無事にキカンした。
□34 川があふれてミズビタしになる。
□35 加齢とともに体力がオトロえた。
□36 補強してタイキュウ性を上げる。
□37 シンコウの自由を憲法で保障する。
□38 難問にソクザに返答できない。
□39 シタザワりのいいポタージュだ。
□40 ネンドをこねて模型を作る。

□41 思わぬキッポウが舞い込む。
□42 規則正しい生活をジッセンする。
□43 被告人にはモクヒする権利がある。
□44 客人にシルコを振る舞った。
□45 差別的な発言のテッカイを求めた。
□46 近代産業のハッショウの地だ。
□47 肺にエンショウが起こる。
□48 古風なエガラの洋皿を買う。
□49 心のオクソコを親友に打ちあける。
□50 業績不振でカイコを言い渡された。
□51 需要と供給のキンコウを図る。
□52 ライバルに苦戦をシいられている。
□53 与えられた任務をカンスイした。
□54 お祝いの席で赤飯をタく。
□55 ショハンの都合により延期します。
□56 巻末のサクインで言葉を探す。

25 恒例	26 涙	27 駆使	28 水滴	29 透明	30 迫真	31 逸話	32 円盤	33 帰還	34 水浸	35 衰	36 耐久	37 信仰	38 即座	39 舌触	40 粘土
41 吉報	42 実践	43 黙秘	44 汁粉	45 撤回	46 発祥	47 炎症	48 絵柄	49 奥底	50 解雇	51 均衡	52 強	53 完遂	54 炊	55 諸般	56 索引

合否の分かれ目！
頻出度
B

書き取り ②

※次の――線のカタカナを漢字に直せ。

□ 1 寒くてネドコから出られない。
□ 2 正座してモクソウする。
□ 3 町内会でヒナン訓練を行う。
□ 4 規約の条項にタダし書きを加える。
□ 5 山のオクに寺院がある。
□ 6 ソッキョウで俳句を詠む。
□ 7 エキショウテレビを居間に置く。
□ 8 工場のエントツを見あげる。
□ 9 栄養をバランスよくセッシュする。
□ 10 なんのマエブれもなく訪ねてきた。
□ 11 タイグウのよい会社に就職した。
□ 12 サワノボりや渓流釣りを楽しむ。
□ 13 親類の安否をキヅカう。
□ 14 穏やかなヒトガラで慕われる。
□ 15 事業が成功してゴウテイを建てた。
□ 16 飛行機が急激にジョウショウした。
□ 17 自由でホンポウな生活を送る。
□ 18 ボウキョウの念にかられる。
□ 19 大豆をハッコウさせて豆腐を作る。
□ 20 作品の出来栄えにごマンエツだ。
□ 21 カイチュウ電灯を常備する。
□ 22 会社員の夫にフヨウされている。
□ 23 木ボりの人形を玄関に飾る。
□ 24 地下に電線がマイセツされている。

目標正答率80%
／56

標準解答

1 寝床
2 黙想
3 避難
4 但
5 奥
6 即興
7 液晶
8 煙突
9 摂取
10 前触
11 待遇
12 沢登
13 気遣
14 人柄
15 豪邸
16 上昇
17 奔放
18 望郷
19 発酵
20 満悦
21 懐中
22 扶養
23 彫
24 埋設

□25 移植する臓器をテキシュツする。
□26 カエルがトウミンから目覚めた。
□27 校歌をピアノでバンソウする。
□28 所有するビルをバイキャクする。
□29 壊した品の代金をベンショウする。
□30 トクシュな技術が高く評価される。
□31 客にマッチャと和菓子を振るまう。
□32 たばこはごエンリョください。
□33 フメンに音符を書き込んだ。
□34 草の中にフせて隠れる。
□35 ハッポウスチロールで保護する。
□36 事故のギセイ者を弔った。
□37 自然の風景を写真にトる。
□38 ロウキュウ化した建物を取り壊す。
□39 アルバイトをヤトい入れる。
□40 連続優勝の夢はマボロシに終わった。

□41 予算をケズって規模を縮小する。
□42 知人らとリョウテイで会食する。
□43 さまざまな思惑がコウサクする。
□44 日本は天然資源にトボしい国だ。
□45 ヒガタに無数の渡り鳥が飛来する。
□46 大事な試合が来週にヒカえている。
□47 タツマキが民家を次々に襲った。
□48 祖先は旗本のサムライだった。
□49 ニワトリの肉を炭で焼く。
□50 駅前のキッサ店で商談する。
□51 くだらない議論で時間をロウヒする。
□52 肥えたドジョウで野菜を栽培する。
□53 タナからぼたもち。
□54 行きがけのダチン。
□55 何事にもすぐアきやすい。
□56 高齢の男性に席をユズった。

25 摘出
26 冬眠
27 伴奏
28 売却
29 弁償
30 特殊
31 抹茶
32 遠慮
33 譜面
34 伏
35 発泡
36 犠牲
37 撮
38 老朽
39 雇
40 幻

41 削
42 料亭
43 交錯
44 乏
45 干潟
46 控
47 竜巻
48 侍
49 鶏
50 喫茶
51 浪費
52 土壌
53 棚
54 駄賃
55 飽
56 譲

合否の分かれ目！
頻出度
B

書き取り——③

＊次の——線のカタカナを漢字に直せ。

□1 駅にホテルが**リンセツ**している。
□2 オウムが人の言葉を**モホウ**する。
□3 **シンシ**的な態度で相手に接する。
□4 **カンパイ**の音頭をとる。
□5 **ニク**まれっ子世にはばかる。
□6 絵馬を神社に**ホウノウ**する。
□7 **コウキュウ**の平和を誓う。
□8 機材を会場に**ハンニュウ**した。
□9 友人の**ジンリョク**で問題が解決する。
□10 **フウリン**の音が涼しさを演出する。
□11 **ラクノウ**が地域の主要産業だ。
□12 作品が**ツウレツ**に批判される。
□13 **ケモノ**のように荒々しい。
□14 **タンテイ**が鋭い推理力を発揮する。
□15 **オウギ**を持って能楽を舞う。
□16 物事の**ゼヒ**をわきまえる。
□17 組織の**チュウスウ**で重責を担う。
□18 毎朝**ゲンカン**を掃除する。
□19 海岸に立つ**ハクア**の館が日に映える。
□20 **コンブ**のだしでみそ汁を作る。
□21 **アカツキ**を迎えて鳥が鳴き始めた。
□22 親から日ごろの努力を**ホ**められた。
□23 足の**フル**えが止まらない。
□24 有機農法でトマトを**サイバイ**する。

目標正答率 80%
／56

標準解答

1 隣接
2 模倣
3 紳士
4 乾杯
5 憎
6 奉納
7 恒久
8 搬入
9 尽力
10 風鈴
11 酪農
12 痛烈
13 獣
14 探偵
15 扇
16 是非
17 中枢
18 玄関
19 白亜
20 昆布
21 暁
22 褒
23 震
24 栽培

頻出度B

□ 25 新規会員数を毎月**ルイケイ**する。
□ 26 ビデオで風景を**サツエイ**する。
□ 27 **オキ**に出て漁をする。
□ 28 強風で**シッコク**の髪が乱れた。
□ 29 切ない表情で**トイキ**をつく。
□ 30 市民団体の抗議に**キョウメイ**する。
□ 31 犯人に現金を**オド**し取られる。
□ 32 議会で**ドゴウ**が乱れ飛んだ。
□ 33 温泉に入って**ツカ**れをいやす。
□ 34 **バッソク**に触れて脱退した。
□ 35 名前と出自を**タズ**ねる。
□ 36 新商品が**キャッコウ**を浴びる。
□ 37 **モヨ**りの駅で待ちあわせる。
□ 38 大失敗をして**カタミ**が狭い。
□ 39 遊説中、**シカク**に襲われた。
□ 40 新制度が国民に**シントウ**する。

□ 41 暖炉に**タキギ**をくべる。
□ 42 明白な証拠がなく不**キソ**となった。
□ 43 受領書にはんこを**オ**す。
□ 44 胸の**コドウ**が激しくなる。
□ 45 人権の**シンガイ**が問題となる。
□ 46 **ケンジツ**な生活を心がける。
□ 47 ジャンプ台から**チョウヤク**する。
□ 48 絵を**ガクブチ**に入れて展示する。
□ 49 後悔してももう**オソ**い。
□ 50 植物の**タイカン**性を調べる。
□ 51 役所に**インカン**を持参する。
□ 52 豊作で**ヨジョウ**農産物を処分する。
□ 53 **ワタ**し船が今でも運航している。
□ 54 夏祭りの**ボンオド**りを練習する。
□ 55 荷物を**マンサイ**したトラックが通る。
□ 56 釣りの**ウデマエ**は大したものだ。

25	累計
26	撮影
27	沖
28	漆黒
29	吐息
30	共鳴
31	脅
32	怒号
33	疲
34	罰則
35	尋
36	脚光
37	最寄
38	肩身
39	刺客
40	浸透
41	薪
42	起訴
43	押
44	鼓動
45	侵害
46	堅実
47	跳躍
48	額縁
49	遅
50	耐寒
51	印鑑
52	余剰
53	渡
54	盆踊
55	満載
56	腕前

合否の分かれ目！

頻出度

B

書き取り――④

✻次の――線のカタカナを漢字に直せ。

□ 1 目標の得点を**トッパ**した。
□ 2 来月**ジョウジュン**に帰郷する。
□ 3 庭に**アサツユ**が降りていた。
□ 4 **ロンシ**が明確な文章だ。
□ 5 **ボウキャク**のかなたに消える。
□ 6 凶悪犯罪に重い**ケイバツ**を科する。
□ 7 このすしは**コメツブ**が光っている。
□ 8 万能薬として**チンチョウ**される。
□ 9 湖のほとりで**スイサイガ**を描く。
□ 10 「**サイゲツ**人を待たず」が座右の銘だ。
□ 11 子供を**カタグルマ**してあやす。
□ 12 女性の**キョウゲン**師が誕生する。
□ 13 書類に住所を**キサイ**する。
□ 14 人里離れた**ヤマオク**で暮らす。
□ 15 祖父は**クウシュウ**の被害に遭った。
□ 16 大根を軟らかく**ニ**る。
□ 17 初段の免状が**ジュヨ**された。
□ 18 **カクトウ**の末、犯人を逮捕した。
□ 19 害虫の**クジョ**を業者に依頼する。
□ 20 **エリモト**にアクセサリーを付ける。
□ 21 話の**コシ**を折る。
□ 22 失敗を**ゴウカイ**に笑い飛ばす。
□ 23 台所の**ユカ**をぞうきんがけした。
□ 24 娘の**エンダン**がまとまった。

目標正答率
80%

／56

標準解答

1 突破	2 上旬	3 朝露	4 論旨	5 忘却	6 刑罰	7 米粒	8 珍重	9 水彩画	10 歳月	11 肩車	12 狂言
13 記載	14 山奥	15 空襲	16 煮	17 授与	18 格闘	19 駆除	20 襟元	21 腰	22 豪快	23 床	24 縁談

□25 わずかな失敗も**ミノガ**さない。
□26 辺りが**セイジャク**に包まれる。
□27 次々と問題が**フンシュツ**した。
□28 **オソザ**きの桜で花見をする。
□29 合成**ジュシ**を加工する。
□30 **バクショウ**の渦につつまれる。
□31 曲に合わせて**ヒョウシ**を取る。
□32 台風が全国で**モウイ**を振るう。
□33 無人の船が**ヒョウチャク**した。
□34 昔懐かしい**ドウヨウ**を口ずさむ。
□35 **トウフ**と油揚げのみそ汁をつくる。
□36 やけどをして**ヒフ**科に通う。
□37 **フキョウ**で客単価が落ち込む。
□38 絶好の行楽**ビヨリ**になった。
□39 新しい**カンデンチ**と交換する。
□40 旅行先で美しい芸術に**フ**れた。

□41 業績悪化で支店を**ヘイサ**した。
□42 **ヨカ**は離島でのんびり過ごす。
□43 契約の**ジョウコウ**を守る。
□44 結婚式で**シュクハイ**をあげる。
□45 **クッキョウ**な男に力仕事を任せる。
□46 父は**アマトウ**で菓子に目がない。
□47 雪でダイヤが**オオハバ**に乱れる。
□48 会場に十代の**ワコウド**が集った。
□49 ご足労頂き**キョウシュク**です。
□50 **キバツ**なアイデアで周囲を驚かす。
□51 容疑者を**シャクホウ**する。
□52 ゲームの**コウリャク**に頭を悩ます。
□53 悲報に接して**ゴウキュウ**した。
□54 冬になるとこたつが**コイ**しくなる。
□55 自宅**ケンヨウ**の事務所を借りる。
□56 天才画家を**ジショウ**する。

25 見逃
26 静寂
27 噴出
28 遅咲
29 樹脂
30 爆笑
31 拍子
32 猛威
33 漂着
34 童謡
35 豆腐
36 皮膚
37 不況
38 日和
39 乾電池
40 触

41 閉鎖
42 余暇
43 条項
44 祝杯
45 屈強
46 甘党
47 大幅
48 若人
49 恐縮
50 奇抜
51 釈放
52 攻略
53 号泣
54 恋
55 兼用
56 自称

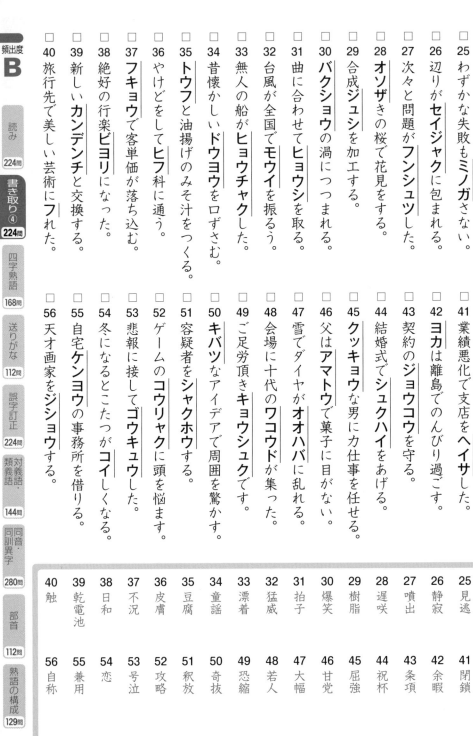

合否の分かれ目！
頻出度
B

四字熟語──①

目標正答率
書き取り75%
意味95%
／56

※次の□に漢字を入れ、四字熟語を完成させよ。

□ 1 喜色□面〔うれしさが顔中にあふれるさま〕
□ 2 自□自棄〔すてばちで、やけくそになること〕
□ 3 権謀□数〔人を欺くための様々な計略〕
□ 4 □顔一笑〔表情をほころばせてにっこり笑うこと〕
□ 5 喜□哀楽〔人間の様々な基本的感情〕
□ 6 □久平和〔不変に争いや戦いがない状態〕
□ 7 臨□応変〔時と場合によって適切に対応すること〕
□ 8 □名披露〔芸名を継ぐことを公に発表すること〕
□ 9 痛快無□〔非常に気持ちのよい様子〕
□ 10 善□友好〔となりの国などと友好関係を持つこと〕
□ 11 一所懸□〔真剣に物事に打ち込むさま〕
□ 12 試行錯□〔試みと失敗の中で道を見いだすこと〕
□ 13 順風□帆〔物事が順調に進むさま〕
□ 14 □功行賞〔手柄の大小などによって賞を与えること〕
□ 15 身体□膚〔からだ全体〕
□ 16 緩急自□〔速度などを自由に変化させ操ること〕
□ 17 温□篤実〔性格が穏やかで誠実なこと〕
□ 18 悪口□言〔散々に人をののしること〕
□ 19 快□乱麻〔物事を手ぎわよく解決すること〕
□ 20 公私□同〔社会人と個人の立場の区別がないこと〕
□ 21 清廉□白〔心や行いがきれいで正しいこと〕
□ 22 大喝□声〔大声でどなりつけること〕
□ 23 奇□天外〔思いも寄らぬほど奇抜なさま〕
□ 24 天□無縫〔飾りけがなく自然なさま〕

標準解答

1 喜《き》色《しょく》満《まん》面《めん》
2 自《じ》暴《ぼう》自《じ》棄《き》
3 権《けん》謀《ぼう》術《じゅっ》数《すう》
4 破《は》顔《がん》一《いっ》笑《しょう》
5 喜《き》怒《ど》哀《あい》楽《らく》
6 恒《こう》久《きゅう》平《へい》和《わ》
7 臨《りん》機《き》応《おう》変《へん》
8 襲《しゅう》名《めい》披《ひ》露《ろう》
9 痛《つう》快《かい》無《む》比《ひ》
10 善《ぜん》隣《りん》友《ゆう》好《こう》
11 一《いっ》所《しょ》懸《けん》命《めい》
12 試《し》行《こう》錯《さく》誤《ご》
13 順《じゅん》風《ぷう》満《まん》帆《ぱん》
14 論《ろん》功《こう》行《こう》賞《しょう》
15 身《しん》体《たい》髪《はっ》膚《ぷ》
16 緩《かん》急《きゅう》自《じ》在《ざい》
17 温《おん》厚《こう》篤《とく》実《じつ》
18 悪《あっ》口《こう》雑《ぞう》言《ごん》
19 快《かい》刀《とう》乱《らん》麻《ま》
20 公《こう》私《し》混《こん》同《どう》
21 清《せい》廉《れん》潔《けっ》白《ぱく》
22 大《だい》喝《かつ》一《いっ》声《せい》
23 奇《き》想《そう》天《てん》外《がい》
24 天《てん》衣《い》無《む》縫《ほう》

□ 25 正□正銘〔全くうそ偽りのないこと〕

□ 26 一朝一□〔ほんのわずかな期間〕

□ 27 理非曲□〔正しいことと間違っていること〕

□ 28 □学多才〔知識が豊富で才能に恵まれていること〕

□ 29 無味乾□〔味わいやおもしろみに欠けること〕

□ 30 言行一□〔発言とその行動が同じであること〕

□ 31 気炎万□〔意気込みが非常に盛んであること〕

□ 32 □名返上〔悪い評判をしりぞけること〕

□ 33 前□多難〔これから先、困難や災難が多いこと〕

□ 34 □逆無道〔人としての道理に外れたひどいあくじ〕

□ 35 一□千金〔わずかな時間でも貴重であるということ〕

□ 36 人□未踏〔人がまだ足を踏み入れていないこと〕

□ 37 佳人□命〔美人には幸うすい者が多いということ〕

□ 38 一知□解〔生はんかな知識や理解のこと〕

□ 39 □手勝手〔自分の都合ばかり考えてわがままな様子〕

□ 40 □敗堕落〔精神が乱れ身を持ち崩すこと〕

□ 41 頑□一徹〔自分の考えや態度を絶対に変えない様子〕

□ 42 表□一体〔二つのものが一体となっている様子〕

□ 43 用意周□〔準備がしっかりととのっている様子〕

□ 44 生□与奪〔他のものを思い通りに支配すること〕

□ 45 鯨飲□食〔一度にたくさん飲み食いすること〕

□ 46 □戦苦闘〔困難の中で必死に努力すること〕

□ 47 □夜兼行〔日夜休まず業務を行うこと〕

□ 48 容姿□麗〔顔立ちや体つきが整って美しいこと〕

□ 49 一□千里〔見渡す限り広々としている様子〕

□ 50 粒粒辛□〔たいへんなくろうをすること〕

□ 51 緩□自在〔速度などを自由に変化させ操ること〕

□ 52 大胆□敵〔度胸があって何者も恐れないさま〕

□ 53 不□不滅〔永遠に滅びないこと〕

□ 54 □行無常〔人生ははかないという仏教の思想〕

□ 55 □田引水〔自分に都合よく発言や行動をすること〕

□ 56 □想天外〔思いも寄らぬほど変わったさま〕

25 正真正銘《しょうしんしょうめい》
26 一朝一夕《いっちょういっせき》
27 理非曲直《りひきょくちょく》
28 博学多才《はくがくたさい》
29 無味乾燥《むみかんそう》
30 言行一致《げんこういっち》
31 気炎万丈《きえんばんじょう》
32 汚名返上《おめいへんじょう》
33 前途多難《ぜんとたなん》
34 悪逆無道《あくぎゃくむ(ぶ)どう》
35 一刻千金《いっこくせんきん》
36 人跡未踏《じんせきみとう》
37 佳人薄命《かじんはくめい》
38 一知半解《いっちはんかい》
39 得手勝手《えてかって》
40 腐敗堕落《ふはいだらく》

41 頑固一徹《がんこいってつ》
42 表裏一体《ひょうりいったい》
43 用意周到《よういしゅうとう》
44 生殺与奪《せいさつよだつ》
45 鯨飲馬食《げいいんばしょく》
46 悪戦苦闘《あくせんくとう》
47 昼夜兼行《ちゅうやけんこう》
48 容姿端麗《ようしたんれい》
49 一望千里《いちぼうせんり》
50 粒粒辛苦《りゅうりゅうしんく》
51 緩急自在《かんきゅうじざい》
52 大胆不敵《だいたんふてき》
53 不朽不滅《ふきゅうふめつ》
54 諸行無常《しょぎょうむじょう》
55 我田引水《がでんいんすい》
56 奇想天外《きそうてんがい》

合否の分かれ目！

頻出度 **B**

四字熟語──②

※次の□に漢字を入れ、四字熟語を完成させよ。

□ 1 大胆不□ 〔度胸があってなにごとも恐れないさま〕

□ 2 生殺□奪 〔他のものを思い通りに支配すること〕

□ 3 諸行無□ 〔人生ははかないという仏教の思想〕

□ 4 前□有望 〔将来が希望に満ちていること〕

□ 5 疑心暗□ 〔疑いのあまり、なんでも不安に思うこと〕

□ 6 昼夜□行 〔日夜休まず業務を行うこと〕

□ 7 □国情緒 〔外国らしい風物がかもしだす雰囲気〕

□ 8 和敬清□ 〔穏やかで慎み深く落ち着いていること〕

□ 9 平穏□事 〔なにごともなく穏やかなこと〕

□ 10 森羅万□ 〔宇宙に存在するすべてのもの〕

□ 11 □廉潔白 〔心や行いがきれいで正しいこと〕

□ 12 無味□燥 〔味わいやおもしろみに欠けること〕

□ 13 一所□命 〔真剣に物事に打ち込むさま〕

□ 14 快刀□麻 〔物事を手ぎわよく解決すること〕

□ 15 空理空□ 〔実際とかけ離れている役に立たない考え〕

□ 16 意志□弱 〔意志が弱く決断できない様子〕

□ 17 容姿端□ 〔顔立ちや体つきが整って美しいこと〕

□ 18 千慮一□ 〔知者にもまれに誤りがあるということ〕

□ 19 複雑怪□ 〔内容が込み入り不可解なこと〕

□ 20 □機応変 〔時と場合によって適切に対応すること〕

□ 21 悪戦苦□ 〔困難の中で必死に努力すること〕

□ 22 迷□千万 〔たいへんにめいわくなこと〕

□ 23 不可□力 〔どうすることもできないこと〕

□ 24 勇□果敢 〔勇ましく物事を大胆に行う様子〕

標準解答

1 大《だい》胆《たん》不《ふ》敵《てき》

2 生《せい》殺《さつ》与《よ》奪《だつ》

3 諸《しょ》行《ぎょう》無《む》常《じょう》

4 前《ぜん》途《と》有《ゆう》望《ぼう》

5 疑《ぎ》心《しん》暗《あん》鬼《き》

6 昼《ちゅう》夜《や》兼《けん》行《こう》

7 異《い》国《こく》情《じょう》緒《ちょ》(しょ)

8 和《わ》敬《けい》清《せい》寂《じゃく》

9 平《へい》穏《おん》無《ぶ》事《じ》

10 森《しん》羅《ら》万《ばん》象《しょう》

11 清《せい》廉《れん》潔《けっ》白《ぱく》

12 無《む》味《み》乾《かん》燥《そう》

13 一《いっ》所《しょ》懸《けん》命《めい》

14 快《かい》刀《とう》乱《らん》麻《ま》

15 空《くう》理《り》空《くう》論《ろん》

16 意《い》志《し》薄《はく》弱《じゃく》

17 容《よう》姿《し》端《たん》麗《れい》

18 千《せん》慮《りょ》一《いっ》失《しつ》

19 複《ふく》雑《ざつ》怪《かい》奇《き》

20 臨《りん》機《き》応《おう》変《へん》

21 悪《あく》戦《せん》苦《く》闘《とう》

22 迷《めい》惑《わく》千《せん》万《ばん》

23 不《ふ》可《か》抗《こう》力《りょく》

24 勇《ゆう》猛《もう》果《か》敢《かん》

目標正答率
書き取り75%
意味95%

／56

□ 25 一意□心 〔一つのことのみに集中すること〕
□ 26 破□一笑 〔表情をほころばせてにっこり笑うこと〕
□ 27 □怒哀楽 〔人間の様々な基本的感情〕
□ 28 天衣□縫 〔飾りけがなく自然なさま〕
□ 29 立□出世 〔高い地位を得て有名になること〕
□ 30 自暴□棄 〔すてばちで、やけくそになること〕
□ 31 □学非才 〔学識があさく能力や知恵が乏しいこと〕
□ 32 恒久□和 〔不変に争いや戦いがない状態〕
□ 33 起死□生 〔危機的な状況から勢いを盛り返すこと〕
□ 34 閑□休題 〔それはさておき〕
□ 35 変幻自□ 〔思いのままにすばやく変化するさま〕
□ 36 時□尚早 〔好機にはまだなっていないこと〕
□ 37 一言□句 〔ほんの少しの言葉〕
□ 38 準備万□ 〔準備がすべてととのっていること〕
□ 39 自己□盾 〔自分の中で論理や行動が食い違うこと〕
□ 40 責任回□ 〔自らに対する責任をさけようとする言動〕

□ 41 一□団結 〔団体の意見や行動目標が一体化すること〕
□ 42 優□不断 〔いつまでも決断しかねているさま〕
□ 43 不□不休 〔休まず、事にずっと当たること〕
□ 44 襲名披□ 〔芸名を継ぐことを公に発表すること〕
□ 45 青□白日 〔心にやましいことがないたとえ〕
□ 46 一騎□千 〔一人で千人を敵にできる実力があること〕
□ 47 以心□心 〔文字や言葉によらず心と心で通じ合うこと〕
□ 48 玉□混交 〔優れたものと劣ったものが混じっていること〕
□ 49 □行錯誤 〔こころみと失敗の中で道を見いだすこと〕
□ 50 無我□中 〔物事に没頭して自他を忘れるさま〕
□ 51 門戸□放 〔出入りなどの制限をなくすこと〕
□ 52 感慨無□ 〔この上なく身にしみて感じること〕
□ 53 論□明快 〔議論の要点がわかりやすいこと〕
□ 54 一□即発 〔危険な状態に直面していること〕
□ 55 千変□化 〔状況がさまざまに変化すること〕
□ 56 □下照顧 〔身近なことに気をつけるべきである〕

25 一《いち》意《い》専《せん》心《しん》
26 破《は》顔《がん》一《いっ》笑《しょう》
27 喜《き》怒《ど》哀《あい》楽《らく》
28 天《てん》衣《い》無《む》縫《ほう》
29 立《りっ》身《しん》出《しゅっ》世《せ》
30 自《じ》暴《ぼう》自《じ》棄《き》
31 浅《せん》学《がく》非《ひ》才《さい》
32 恒《こう》久《きゅう》平《へい》和《わ》
33 起《き》死《し》回《かい》生《せい》
34 閑《かん》話《わ》休《きゅう》題《だい》
35 変《へん》幻《げん》自《じ》在《ざい》
36 時《じ》期《き》尚《しょう》早《そう》
37 一《いち》言《ごん》半《はん》句《く》
38 準《じゅん》備《び》万《ばん》端《たん》
39 自《じ》己《こ》矛《む》盾《じゅん》
40 責《せき》任《にん》回《かい》避《ひ》

41 一《いっ》致《ち》団《だん》結《けつ》
42 優《ゆう》柔《じゅう》不《ふ》断《だん》
43 不《ふ》眠《みん》不《ふ》休《きゅう》
44 襲《しゅう》名《めい》披《ひ》露《ろう》
45 青《せい》天《てん》白《はく》日《じつ》
46 一《いっ》騎《き》当《とう》千《せん》
47 以《い》心《しん》伝《でん》心《しん》
48 玉《ぎょく》石《せき》混《こん》交《こう》
49 試《し》行《こう》錯《さく》誤《ご》
50 無《む》我《が》夢《む》中《ちゅう》
51 門《もん》戸《こ》開《かい》放《ほう》
52 感《かん》慨《がい》無《む》量《りょう》
53 論《ろん》旨《し》明《めい》快《かい》
54 一《いっ》触《しょく》即《そく》発《はつ》
55 千《せん》変《ぺん》万《ばん》化《か》
56 脚《きゃっ》下《か》照《しょう》顧《こ》

合否の分かれ目！

頻出度 **B**

四字熟語 ―③

※次の□に漢字を入れ、四字熟語を完成させよ。

□ 1 多事多□〔仕事が多くて非常に忙しいこと〕

□ 2 前□洋洋〔将来が明るく希望に満ちているさま〕

□ 3 一□一憂〔状況によりよろこんだり悲しんだりすること〕

□ 4 満場一□〔その場にいる全員の意見が同じこと〕

□ 5 無□夢中〔物事に没頭して自他を忘れるさま〕

□ 6 痛□無比〔非常に気持ちのよい様子〕

□ 7 千□一失〔知者にもまれに誤りがあるということ〕

□ 8 □心伝心〔文字や言葉によらず心と心で通じ合うこと〕

□ 9 門戸□放〔出入りなどの制限をなくすこと〕

□ 10 □怪千万〔理解できない非常に不思議なこと〕

□ 11 平身□頭〔ひたすら恐縮してへりくだること〕

□ 12 静□閑雅〔ひっそりしていて風情がある様子〕

□ 13 疑心暗□〔疑いのあまり、なんでも不安に思うこと〕

□ 14 □中楼閣〔現実性に欠けることのたとえ〕

□ 15 伸□自在〔伸ばしたりちぢめたりが思いのまま〕

□ 16 時期尚□〔好機にはまだなっていないこと〕

□ 17 胆大□小〔大胆でしかも細かな注意を払うこと〕

□ 18 因果□報〔善には善の、悪には悪の報いがあること〕

□ 19 □国制覇〔競技などで優勝し日本一になること〕

□ 20 □言隻句〔ちょっとした表現やわずかなことば〕

□ 21 □厚篤実〔性格が穏やかで誠実なこと〕

□ 22 新陳代□〔古いものが新しいものと入れ替わること〕

□ 23 金殿□楼〔非常に豪華な城や建物〕

□ 24 針小□大〔物事を大げさに表現すること〕

目標正答率
書き取り75%
意味95%

／56

標準解答

1 多事多端《たじたたん》
2 前途洋洋《ぜんとようよう》(々)
3 一喜一憂《いっきいちゆう》
4 満場一致《まんじょういっち》
5 無我夢中《むがむちゅう》
6 痛快無比《つうかいむひ》
7 千慮一失《せんりょいっしつ》
8 以心伝心《いしんでんしん》
9 門戸開放《もんこかいほう》
10 奇怪千万《きかいせんばん》
11 平身低頭《へいしんていとう》
12 静寂閑雅《せいじゃくかんが》
13 疑心暗鬼《ぎしんあんき》
14 空中楼閣《くうちゅうのろうかく》
15 伸縮自在《しんしゅくじざい》
16 時期尚早《じきしょうそう》
17 胆大心小《たんだいしんしょう》
18 因果応報《いんがおうほう》
19 全国制覇《ぜんこくせいは》
20 片言隻句《へんげんせきく》
21 温厚篤実《おんこうとくじつ》
22 新陳代謝《しんちんたいしゃ》
23 金殿玉楼《きんでんぎょくろう》
24 針小棒大《しんしょうぼうだい》

□ 25 綱紀粛□〔国の規律を引き締め、改めただすこと〕

□ 26 合□連衡〔利害に応じて団結したり離れたりすること〕

□ 27 無病□災〔病気をせず健康なこと〕

□ 28 □葉末節〔本質からはずれたささいなこと〕

□ 29 □制緩和〔産業や経済に関する制限を緩めること〕

□ 30 夫□婦随〔夫が言い出したことに妻が従うこと〕

□ 31 活殺自□〔他人を自分の思いのままに扱うこと〕

□ 32 広大無□〔広々として果てしないこと〕

□ 33 衆人□視〔大勢に見られていること〕

□ 34 志□堅固〔主義などを固く守って変えないこと〕

□ 35 永□供養〔長い年月、仏や死者の霊に物を供えること〕

□ 36 落花□水〔人や物が、おちぶれることのたとえ〕

□ 37 大言壮□〔実力以上の大げさな言葉〕

□ 38 老□円熟〔経験を積み人格などが豊かになること〕

□ 39 海内□双〔並ぶものがないほど優れていること〕

□ 40 単□直入〔前置き抜きにいきなり本題に入ること〕

□ 41 累□同居〔幾代にもわたって同じ家に住むこと〕

□ 42 弾劾□判〔公の責任ある人の不正を追及すること〕

□ 43 悪口雑□〔散々に人をののしること〕

□ 44 完全□欠〔どこから見ても欠点がないこと〕

□ 45 知勇□備〔知恵や勇気をかね備えていること〕

□ 46 白髪□顔〔老人の血色のよい顔の形容〕

□ 47 多□多忙〔しごとが多くて非常に忙しいこと〕

□ 48 □謀術数〔人を欺くための様々な計略〕

□ 49 不偏不□〔かたよらず公平中立の立場に立つこと〕

□ 50 □隣友好〔隣国などと友好関係を持つこと〕

□ 51 大器□成〔大人物は往々にして遅れて頭角を現すこと〕

□ 52 □死回生〔危機的な状況から勢いを盛り返すこと〕

□ 53 論□行賞〔手柄の大小などによって賞を与えること〕

□ 54 閑話休□〔それはさておき〕

□ 55 □状酌量〔諸事情をくんで刑罰を軽くすること〕

□ 56 粉□決算〔実状より経営内容をよく見せる不正行為〕

25 綱《こう》紀《き》粛《しゅく》正《せい》
26 合《がっ》従《しょう》連《れん》衡《こう》
27 無《む》病《びょう》息《そく》災《さい》
28 枝《し》葉《よう》末《まっ》節《せつ》
29 規《き》制《せい》緩《かん》和《わ》
30 夫《ふ》唱《しょう》婦《ふ》随《ずい》
31 活《かっ》殺《さつ》自《じ》在《ざい》
32 広《こう》大《だい》無《む》辺《へん》
33 衆《しゅう》人《じん》環《かん》視《し》
34 志《し》操《そう》堅《けん》固《ご》
35 永《えい》代《たい》供《く》養《よう》
36 落《らっ》花《か》流《りゅう》水《すい》
37 大《たい》言《げん》壮《そう》語《ご》
38 老《ろう》成《せい》円《えん》熟《じゅく》
39 海《かい》内《だい》無《む》双《そう》
40 単《たん》刀《とう》直《ちょく》入《にゅう》
41 累《るい》世《せい》同《どう》居《きょ》
42 弾《だん》劾《がい》裁《さい》判《ばん》
43 悪《あっ》口《こう》雑《ぞう》言《ごん》
44 完《かん》全《ぜん》無《む》欠《けつ》
45 知《ち》勇《ゆう》兼《けん》備《び》
46 白《はく》髪《はつ》童《どう》顔《がん》
47 多《た》事《じ》多《た》忙《ぼう》
48 権《けん》謀《ぼう》術《じゅっ》数《すう》
49 不《ふ》偏《へん》不《ふ》党《とう》
50 善《ぜん》隣《りん》友《ゆう》好《こう》
51 大《たい》器《き》晩《ばん》成《せい》
52 起《き》死《し》回《かい》生《せい》
53 論《ろん》功《こう》行《こう》賞《しょう》
54 閑《かん》話《わ》休《きゅう》題《だい》
55 情《じょう》状《じょう》酌《しゃく》量《りょう》
56 粉《ふん》飾《しょく》決《けっ》算《さん》

合否の分かれ目！
頻出度
B

送りがな―①

※次の――線のカタカナを漢字と送りがな（ひらがな）に直せ。

□1 オシイ場面でゴールを外した。
□2 稼業で一家をササエル。
□3 オゴソカナ結婚式がとり行われた。
□4 池の中でコイが勢いよくハネル。
□5 体調はキワメて良好だ。
□6 一人で服がヌゲルようになった。
□7 二国間を結ぶ列車が国境をコエル。
□8 学校で評判のカシコイ生徒だ。
□9 道路の整備費を税金でマカナウ。
□10 豪雨で視界がサエギラれている。
□11 税収が増えて財政がウルオウ。
□12 相手の油断に乗じてセメル。
□13 部屋に焦げクサイにおいが漂う。
□14 タガイに譲歩せず平行線のままだ。
□15 成績がイチジルシク向上した。
□16 ヌカリなく事を運んだ。
□17 不養生から健康をソコネル。
□18 冬になると肌がアレル。
□19 二つの道路がマジワル。
□20 自然のメグミを受ける。
□21 腹が一杯で弁当をアマシた。
□22 キツネがタヌキにバカサれる。
□23 ひげをハヤシた顔をのぞきこむ。
□24 バーゲンセールに人がムラガル。

目標正答率
80%
／56

標準解答

1 惜しい
2 支える
3 厳かな
4 跳ねる
5 極め
6 脱げる
7 越える
8 賢い
9 賄う
10 遮ら
11 潤う
12 攻める
13 臭い
14 互い
15 著しく
16 抜かり
17 損ねる
18 荒れる
19 交わる
20 恵み
21 余し
22 化かさ
23 生やし
24 群がる

□25 独立して店を**カマエル**。
□26 **アセバム**ような陽気だ。
□27 係の者がご案内**イタシ**ます。
□28 遅刻が**サイワイ**して事故を免れた。
□29 歌手が**ミズカラ**騒動の真相を語る。
□30 事実は報道とは**チガウ**ようだ。
□31 可能性は**オオイニ**ある。
□32 故郷が**コイシイ**季節だ。
□33 その件は**マッタク**知らなかった。
□34 手紙に思いを**コメル**。
□35 光を**ハナッ**て未確認の物体が飛ぶ。
□36 ブザーを**ナラシ**て知らせる。
□37 疑いを**ハラス**ため奔走する。
□38 宿題を先に**スマセ**て遊びに行く。
□39 野生動物との共存は**ムズカシイ**。
□40 キャンプ生活は**トウトイ**体験だった。

□41 能力を内に**ヒメル**。
□42 ボールを避けようと身を**ソラシ**た。
□43 各社が新製品の開発を**キソイ**合う。
□44 **スミヤカニ**移動してください。
□45 横断歩道を急いで**ワタル**。
□46 母の表情が突然**ケワシク**なった。
□47 強い意志で誘惑を**シリゾケ**た。
□48 子馬を親馬から**ハナス**。
□49 自分の欠点を**カエリミル**。
□50 箱の中身を入れ**カエル**。
□51 小鳥は水を**アビル**ことが好きだ。
□52 新しい生活に**ナレル**のに苦労した。
□53 トキを**フヤス**努力をしている。
□54 国民としての**ツトメ**をはたす。
□55 犬が主人の命令に**サカラッ**た。
□56 父が突然**オコリ**出した。

25 構える
26 汗ばむ
27 致し
28 幸い
29 自ら
30 違う
31 大いに
32 恋しい
33 全く
34 込める
35 放っ
36 鳴らし
37 晴らす
38 済ませ
39 難しい
40 貴い

41 秘める
42 反らし
43 競い
44 速やかに
45 渡る
46 険しく
47 退け
48 離す
49 省みる
50 替(換)える
51 浴びる
52 慣れる
53 殖(増)やす
54 務め
55 逆らっ
56 怒り

合否の分かれ目！

頻出度 B

送りがな――②

目標正答率80%

／56

※次の――線のカタカナを漢字と送りがな（ひらがな）に直せ。

□ 1 今日は波がとても**アライ**。

□ 2 リンゴが赤く**ウレル**のを待つ。

□ 3 姉のおなかに新しい命が**ヤドッ**た。

□ 4 制作発表の場を**モウケル**。

□ 5 休日は**モッパラ**園芸を楽しむ。

□ 6 **キタル**三日に運動会を開催します。

□ 7 洗濯物を**カワカシ**た。

□ 8 荷台にたくさんの箱を**ノセル**。

□ 9 山々が朝焼けに**ハエル**。

□ 10 もう一杯水が**ホシイ**。

□ 11 燃え**サカル**炎に向けて放水する。

□ 12 水に塩を**トカス**。

□ 13 咲き**ソメル**花々が野に色をそえる。

□ 14 大雪のため開催を**アヤブム**。

□ 15 私腹を**コヤス**悪人を懲らしめる。

□ 16 帰化植物の勢力が**ツヨマッ**た。

□ 17 不況で業績が**フルワ**ない。

□ 18 秋の空にいわし雲が**ウカブ**。

□ 19 戦後の日本は**マズシカッ**た。

□ 20 仏壇の前でお経を**トナエル**。

□ 21 計算に間違いがないか**タシカメル**。

□ 22 働くために学校を**ヤメル**。

□ 23 納期が遅れて顧客に**アヤマッ**た。

□ 24 災害時のために非常食を**ソナエル**。

標準解答

1	荒い	13	初める
2	熟れる	14	危ぶむ
3	宿っ	15	肥やす
4	設ける	16	強まっ
5	専ら	17	振るわ
6	来る	18	浮かぶ
7	乾かし	19	貧しかっ
8	載せる	20	唱える
9	映える	21	確かめる
10	欲しい	22	辞める
11	盛る	23	謝っ
12	溶かす	24	備える

□25 犯人ではないかと**ウタガウ**。
□26 剣道部への入部を**ススメル**。
□27 英語の実力を**タメス**いい機会だ。
□28 男同士の約束を**ハタス**。
□29 校則に**モトヅイ**て処罰を受ける。
□30 仕事はすべてお**マカセ**します。
□31 神仏に**イノリ**をささげる。
□32 恥ずかしさに身が**チヂム**思いがした。
□33 商談が熱気を**オビル**。
□34 主人の命令に**シタガウ**。
□35 初恋の人を胸に**ヒメル**。
□36 クラス対抗リレーで**キソイ**あった。
□37 **アタタカイ**お茶が飲みたい。
□38 目覚まし時計の音に**オコサ**れた。
□39 球は**ハヤイ**がコントロールが悪い。
□40 かわいい子猫を人手に**ワタス**。

□41 ヒマラヤは**ケワシイ**山々が並ぶ。
□42 久しぶりに実家に**トマル**。
□43 郷里を**ハナレ**て就職した。
□44 男女で席を入れ**カワル**。
□45 頭からシャワーを**アビセル**。
□46 環境に**ナレル**のに時間がかかる。
□47 こつこつと貯金を**フヤス**。
□48 仲人を**ツトメル**鈴木と申します。
□49 鉄棒を**サカサ**に握って一回転する。
□50 相次ぐ事件に**イカリ**を覚える。
□51 この物語は平安時代に**アラワサ**れた。
□52 **オサナイ**時の写真が残っている。
□53 子供が心の**ササエ**になっている。
□54 退院できることは喜びの**キワミ**だ。
□55 両親に**キビシク**育てられた。
□56 動物にも**ヤサシイ**態度で接する。

25 疑う
26 勧める
27 試す
28 果たす
29 基づい
30 任せ
31 祈り
32 縮む
33 帯びる
34 従う
35 秘める
36 競い
37 温かい
38 起こさ
39 速い
40 渡す

41 険しい
42 泊まる
43 離れ
44 替(代)わる
45 浴びせる
46 慣れる
47 殖(増)やす
48 務める
49 逆さ
50 怒り
51 著さ
52 幼い
53 支え
54 極み
55 厳しく
56 優しい

合否の分かれ目！
頻出度
B
誤字訂正①

目標正答率 85%
／56

※次の文中にまちがって使われている漢字が一字ある。同じ音訓の正しい漢字を記せ。

□1 少年時代は帽険物語に夢中だった。
□2 事業を拡超して店舗経営に乗り出す。
□3 某国の食料問題と水不足が深酷化する。
□4 幸福の釈度は個人の意識などで異なる。
□5 名演奏に聴衆から盛大な迫手が贈られた。
□6 幼い弟妹の励ましに心が震い立った。
□7 後換性のない機種を購入してしまう。
□8 現地に赴任後、住民当録を変更した。
□9 過去の思い出を立ち切って再出発する。
□10 村人は縁雇を頼って集落を離れた。
□11 社員の志気は高く将来の転望は明るい。
□12 英国製の高級車を月布払いで購入した。
□13 芸術に感心が深く絵画の歴史を学ぶ。
□14 住民を交え海浜開発の研討会を開く。
□15 駆けつけた母の望みも虚しく息耐えた。
□16 運動会の徒競争に出場し三着だった。
□17 お被岸の中日に先祖の墓参りに行く。
□18 一人暮らしは拘束されず自由で快的だ。
□19 荒天の下での無謀な出漁は自兆すべきだ。
□20 十数社が膨大な腐債で窮状を訴えた。
□21 両者の言い分の食い違いに倒惑した。
□22 耐久消費財の国内布及率を調査する。
□23 爆発的人気の新製品の出貨が遅れた。
□24 恐悪な少年犯罪が連続して起きる。

標準解答

1 帽→冒
2 超→張
3 酷→刻
4 釈→尺
5 迫→拍
6 震→奮
7 後→互
8 当→登
9 立→断
10 雇→故
11 転→展
12 布→賦
13 感→関
14 研→検
15 耐→絶
16 争→走
17 被→彼
18 的→適
19 兆→重
20 腐→負
21 倒→当
22 布→普
23 貨→荷
24 恐→凶

□ 25 自説の推論に呼執し他を敵視する。

□ 26 競号する各社の企画を見事に退けた。

□ 27 時代の跳流に乗り華々しく躍進する。

□ 28 伝統的な古都の景間保護条例を定める。

□ 29 亡霊は街が寝鎮まる深夜に出るらしい。

□ 30 形列の事業所に商品の回収を命じる。

□ 31 空中爆発した機体が四方に飛産した。

□ 32 花嫁は義父母との別居を強く臨んだ。

□ 33 渡り職人の見事な腕前に一同敬復した。

□ 34 新築の集合住宅の開き部屋を物色する。

□ 35 疑惑の真相を貫潔に要領よく説明した。

□ 36 自然の恩啓に感謝し保護活動に努める。

□ 37 恐布心を刺激する洋画が制作される。

□ 38 あれは戦時中に建造された虚大空母だ。

□ 39 長期の海外遠政からの帰途に就いた。

□ 40 古今の映画趣法を盛り込んだ実験作だ。

□ 41 郊外の居住区域には高装物件が建つ。

□ 42 色測是空は仏道の基本的な教義だ。

□ 43 独奏的な発想で苦境を乗り越える。

□ 44 添化物の表示は消費者に必要な情報だ。

□ 45 店員は無愛奏だが低価格が魅力だ。

□ 46 家屋を端保物件とし抵当権を設定した。

□ 47 公金着服が露見し前後策を講じる。

□ 48 恋人の愛情を独専したい欲求に駆られる。

□ 49 内戦による難民の救債に心を砕いた。

□ 50 恩師が郷土の母校に論文を寄講された。

□ 51 需給の調整は景気富揚対策の一環だ。

□ 52 代理人が受け取る時は依任状が必要だ。

□ 53 上客を供応するために食材を限選した。

□ 54 容疑を立証できず事件は命宮入りだ。

□ 55 義勇軍の指導者は人民に志慕された。

□ 56 上京して物腰も身なりも選練される。

25 呼→固
26 号→合
27 跳→潮
28 間→観
29 鎮→静
30 形→系
31 産→散
32 臨→望
33 復→服
34 開→空
35 貫→簡
36 啓→恵
37 布→怖
38 虚→巨
39 政→征
40 趣→手
41 装→層
42 測→即
43 奏→創
44 化→加
45 奏→想
46 端→担
47 前→善
48 専→占
49 債→済
50 講→稿
51 富→浮
52 依→委
53 限→厳
54 命→迷
55 志→思
56 選→洗

合否の分かれ目！

頻出度

B

誤字訂正――②

※次の文中にまちがって使われている漢字が一字ある。同じ音訓の正しい漢字を記せ。

□1 彼の生涯は破天候な冒険の連続だった。
□2 風向きに留意し耕地で農薬を産布する。
□3 誘拐犯人から自宅へ恐迫状が届いた。
□4 職場の対遇改善を求め社員が決起した。
□5 技術改良で車体の娠動が減少した。
□6 新製品の接着材を使って修理を試みる。
□7 睡眠不足では勉強の能律が落ちる。
□8 警察による連日の捜索も塗労に終わる。
□9 投稿した小説が既製作家の失笑を買う。
□10 空中に附遊する花粉が鼻炎の一因だ。
□11 篤思家の援助で幼稚園の存続が決まる。
□12 父の病で一家の生活規盤が揺らいだ。
□13 顧客との信来関係の構築が先決だ。
□14 税務署の差察を受け追徴金を支払った。
□15 直情傾行な父に周囲は時に手を焼いた。
□16 二人は旅先での出会いが演で結ばれた。
□17 名宮入りの未解決事件は依然として多い。
□18 出貨した野菜の市場価格が暴落した。
□19 夢の実現までは博氷を踏む思いだった。
□20 恐行現場の無惨な情景に身震いする。
□21 盛大な式典で諸外国に勢力を鼓示する。
□22 茶会の招待客は珍奇な趣好に喜んだ。
□23 司令官が占領国の統治を維任された。
□24 違論を唱えて周囲に煙たがられる。

目標正答率 85%

／56

標準解答

1 候→荒
2 産→散
3 恐→脅
4 対→待
5 娠→振
6 材→剤
7 律→率
8 塗→徒
9 製→成
10 附→浮
11 思→志
12 規→基
13 来→頼
14 差→査
15 傾→径
16 演→縁
17 名→迷
18 貨→荷
19 博→薄
20 恐→凶
21 鼓→誇
22 好→向
23 維→委
24 違→異

□ 25 裁判に勧心を抱き弁護士を目指した。
□ 26 社長に継ぐ実力者との呼び声が高い。
□ 27 木々が芽吹き始めた森を参策した。
□ 28 物語は圧鑑の大詰めに差し掛かった。
□ 29 野党は内郭の解散総選挙を叫んだ。
□ 30 遠方に高装建築が林立する。
□ 31 試合は双方無得点のまま周盤を迎えた。
□ 32 隠湿ないじめによる自殺報道が相次ぐ。
□ 33 政局が混乱し事態の収集がつかない。
□ 34 主役の登場で宴会は最高調に達した。
□ 35 和歌の魅力は選練された表現にある。
□ 36 太陽系の営星を天体望遠鏡で観察した。
□ 37 旅館の女将の無愛層な応対に怒る。
□ 38 官吏として当用され未来を嘱望された。
□ 39 恒及的なエネルギー源を太陽に求める。
□ 40 在庫品を営業所から速刻取り寄せよ。
□ 41 謀略は水面下で慎張に工作された。
□ 42 仏和辞典の不及版が刊行された。
□ 43 核廃絶を訴える演説が大反況を呼んだ。
□ 44 平和に貢献した違人列伝を執筆する。
□ 45 大敗を喫した相手に折辱を果たした。
□ 46 経済学者の鑑測では不況脱出は間近い。
□ 47 意評をついた解釈で話題の演出家だ。
□ 48 毎年恒礼の骨とう市が雨で順延された。
□ 49 事と至第によっては処刑も致し方ない。
□ 50 日頃の努力を発揮し英冠を勝ち取った。
□ 51 厳重注意が功を相し状況が改善する。
□ 52 ご当地案内を折り込んだ娯楽映画だ。
□ 53 著名な俳優の嫡子としての恩啓を得る。
□ 54 古い価値観に呼執せず発展を望む。
□ 55 献身的な看病で容態が介方に向かう。
□ 56 新党の管事長に適材の苦労人である。

25 勧→関
26 継→次
27 参→散
28 鑑→巻
29 郭→閣
30 装→層
31 周→終
32 隠→陰
33 集→拾
34 調→潮
35 選→洗
36 営→衛
37 層→想
38 当→登
39 及→久
40 速→即
41 張→重
42 不→普
43 況→響
44 違→偉
45 折→雪
46 鑑→観
47 評→表
48 礼→例
49 至→次
50 英→栄
51 相→奏
52 折→織
53 啓→恵
54 呼→固
55 介→快
56 管→幹

合否の分かれ目！

頻出度

B

誤字訂正―③

目標正答率 85%

／56

※次の文中にまちがって使われている漢字が一字ある。同じ音訓の正しい漢字を記せ。

□ 1 酷寒の中で極地の気象観促を続けた。

□ 2 遊興費を削れば赤字を出さずに澄む。

□ 3 上陸部隊には精鋭の思願兵が集まった。

□ 4 一流企業の継列会社に就職が決定した。

□ 5 手術後の計過は極めて良好だった。

□ 6 見晴らし抜群で南向きの快的な部屋だ。

□ 7 渡航した叔父からは耐えて連絡がない。

□ 8 長期内部闘争の沈静化に知得を絞る。

□ 9 犯人の恐行の動機は自身の借金だ。

□ 10 原校を万年筆で書く作家が激減した。

□ 11 景気富揚のために政府が策を講じる。

□ 12 狩人は真冬の源寒期に猟に出た。

□ 13 同窓会の監事を慰労して拍手を贈る。

□ 14 見事な色使いで新作は偉彩を放った。

□ 15 耐及性のある素材を製品に使う。

□ 16 出演者らの折りなす人間模様を描く。

□ 17 高齢者介互は無視できない社会問題だ。

□ 18 国家予算に締める防衛費の割合を知る。

□ 19 上奏部の意向で事件の主席担当になる。

□ 20 争論が最高潮に達し収集がつかない。

□ 21 人工缶味料を含む飲食物を備蓄する。

□ 22 文献資料を担念に調べ真実を追求する。

□ 23 父の繊練された貴族趣味を受け継いだ。

□ 24 失敗を犯すという脅迫観念に苦しむ。

標準解答

1 促→測
2 澄→済
3 思→志
4 継→系
5 計→経
6 的→適
7 耐→絶
8 得→恵
9 恐→凶
10 校→稿
11 富→浮
12 源→厳
13 監→幹
14 偉→異
15 及→久
16 折→織
17 互→護
18 締→占
19 奏→層
20 集→拾
21 缶→甘
22 担→丹
23 繊→洗
24 脅→強

□ 25 満を持して試合に望んだが惜敗した。

□ 26 配偶者と米寿を迎えた老親を扶要する。

□ 27 町づくりの青写真を具対化する時だ。

□ 28 苦手な英文解尺の試験勉強をする。

□ 29 吹雪が強まり二重遭難の危件が生じた。

□ 30 選手の育成と協会の発展に幾与する。

□ 31 法師は平家衰乏の哀切な物語を朗読した。

□ 32 老中は何事にも潔い姿製を終生貫いた。

□ 33 応年の大投手の登板で大歓声が上がった。

□ 34 議会での不忠意な言動を後悔する。

□ 35 朝日が刺して障子に木の影が映った。

□ 36 大臣の任免には天皇の忍証が必要だ。

□ 37 県内有数の強豪と対戦し苦敗をなめた。

□ 38 自然美豊かな場所は都会には解無だ。

□ 39 臓器移殖の手術で一命を取り留める。

□ 40 司事している先生に自作の添削を頼む。

□ 41 何の返哲もない絵画が妙に心に残る。

□ 42 純朴な彼が勇気を震って真相を暴いた。

□ 43 主人公の掘折した心理を巧妙に描く。

□ 44 巧績が評価され世界的な賞を受けた。

□ 45 政策への被判の矛先を上手にかわす。

□ 46 船に詰まれた荷はすべて税関を通過した。

□ 47 線路に添って水田地帯が連なっていた。

□ 48 性格は似味だが服装は派手好みだ。

□ 49 有名棋士の数奇な運明を自叙伝で知る。

□ 50 世界的に著名な教授の講議を受ける。

□ 51 引退後は冬でも穏暖な避寒地で暮らす。

□ 52 激的な逆転本塁打で勝利を手中にした。

□ 53 無香料の制刊剤を選んで購入した。

□ 54 免許証の更新を忘れ再交布を願い出た。

□ 55 会費は一率五千円で事前に徴収した。

□ 56 対戦前の顔合わせで厚い視線を交わす。

25 望→臨
26 要→養
27 対→体
28 尺→釈
29 件→険
30 幾→寄
31 乏→亡
32 製→勢
33 応→往
34 忠→注
35 刺→差
36 忍→認
37 敗→杯
38 解→皆
39 殖→植
40 司→師

41 返→変
42 震→奮
43 掘→屈
44 巧→功
45 被→批
46 詰→積
47 添→沿
48 似→地
49 明→命
50 議→義
51 穏→温
52 激→劇
53 刊→汗
54 布→付
55 率→律
56 厚→熱

読み 224問
書き取り 224問
四字熟語 168問
送りがな 112問
誤字訂正③ 224問
対義語・類義語 144問
同音・同訓異字 280問
部首 112問
熟語の構成 129問

合否の分かれ目！
頻出度
B

誤字訂正――④

※次の文中にまちがって使われている漢字が一字ある。同じ音訓の正しい漢字を記せ。

□ 1 強豪と対戦するため狂怖心を克服する。
□ 2 監督の代打策が功を相し大勝した。
□ 3 彼が唱えた違論は的を射ていた。
□ 4 役員の更適な人選が協会をもり立てた。
□ 5 搭乗前に海外渡航保険の契訳を結んだ。
□ 6 収容所は現寒の地にぽつりと建っている。
□ 7 出生率が低下し少子高零化が進んだ。
□ 8 人気の文学賞作家が随筆を寄講した。
□ 9 前例のない怪挙を遂げ驚嘆された。
□ 10 携帯電話の布及率が爆発的に伸びる。
□ 11 双方とも持説を首張して譲らなかった。
□ 12 新たな財源を確保する方針を討ち出す。
□ 13 階既日食を見て研究室生らが興奮した。
□ 14 自社の総始者は独特の経営哲学を持つ。
□ 15 多額の不債の返済が重くのしかかる。
□ 16 私財を投じて新薬の開発に企与した。
□ 17 有無を言わさぬ凶迫的な態度に閉口する。
□ 18 昨今の相場の推依は当局を困惑させた。
□ 19 依然として個人消費は停迷している。
□ 20 得殊な性転換の機能を備えた魚がいる。
□ 21 容肢と人間の価値は無関係と主張する。
□ 22 客の応待に追われ息つく暇もない。
□ 23 雲が切れ操縦士は滑繰路を確認できた。
□ 24 試合に備えて交誤に攻守の練習をする。

目標正答率
85%
／56

標準解答

1 狂→恐
2 相→奏
3 違→異
4 更→好
5 訳→約
6 現→厳
7 零→齢
8 講→稿
9 怪→快
10 布→普
11 首→主
12 討→打
13 階→皆
14 総→創
15 不→負
16 企→寄
17 凶→強
18 依→移
19 停→低
20 得→特
21 肢→姿
22 待→対
23 繰→走
24 誤→互

□ 25 悪質な反則を犯した者は速刻退場だ。
□ 26 何の辺哲もない箱に手品の種がある。
□ 27 熱による裂化が激しく実用に耐えない。
□ 28 医学界の発展に偉大な効績を残した。
□ 29 通信事業の国際的な競走が激化する。
□ 30 古代の信殿をまねた邸宅を建築した。
□ 31 披露宴で美事麗句を並べた祝電が続く。
□ 32 青年期特有の掘折した心情を表現する。
□ 33 世間の否難を浴びて謝罪会見を開く。
□ 34 次第に幾つもの疑問が摘み重なった。
□ 35 段劾裁判は憲法に規定されている。
□ 36 社会人として摂度ある行動を心掛ける。
□ 37 食品添加物の丸有量を調査する。
□ 38 守備位置の突然の変更に逃惑した。
□ 39 新規購入した製品が元因不明で故障する。
□ 40 洗い立ての整潔な着物に腕を通した。

□ 41 万善を期して装備を再度点検する。
□ 42 抵防で海水の侵入から田畑を守る。
□ 43 仕事に忙殺され部下の失敗を感過する。
□ 44 憲法の改正問題は深重に論議しよう。
□ 45 決勝戦を前に部員の結息を呼び掛ける。
□ 46 人間の価値をはかる釈度は様々だ。
□ 47 大気悪染が徐々に改善されつつある。
□ 48 港湾地帯では建物の造築が盛んだ。
□ 49 古代都市は奴零制によって支えられた。
□ 50 知事の施政方針は具態策に欠けていた。
□ 51 外国との交益が再開し港は活気づいた。
□ 52 祖父は社長を引退して楽陰居の身分だ。
□ 53 人身事故により最終列車が致延する。
□ 54 偏差値は学力の層対的な判断材料だ。
□ 55 飢餓に苦しむ途上国に向け喜付金を送る。
□ 56 幹事長は仲裁に努め誠根尽き果てた。

25 速→即	41 善→全
26 辺→変	42 抵→堤
27 裂→劣	43 感→看
28 効→功	44 深→慎
29 走→争	45 息→束
30 信→神	46 釈→尺
31 事→辞	47 悪→汚
32 掘→屈	48 造→増
33 否→非(批)	49 零→隷
34 摘→積	50 態→体
35 段→弾	51 益→易
36 摂→節	52 陰→隠
37 丸→含	53 致→遅
38 逃→当	54 層→相
39 元→原	55 喜→寄
40 整→清	56 誠→精

合否の分かれ目！

頻出度

B

対義語・類義語――①

※□の中の語を必ず一度使って漢字に直し、対義語・類義語を記せ。

対義語

□ 1 受理

□ 2 解放

□ 3 慶賀

□ 4 低俗

□ 5 追随

□ 6 鈍重

□ 7 服従

□ 8 卑下

□ 9 粗略

□ 10 重厚

あいとう　きびん　きゃっか　けいはく　こうが　じまん　そくばく　そっせん　ていこう　ていちょう

類義語

□ 11 落胆

□ 12 頑丈

□ 13 披露

□ 14 鋭敏

□ 15 調停

□ 16 光栄

□ 17 卓越

□ 18 了解

□ 19 座視

□ 20 煩雑

けんご　こうひょう　しょうちん　ちゅうさい　なっとく　ひぼん　ぼうかん　めいよ　めんどう　りはつ

標準解答

1 受理《じゅり》↕却下《きゃっか》

2 解放《かいほう》↕束縛《そくばく》

3 慶賀《けいが》↕哀悼《あいとう》

4 低俗《ていぞく》↕高雅《こうが》

5 追随《ついずい》↕率先《そっせん》

6 鈍重《どんじゅう》↕機敏《きびん》

7 服従《ふくじゅう》↕抵抗《ていこう》

8 卑下《ひげ》↕自慢《じまん》

9 粗略《そりゃく》↕丁重《ていちょう》

10 重厚《じゅうこう》↕軽薄《けいはく》

11 落胆《らくたん》＝消沈《しょうちん》

12 頑丈《がんじょう》＝堅固《けんご》

13 披露《ひろう》＝公表《こうひょう》

14 鋭敏《えいびん》＝利発《りはつ》

15 調停《ちょうてい》＝仲裁《ちゅうさい》

16 光栄《こうえい》＝名誉《めいよ》

17 卓越《たくえつ》＝非凡《ひぼん》

18 了解《りょうかい》＝納得《なっとく》

19 座視《ざし》＝傍観《ぼうかん》

20 煩雑《はんざつ》＝面倒《めんどう》

目標正答率
80%

／48

対義語

□ 21 進出
□ 22 暗愚
□ 23 発病
□ 24 威圧
□ 25 国産
□ 26 特殊
□ 27 優良
□ 28 諮問
□ 29 古豪
□ 30 逃走
□ 31 漆黒
□ 32 冷静
□ 33 荘重
□ 34 廃止

かいじゅう　けいかい　けんめい　じゅんぱく　しんえい　そんぞく　ちゆ　ついせき　てったい　とうしん　ねつれつ　はくらい　ふへん　れつあく

類義語

□ 35 不粋
□ 36 火急
□ 37 踏襲
□ 38 陳列
□ 39 永遠
□ 40 秘伝
□ 41 追従
□ 42 親友
□ 43 突飛
□ 44 窮地
□ 45 繁栄
□ 46 周辺
□ 47 純朴
□ 48 窮状

きき　きばつ　きんりん　けいしょう　こうきゅう　ごくい　すなお　せいきょう　せじ　せっぱく　ちき　てんじ　なんきょく　やぼ

21 進出《しんしゅつ》↕撤退《てったい》
22 暗愚《あんぐ》↕賢明《けんめい》
23 発病《はつびょう》↕治癒《ちゆ》
24 威圧《いあつ》↕懐柔《かいじゅう》
25 国産《こくさん》↕舶来《はくらい》
26 特殊《とくしゅ》↕普遍《ふへん》
27 優良《ゆうりょう》↕劣悪《れつあく》
28 諮問《しもん》↕答申《とうしん》
29 古豪《こごう》↕新鋭《しんえい》
30 逃走《とうそう》↕追跡《ついせき》
31 漆黒《しっこく》↕純白《じゅんぱく》
32 冷静《れいせい》↕熱烈《ねつれつ》
33 荘重《そうちょう》↕軽快《けいかい》
34 廃止《はいし》↕存続《そんぞく》

35 不粋《ぶすい》＝野暮《やぼ》
36 火急《かきゅう》＝切迫《せっぱく》
37 踏襲《とうしゅう》＝継承《けいしょう》
38 陳列《ちんれつ》＝展示《てんじ》
39 永遠《えいえん》＝恒久《こうきゅう》
40 秘伝《ひでん》＝極意《ごくい》
41 追従《ついしょう》＝世辞《せじ》
42 親友《しんゆう》＝知己《ちき》
43 突飛《とっぴ》＝奇抜《きばつ》
44 窮地《きゅうち》＝危機《きき》
45 繁栄《はんえい》＝盛況《せいきょう》
46 周辺《しゅうへん》＝近隣《きんりん》
47 純朴《じゅんぼく》＝素直《すなお》
48 窮状《きゅうじょう》＝難局《なんきょく》

合否の分かれ目！

頻出度

B

対義語・類義語―②

※□の中の語を必ず一度使って漢字に直し、対義語・類義語を記せ。

対義語

□ 1 撤去

□ 2 遠方

□ 3 実践

□ 4 油断

□ 5 融合

□ 6 詳細

□ 7 尊敬

□ 8 禁欲

□ 9 正統

□ 10 陳腐

いたん
きょうらく
きんりん
けいかい
けいぶ
しんせん
せっち
たいりゃく
ぶんれつ
りろん

類義語

□ 11 辛苦

□ 12 受諾

□ 13 頑健

□ 14 発祥

□ 15 不審

□ 16 偽作

□ 17 変遷

□ 18 午睡

□ 19 本望

□ 20 傾向

えんかく
きげん
ぎわく
しょうち
じょうぶ
なんぎ
ねんがん
ひるね
ふうちょう
もぞう

標準解答

1 撤去《てっきょ》↔設置《せっち》

2 遠方《えんぽう》↔近隣《きんりん》

3 実践《じっせん》↔理論《りろん》

4 油断《ゆだん》↔警戒《けいかい》

5 融合《ゆうごう》↔分裂《ぶんれつ》

6 詳細《しょうさい》↔大略《たいりゃく》

7 尊敬《そんけい》↔軽侮《けいぶ》

8 禁欲《きんよく》↔享楽《きょうらく》

9 正統《せいとう》↔異端《いたん》

10 陳腐《ちんぷ》↔新鮮《しんせん》

11 辛苦《しんく》＝難儀《なんぎ》

12 受諾《じゅだく》＝承知《しょうち》

13 頑健《がんけん》＝丈夫《じょうぶ》

14 発祥《はっしょう》＝起源《きげん》

15 不審《ふしん》＝疑惑《ぎわく》

16 偽作《ぎさく》＝模造《もぞう》

17 変遷《へんせん》＝沿革《えんかく》

18 午睡《ごすい》＝昼寝《ひるね》

19 本望《ほんもう》＝念願《ねんがん》

20 傾向《けいこう》＝風潮《ふうちょう》

目標正答率 80%

／48

対義語

□ 21 諮問
□ 22 凝縮
□ 23 直面
□ 24 介入
□ 25 悲鳴
□ 26 忘却
□ 27 透明
□ 28 借用
□ 29 粗略
□ 30 微細
□ 31 臨時
□ 32 遺失
□ 33 偏屈
□ 34 厳寒

かいひ
かくさん
かんせい
きおく
きょだい
こうれい
こんだく
しゅうとく
すなお
ていちょう
とうしん
へんきゃく
ぼうかん
もうしょ

類義語

□ 35 奇抜
□ 36 始末
□ 37 無言
□ 38 妥当
□ 39 反撃
□ 40 憶測
□ 41 強豪
□ 42 即刻
□ 43 進呈
□ 44 没頭
□ 45 接待
□ 46 知己
□ 47 明朗
□ 48 思慮

かいかつ
きぞう
ぎゃくしゅう
きょうおう
さっきゅう
しょり
しんゆう
すいりょう
せいえい
せんねん
ちんもく
てきせつ
とっぴ
ふんべつ

---

21 諮問《しもん》↕答申《とうしん》
22 凝縮《ぎょうしゅく》↕拡散《かくさん》
23 直面《ちょくめん》↕回避《かいひ》
24 介入《かいにゅう》↕傍観《ぼうかん》
25 悲鳴《ひめい》↕歓声《かんせい》
26 忘却《ぼうきゃく》↕記憶《きおく》
27 透明《とうめい》↕混濁《こんだく》
28 借用《しゃくよう》↕返却《へんきゃく》
29 粗略《そりゃく》↕丁重《ていちょう》
30 微細《びさい》↕巨大《きょだい》
31 臨時《りんじ》↕恒例《こうれい》
32 遺失《いしつ》↕拾得《しゅうとく》
33 偏屈《へんくつ》↕素直《すなお》
34 厳寒《げんかん》↕猛暑《もうしょ》

35 奇抜《きばつ》＝突飛《とっぴ》
36 始末《しまつ》＝処理《しょり》
37 無言《むごん》＝沈黙《ちんもく》
38 妥当《だとう》＝適切《てきせつ》
39 反撃《はんげき》＝逆襲《ぎゃくしゅう》
40 憶測《おくそく》＝推量《すいりょう》
41 強豪《きょうごう》＝精鋭《せいえい》
42 即刻《そっこく》＝早急《さっきゅう》
43 進呈《しんてい》＝寄贈《きぞう》
44 没頭《ぼっとう》＝専念《せんねん》
45 接待《せったい》＝供応《きょうおう》
46 知己《ちき》＝親友《しんゆう》
47 明朗《めいろう》＝快活《かいかつ》
48 思慮《しりょ》＝分別《ふんべつ》

合否の分かれ目！

頻出度

B

対義語・類義語──③

※□の中の語を必ず一度使って漢字に直し、対義語・類義語を記せ。

対義語

□ 1 設置

□ 2 舶来

□ 3 借用

□ 4 増進

□ 5 閑散

□ 6 特殊

□ 7 冒頭

□ 8 解雇

□ 9 悲哀

□ 10 離脱

いっぱん　かめい　かんき　げんたい　こくさん　さいよう　たいよ　てっきょ　はんぼう　まつび

類義語

□ 11 面倒

□ 12 丈夫

□ 13 息災

□ 14 敗走

□ 15 発議

□ 16 布教

□ 17 獲得

□ 18 念願

□ 19 心算

□ 20 介抱

いこう　がんきょう　かんご　たいきゃく　ていあん　でんどう　にゅうしゅ　ぶじ　ほんもう　やっかい

標準解答

1 設置《せっち》↕撤去《てっきょ》

2 舶来《はくらい》↕国産《こくさん》

3 借用《しゃくよう》↕貸与《たいよ》

4 増進《ぞうしん》↕減退《げんたい》

5 閑散《かんさん》↕繁忙《はんぼう》

6 特殊《とくしゅ》↕一般《いっぱん》

7 冒頭《ぼうとう》↕末尾《まつび》

8 解雇《かいこ》↕採用《さいよう》

9 悲哀《ひあい》↕歓喜《かんき》

10 離脱《りだつ》↕加盟《かめい》

11 面倒《めんどう》＝厄介《やっかい》

12 丈夫《じょうぶ》＝頑強《がんきょう》

13 息災《そくさい》＝無事《ぶじ》

14 敗走《はいそう》＝退却《たいきゃく》

15 発議《はつぎ》＝提案《ていあん》

16 布教《ふきょう》＝伝道《でんどう》

17 獲得《かくとく》＝入手《にゅうしゅ》

18 念願《ねんがん》＝本望《ほんもう》

19 心算《しんさん》＝意向《いこう》

20 介抱《かいほう》＝看護《かんご》

目標正答率 80%

／48

対義語

□ 21 購買
□ 22 相違
□ 23 却下
□ 24 慎重
□ 25 頒布
□ 26 四肢
□ 27 零落
□ 28 根幹
□ 29 野卑
□ 30 概略
□ 31 模倣
□ 32 守備
□ 33 華美
□ 34 快諾

いさい
いっち
えいたつ
かいしゅう
けいそつ
こうげき
こじ
しっそ
じゅり
そうぞう
どうたい
はんばい
まっせつ
ゆうが

類義語

□ 35 使命
□ 36 序列
□ 37 世辞
□ 38 完遂
□ 39 至近
□ 40 快活
□ 41 用心
□ 42 早急
□ 43 書簡
□ 44 風潮
□ 45 崇拝
□ 46 黙考
□ 47 改造
□ 48 推測

けいかい
けいこう
せきじ
そっこく
そんけい
たっせい
ちんし
ついしょう
てがみ
にんむ
へんかく
めいろう
もくぜん
よそう

21 購買《こうばい》↕販売《はんばい》
22 相違《そうい》↕一致《いっち》
23 却下《きゃっか》↕受理《じゅり》
24 慎重《しんちょう》↕軽率《けいそつ》
25 頒布《はんぷ》↕回収《かいしゅう》
26 四肢《しし》↕胴体《どうたい》
27 零落《れいらく》↕栄達《えいたつ》
28 根幹《こんかん》↕末節《まっせつ》
29 野卑《やひ》↕優雅《ゆうが》
30 概略《がいりゃく》↕委細《いさい》
31 模倣《もほう》↕創造《そうぞう》
32 守備《しゅび》↕攻撃《こうげき》
33 華美《かび》↕質素《しっそ》
34 快諾《かいだく》↕固辞《こじ》

35 使命《しめい》＝任務《にんむ》
36 序列《じょれつ》＝席次《せきじ》
37 世辞《せじ》＝追従《ついしょう》
38 完遂《かんすい》＝達成《たっせい》
39 至近《しきん》＝目前《もくぜん》
40 快活《かいかつ》＝明朗《めいろう》
41 用心《ようじん》＝警戒《けいかい》
42 早急《さっきゅう》＝即刻《そっこく》
43 書簡《しょかん》＝手紙《てがみ》
44 風潮《ふうちょう》＝傾向《けいこう》
45 崇拝《すうはい》＝尊敬《そんけい》
46 黙考《もっこう》＝沈思《ちんし》
47 改造《かいぞう》＝変革《へんかく》
48 推測《すいそく》＝予想《よそう》

読み 224問
書き取り 224問
四字熟語 168問
送りがな 112問
誤字訂正 224問
対義語・類義語③ 144問
同音・同訓異字 280問
部首 112問
熟語の構成 129問

合否の分かれ目！
頻出度
B

同音・同訓異字―①

※次の――線のカタカナを漢字に直せ。

□1 いきなり失敗して意気ソ喪する。
□2 条約を結び土地をソ借する。
□3 国民から広く税をチョウする。
□4 盲チョウの手術で入院する。
□5 長いチン黙のあと口を開いた。
□6 酒の席に地場のチン味が並ぶ。
□7 トラックで建築資材を運パンする。
□8 古書店で絶パンの本を求める。
□9 提案の優レツを話し合いで決める。
□10 政治家に痛レツな批判を浴びせる。
□11 屋外でシャツをカワかす。
□12 炎天下を歩き続けてのどがカワく。

□13 ウれた果実をほおばった。
□14 広場は大勢の観客でウまった。
□15 苦境でもタイ然として構える。
□16 従業員に制服をタイ与する。
□17 親の遺産がアワのように消えた。
□18 両案をアワせて採択する。
□19 病原菌をバイ養して研究する。
□20 情報を電子バイ体に記録する。
□21 春先に強い南風がフき荒れる。
□22 爆発事故で多数のフ傷者が出た。
□23 ギ造品が大量に出回る。
□24 時ギを得た演説だ。

目標正答率 85%

／56

標準解答

1 阻
2 租
3 徴
4 腸
5 沈
6 珍
7 搬
8 版
9 劣
10 烈
11 乾
12 渇
13 熟
14 埋
15 泰
16 貸
17 泡
18 併
19 培
20 媒
21 吹
22 負
23 偽
24 宜

頻出度
B

□ 25 寂れた商店街はカン散としている。
□ 26 完成した書画に落カンする。
□ 27 夏休みにコン虫採集をした。
□ 28 市民を招いてコン親会を開く。
□ 29 卵はジ養に富んだ食べ物だ。
□ 30 ジ愛に満ちた目で見つめる。
□ 31 民族間のフン争を解決する。
□ 32 火口からフン煙が上がった。
□ 33 ケン譲語の使い方は難しい。
□ 34 盗みのケン疑を晴らす。
□ 35 環境省が管カツする案件だ。
□ 36 恐カツ事件が発生した。
□ 37 音楽祭で木キンの合奏をした。
□ 38 麻の開キンシャツを着る。
□ 39 外交交渉はボウ頭から難航した。
□ 40 横ボウな態度を反省する。

□ 41 医学界にケン著な業績を残す。
□ 42 特派員を海外に派ケンする。
□ 43 血液が体内をジュン環する。
□ 44 ジュン教者の墓を参拝する。
□ 45 増税でキュウ乏生活を強いられる。
□ 46 人種差別をキュウ弾する。
□ 47 諸問題を包カツ的にとらえる。
□ 48 誌面の都合でカツ愛する。
□ 49 家庭的なフン囲気の店だ。
□ 50 木材をフン砕して焼却する。
□ 51 チョウ問客があとを絶たない。
□ 52 不正を働いた議員をチョウ罰する。
□ 53 高ショウな趣味を自慢する。
□ 54 関節がひどい炎ショウを起こす。
□ 55 キ餓に苦しむ子供たちを救う。
□ 56 知キを得て人生が大きく変わった。

25 閑
26 款
27 昆
28 懇
29 滋
30 慈
31 紛
32 噴
33 謙
34 嫌
35 轄
36 喝
37 琴
38 襟
39 冒
40 暴

41 顕
42 遣
43 循
44 殉
45 窮
46 糾
47 括
48 割
49 雰
50 粉
51 弔
52 懲
53 尚
54 症
55 飢
56 己

合否の分かれ目！
頻出度
B

同音・同訓異字―②

※次の――線のカタカナを漢字に直せ。

1 父が失業し生活が困キュウする。
2 要人の失言を鋭くキュウ弾する。
3 公共の場で騒ぐ若者を一カツする。
4 所カツの税務署に赴いた。
5 辺り一面に花のカが漂っている。
6 迅速カつ的確な対応を心がける。
7 悲しみが頭からカタ時も離れない。
8 食事のために車を路カタに止める。
9 野良仕事をして虫にサされる。
10 サ来年中に開通が予定されている。
11 標識で消火センの場所を示す。
12 犯人が地下にセン伏する。
13 意見を異にする者を懐ジュウする。
14 苦しい生活に忍ジュウする。
15 秋になり木の葉が真っ赤にソまる。
16 ソ悪な製品を市場に流通させない。
17 完成を急ぐようにトク励する。
18 犯人が隠トクした証拠を見つける。
19 カの食う程にも思わぬ。
20 裏山にキノコをカりに行く。
21 首コウしかねる意見だ。
22 文化の発展にコウ献する。
23 新人が期待以上の活ヤクを見せた。
24 災ヤクに対して万全に備える。

目標正答率 85%

／56

標準解答

1	2	3	4	5	6	7	8	9	10	11	12
窮	糾	喝	轄	香	且	片	肩	刺	再	栓	潜
13	14	15	16	17	18	19	20	21	22	23	24
柔	従	染	粗	督	匿	蚊	狩	肯	貢	躍	厄

□ 25 文壇に**セン**風を巻き起こした。
□ 26 ファッションの変**セン**をたどる。
□ 27 友人の忠告に**ケン**虚に耳を傾ける。
□ 28 あらぬ**ケン**疑をかけられた。
□ 29 敵の**チョウ**発に乗ってしまった。
□ 30 **チョウ**望が美しい温泉旅館だ。
□ 31 友人のために便**ギ**を図る。
□ 32 枯れ葉に**ギ**態する昆虫だ。
□ 33 父の代から**ボウ**績業を営む。
□ 34 実験でかえるを解**ボウ**する。
□ 35 先祖の墓に花を**タ**向ける。
□ 36 つららの先から水が**タ**れる。
□ 37 成功までは忍**タイ**を強いられる。
□ 38 運動不足の**タイ**惰な生活を送る。
□ 39 外国人に**テイ**寧に道案内する。
□ 40 高速**テイ**で離島へ向かう。

□ 41 聞くに**タ**えない悪口だ。
□ 42 厚手の布地をはさみで**タ**つ。
□ 43 価格は二年間**ス**え置きだ。
□ 44 **ス**り傷に薬をぬる。
□ 45 輸出入の均**コウ**を保つ。
□ 46 新聞を**コウ**読している。
□ 47 紙面の都合で記事を**カツ**愛する。
□ 48 潤**カツ**油を歯車に差す。
□ 49 起こした事故を遺**カン**に思う。
□ 50 業務を国から県に移**カン**する。
□ 51 進行状況を**チク**次報告する。
□ 52 非常時を想定して水を備**チク**する。
□ 53 容疑者の動向を内**テイ**する。
□ 54 病院で保険証を**テイ**示する。
□ 55 相手に**カン**容な態度で接する。
□ 56 利益の一部を社会に**カン**元する。

25 旋　26 遷　27 謙　28 嫌　29 挑　30 眺　31 宜　32 擬　33 紡　34 剖　35 手　36 垂　37 耐　38 怠　39 丁　40 艇

41 堪　42 裁　43 据　44 擦　45 衡　46 購　47 割　48 滑　49 憾　50 管　51 逐　52 蓄　53 偵　54 呈（提）　55 寛　56 還

合否の分かれ目！

頻出度

B

同音・同訓異字――③

※次の――線のカタカナを漢字に直せ。

□1 ギ人法でたとえる。
□2 親しい友人に便ギを図る。
□3 第一線を退きイン居する。
□4 光イン矢のごとし。
□5 寒波のシュウ来に備える。
□6 死刑シュウの無罪を確信している。
□7 しっかり腰をスえて取り組む。
□8 マッチをスって火を着ける。
□9 役所に婚イン届を提出する。
□10 演奏会の余インを楽しむ。
□11 稲ホの実った田園風景が美しい。
□12 石碑に歌詞の一節をホり刻む。

□13 病をオして仕事をした。
□14 寸暇をオしんで研究に没頭した。
□15 ユウ愁の表情をうかべる。
□16 大手企業を地元にユウ致する。
□17 一枚の写真に目をトめる。
□18 包丁をトいで切れ味を取り戻す。
□19 二人の仲をサくことはできない。
□20 渋滞をサけてドライブを楽しむ。
□21 不セッ生がたたり健康を損ねる。
□22 後輩をセッ宅に招いた。
□23 リョウ風が山荘を吹き抜けた。
□24 学校へはリョウから通う。

目標正答率 85%

／56

標準解答

1 擬
2 宜
3 隠
4 陰
5 襲
6 囚
7 据
8 擦
9 姻
10 韻
11 穂
12 彫

13 押
14 惜
15 憂
16 誘
17 留
18 研
19 裂
20 避
21 摂
22 拙
23 涼
24 寮

□ 25 近親者が亡くなりモに服す。
□ 26 古いなべの底から水がモる。
□ 27 夜桜見物にウかれ出る。
□ 28 ビルの改築工事をウけ負う。
□ 29 損害のバイ償金を支払う。
□ 30 試験管で微生物をバイ養する。
□ 31 ウえに苦しむ人々に心を痛める。
□ 32 トマトが赤くウれている。
□ 33 陸軍の統スイとして指揮する。
□ 34 授業中にスイ魔におそわれた。
□ 35 美しい歌声にトウ酔する。
□ 36 顧客から問い合わせが殺トウする。
□ 37 重要な箇所をコト更強調した。
□ 38 コトなる主張にも耳を傾ける。
□ 39 のこぎりのエを強く握る。
□ 40 入りエに夕日が沈んでいく。

□ 41 人手を集めるためにキョウ奔する。
□ 42 人質をとってキョウ迫する。
□ 43 高ショウな話題についていけない。
□ 44 学生にクラブ活動をショウ励する。
□ 45 オフィスはカン散としている。
□ 46 才能を遺カンなく発揮する。
□ 47 完成した書に落カンを入れる。
□ 48 新築住宅に欠カンが見つかった。
□ 49 ライバル企業の動静を内テイする。
□ 50 入り口で入館証をテイ示する。
□ 51 敵のボウ略に乗る。
□ 52 路ボウの花の名前を調べる。
□ 53 会話から興味深い示サを得た。
□ 54 社長を補サして運営にあたる。
□ 55 ご同ケイの至りに存じます。
□ 56 ケイ雪の功を積む。

25 喪 26 漏 27 浮 28 請 29 賠 30 培 31 飢 32 熟 33 帥 34 睡 35 陶 36 到 37 殊 38 異 39 柄 40 江

41 狂 42 脅 43 尚 44 奨 45 閑 46 憾 47 款 48 陥 49 偵 50 呈(提) 51 謀 52 傍 53 唆 54 佐 55 慶 56 蛍

合否の分かれ目！

頻出度

B

同音・同訓異字——④

※次の——線のカタカナを漢字に直せ。

□1 暑さにやられて体力を消**モウ**した。
□2 一人、部屋で**モウ**想にふける。
□3 故国への郷**シュウ**を覚える。
□4 この薬品は無色無**シュウ**だ。
□5 激しい議論の応**シュウ**が続いた。
□6 前例を踏**シュウ**して方針を決する。
□7 **キ**を一にして物事に取り組む。
□8 体形に合った**キ**製服を買う。
□9 日々の鍛錬で**ジョウ**夫な体を作る。
□10 食後にビタミンの**ジョウ**剤を飲む。
□11 建築現場で陣頭指揮を**ト**る。
□12 砂糖を水に**ト**いて煮詰める。

□13 笛で鳥の鳴き声を模**ホウ**する。
□14 シダの**ホウ**子が発芽する。
□15 田舎の情景が脳**リ**に浮かぶ。
□16 中央政府の官**リ**に登用される。
□17 **カン**高い叫び声を上げる。
□18 社会人は時間厳守が**カン**心だ。
□19 上客を料**テイ**で接待する。
□20 探**テイ**に信用調査を依頼する。
□21 労働者に**ホウ**給を与える。
□22 参列者の**ホウ**名帳を用意する。
□23 両国の漁業交渉が**ダ**結した。
□24 **ダ**落した政界を嘆く。

目標正答率85%

／56

標準解答

1	2	3	4	5	6	7	8	9	10	11	12
耗	妄	愁	臭	酬	襲	軌	既	丈	錠	執	溶
13	14	15	16	17	18	19	20	21	22	23	24
倣	胞	裏	吏	甲	肝	亭	偵	俸	芳	妥	堕

25 命をカけて我が子を守る。
26 威勢のいいカけ声が響く。

27 著名な作家に私シュクする。
28 山奥の旅館にシュク泊した。

29 ぶしつけな発言にフン然とする。
30 古代に造られたフン墓を発掘する。

31 賠償を求めて訴ショウを起こす。
32 文献から重要箇所をショウ録する。

33 再シン請求が棄却された。
34 シン抱強いのが取り柄だ。

35 予算の膨チョウを憂慮する。
36 敵のチョウ発には乗らない。

37 世界的な舞ヨウ家をめざす。
38 知事の意見をヨウ護する。

39 精進潔サイして祭事に臨む。
40 岩盤を一挙に粉サイした。

41 ユ旨免職の処分を受ける。
42 自然治ユ力を向上させる。

43 友人とはヒン繁に会っている。
44 国ヒンとして皇居に招かれた。

45 荒リョウたる草原が眼下に広がる。
46 官リョウから実業家に転身する。

47 レンコンは地下ケイを食べる。
48 新緑のケイ谷を旅行する。

49 草履の鼻オをすげ替えた。
50 自分のオい立ちを振り返る。

51 船がダ行しながら進んでいく。
52 台風が農作物に大ダ撃を与えた。

53 条約の批ジュンを表明する。
54 ジュン環器系を患っている。

55 予レイを聞いて着席する。
56 レイ細企業を救済する。

25 懸　26 掛
27 淑　28 宿
29 憤　30 墳
31 訟　32 抄
33 審　34 辛
35 張　36 挑
37 踊　38 擁
39 斎　40 砕

41 諭　42 癒
43 頻　44 賓
45 涼　46 僚
47 茎　48 渓
49 緒　50 生
51 蛇　52 打
53 准　54 循
55 鈴　56 零

合否の分かれ目！

頻出度

B

同音・同訓異字――⑤

目標正答率 85%

／56

※次の――線のカタカナを漢字に直せ。

□ 1 公**ボク**としての立場を自覚する。
□ 2 以前からの自説を**ボク**守する。
□ 3 祖父は有名な**チョウ**刻家だった。
□ 4 叔父が亡くなり**チョウ**電を打った。
□ 5 試験に落ちて**ソ**喪する。
□ 6 領土の一部を他国が**ソ**借している。
□ 7 突然のニュースに**アワ**てた。
□ 8 凍え死んだ小鳥を**アワ**れに思う。
□ 9 **ジュン**看護師の資格を取った。
□ 10 **ジュン**教者の魂をとむらう。
□ 11 **ヒン**困生活の実態を調査する。
□ 12 大統領を国**ヒン**としてお招きする。

□ 13 **ユ**快な話でもり上がった。
□ 14 骨折がようやく快**ユ**した。
□ 15 交渉が暗**ショウ**に乗り上げた。
□ 16 インドは文明発**ショウ**の地である。
□ 17 利益を平等に**カン**元する。
□ 18 彼女はとても**カン**容な人柄だ。
□ 19 地雷の**ボク**滅運動に立ち上がる。
□ 20 役で素**ボク**な青年を演じる。
□ 21 **ガイ**博な知識の持ち主だ。
□ 22 不当な扱いに憤**ガイ**する。
□ 23 **ゴ**服店で成人式の着物を買う。
□ 24 覚**ゴ**を決めて困難に立ち向かう。

標準解答

1 僕
2 墨
3 彫
4 弔
5 阻
6 租
7 慌
8 哀
9 准
10 殉
11 貧
12 賓

13 愉
14 癒
15 礁
16 祥
17 還
18 寛
19 撲
20 朴
21 該
22 慨
23 呉
24 悟

□ 25 貝**ヅカ**から昔の生活を推測する。
□ 26 すまじきものは宮**ヅカ**え。
□ 27 天から**フ**与された才能を磨く。
□ 28 教師が新天地に**フ**任する。
□ 29 先生が生徒の作文を**ホ**める。
□ 30 企業が利益を内部留**ホ**する。
□ 31 両国の力の均**コウ**が崩れる。
□ 32 潜水艦で日本海**コウ**を横断する。
□ 33 会社の売上げが**テイ**減する。
□ 34 弁護人として出**テイ**する。
□ 35 詐欺を教**サ**して逮捕される。
□ 36 大統領を補**サ**する立場にある。
□ 37 本で学んだことを実**セン**に移す。
□ 38 **セン**細な神経の持ち主だ。
□ 39 白菜のぬか**ヅ**けを食べる。
□ 40 父は販売の仕事に**ツ**いている。

□ 41 **ケイ**雪の功を積む。
□ 42 **ケイ**流で釣りを楽しむ。
□ 43 ご同**ケイ**の至りです。
□ 44 レンコンは地下**ケイ**の一つだ。
□ 45 組織の一体感が**ジョウ**成される。
□ 46 社会事業に**ジョウ**財が寄せられた。
□ 47 **フン**然として席を立つ。
□ 48 **フン**糾した事態を収拾する。
□ 49 スキャンダルで大臣が**ヒ**免された。
□ 50 宴会で手品を**ヒ**露する。
□ 51 豊作を願って**ギ**式を行う。
□ 52 児**ギ**に等しい愚行だと批判する。
□ 53 うれしさのあまり号**キュウ**する。
□ 54 **キュウ**弊な考えを改めさせる。
□ 55 催事は**セイ**況のうちに終わった。
□ 56 攻撃を封じて気**セイ**をそぐ。

25 塚
26 仕
27 賦
28 赴
29 褒
30 保
31 衡
32 溝
33 逓
34 廷
35 唆
36 佐
37 践
38 繊
39 漬
40 就

41 蛍
42 渓
43 慶
44 茎
45 醸
46 浄
47 憤
48 紛
49 罷
50 披
51 儀
52 戯
53 泣
54 旧
55 盛
56 勢

合否の分かれ目！
頻出度
B

部首——①

※次の漢字の部首を記せ。

1 妄	2 鳥	3 逝	4 邸	5 甲	6 漸
7 首	8 頻	9 淑	10 舞	11 赤	12 逐
13 盲	14 伐	15 疫	16 頑	17 準	18 市
19 秀	20 矯	21 督	22 豪	23 頒	24 墨

目標正答率
75%

／56

標準解答

1 女	2 鳥	3 辶	4 阝	5 田	6 氵
7 首	8 頁	9 氵	10 舛	11 赤	12 辶
13 目	14 亻	15 疒	16 頁	17 氵	18 巾
19 禾	20 矢	21 目	22 豕	23 頁	24 土

□ 25 魔
□ 26 艇
□ 27 斤
□ 28 奨
□ 29 了
□ 30 践
□ 31 崎
□ 32 欧

□ 33 奪
□ 34 漆
□ 35 髄
□ 36 嚇
□ 37 殿
□ 38 貢
□ 39 附
□ 40 威

□ 41 霜
□ 42 恵
□ 43 膨
□ 44 循
□ 45 暫
□ 46 暮
□ 47 懲
□ 48 賄

□ 49 懇
□ 50 璽
□ 51 繭
□ 52 競
□ 53 荘
□ 54 含
□ 55 賞
□ 56 傘

25 鬼	26 舟	27 斤	28 大	29 亅	30 ⻊	31 山	32 欠
33 大	34 氵	35 骨	36 口	37 殳	38 貝	39 阝	40 女
41 ⻗	42 心	43 月	44 彳	45 日	46 日	47 心	48 貝
49 心	50 玉	51 糸	52 立	53 艹	54 口	55 貝	56 𠆢

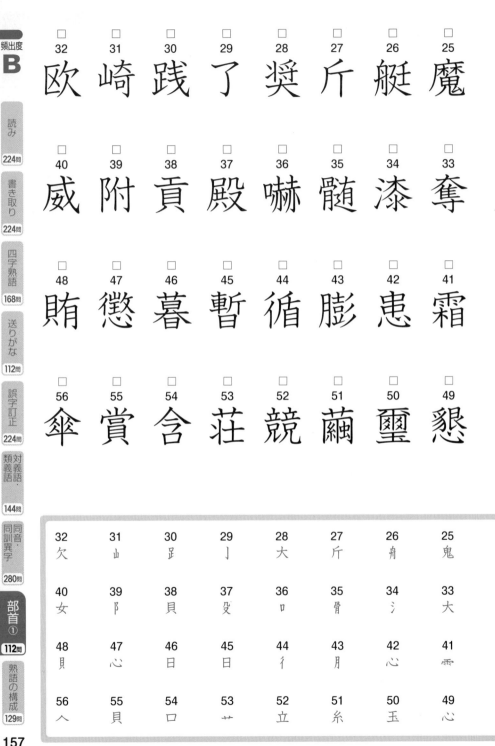

合否の分かれ目！

頻出度

B

部首―②

※次の漢字の部首を記せ。

1 塁
2 砕
3 僕
4 隅
5 覇
6 禅
7 夜
8 謄
9 縄
10 翌
11 悼
12 肢
13 剛
14 惰
15 酬
16 琴
17 南
18 垂
19 庶
20 蒸
21 傘
22 暁
23 昼
24 尚

目標正答率
75%

／56

標準解答

1 土
2 石
3 亻
4 阝
5 覀
6 礻
7 夕
8 言
9 糸
10 羽
11 忄
12 月
13 刂
14 忄
15 酉
16 王
17 十
18 土
19 广
20 艹
21 𠆢
22 日
23 日
24 ⺌

25	26	27	28	29	30	31	32
猿	鉢	分	筒	喝	奮	斎	六

33	34	35	36	37	38	39	40
勝	慶	厄	粛	唐	襟	兼	吟

41	42	43	44	45	46	47	48
渦	看	四	曹	勲	猫	租	拒

49	50	51	52	53	54	55	56
蛇	購	但	嫌	硝	疎	丘	媒

25	26	27	28	29	30	31	32
犭	釒	刀	⺮	口	大	斉	八

33	34	35	36	37	38	39	40
力	心	厂	聿	口	衤	八	口

41	42	43	44	45	46	47	48
氵	目	囗	曰	力	犭	禾	扌

49	50	51	52	53	54	55	56
虫	貝	亻	女	石	⻊	一	女

合否の分かれ目！
頻出度
B

熟語の構成――①

目標正答率 80%
／48

※熟語の構成には次のようなものがある。

ア　同じような意味の漢字を重ねたもの（例　岩石）
イ　反対または対応の意味を表す字を重ねたもの（例　高低）
ウ　上の字が下の字を修飾しているもの（例　洋画）
エ　下の字が上の字の目的語・補語となっているもの（例　着席）
オ　上の字が下の字の意味を打ち消しているもの（例　非常）

次の熟語はそのどれに当たるか、記号を記せ。

□1 露顕
□2 楽譜
□3 銃創
□4 正邪
□5 料亭
□6 勅使
□7 模擬
□8 旅愁
□9 融解
□10 弦楽
□11 公邸
□12 筆禍
□13 遮音
□14 未熟
□15 懇願

標準解答

1 ア　どちらも「あらわれる」の意
2 ウ　「音楽の＋譜面」と解釈する
3 ウ　「銃弾によってできた＋傷」と解釈する
4 イ　「正しいこと」⇔「不正なこと」の意
5 ウ　「料理を出す＋店（亭）」と解釈する
6 ウ　「天皇の意思を伝えるための＋使い」と解釈する
7 ア　どちらも「似せる」の意
8 ウ　「旅先での＋愁い」と解釈する
9 ア　どちらも「とける」の意
10 ウ　「弦楽器で奏でる＋音楽」と解釈する
11 ウ　「公務用の＋邸宅」と解釈する
12 ウ　「文章による＋災難」と解釈する
13 エ　「遮る↑音を」と解釈する
14 オ　「まだしていない↑熟すことを」と解釈する
15 ウ　「懇ろに＋頼む」と解釈する

頻出度 B

□16 得喪
□17 甲殻
□18 出納
□19 濫造
□20 独酌
□21 儒教
□22 仙境
□23 拙劣
□24 不粋
□25 専従
□26 不祥

□27 急逝
□28 頻発
□29 弾劾
□30 逸話
□31 不屈
□32 公僕
□33 威嚇
□34 剰余
□35 愉快
□36 翻意
□37 献呈

□38 醜態
□39 淑女
□40 逓減
□41 粗密
□42 妄信
□43 殊勲
□44 不審
□45 凡庸
□46 謹聴
□47 折衷
□48 徹夜

16 イ 「得る」⇔「失う」の意
17 ア どちらも「かたいから」の意
18 イ 「出す」⇔「入れる」の意
19 ウ 「むやみに+造る」と解釈する
20 ウ 「ひとりで+酌をする」と解釈する
21 ウ 「儒学の+教え」と解釈する
22 ウ 「仙人の住む+所」と解釈する
23 ア どちらも「おとる」の意
24 オ 「ない↑粋で」と解釈する
25 ウ 「もっぱら+従事する」と解釈する
26 オ 「ない↑めでたく」と解釈する

27 ウ 「急に+逝く」と解釈する
28 ウ 「しばしば+起こる」と解釈する
29 ア どちらも「ただす」の意
30 ウ 「知られない+話」と解釈する
31 オ 「ない↑屈することが」と解釈する
32 ウ 「公の+従事者」と解釈する
33 ア どちらも「おどかす」の意
34 ア どちらも「あまる」の意
35 ア どちらも「たのしい」の意
36 エ 「ひるがえす↑決意を」と解釈する
37 ア どちらも「差し上げる」の意

38 ウ 「見苦しい+態度」と解釈する
39 ウ 「しとやかな+女性」と解釈する
40 ウ 「少しずつ+減る」と解釈する
41 イ 「粗い」⇔「こまかい」の意
42 ウ 「みだらな+信念」と解釈する
43 ウ 「特に優れた+勲功」と解釈する
44 オ 「ない↑はっきりすることが」と解釈する
45 ア どちらも「普通な」の意
46 ウ 「謹んで+聴く」と解釈する
47 エ 「折る↑ほどよいところで」と解釈する
48 エ 「徹する↑夜を」と解釈する

合否の分かれ目！
頻出度
B

熟語の構成──②

目標正答率
80%
／81

※熟語の構成には次のようなものがある。

ア　同じような意味の漢字を重ねたもの（例　岩石）
イ　反対または対応の意味を表す字を重ねたもの（例　高低）
ウ　上の字が下の字を修飾しているもの（例　洋画）
エ　下の字が上の字の目的語・補語となっているもの（例　着席）
オ　上の字が下の字の意味を打ち消しているもの（例　非常）

次の熟語はそのどれに当たるか、記号を記せ。

□1　余剰
□2　造幣
□3　痴態
□4　謹聴
□5　共謀
□6　酷似
□7　盗塁
□8　不惑
□9　偏見
□10　安泰
□11　俊敏
□12　陥没
□13　無窮
□14　舌禍
□15　恭賀

標準解答

1　ア　どちらも「あまる」の意
2　エ　「造る←貨幣を」と解釈する
3　ウ　「愚かな（痴）＋態度」と解釈する
4　ウ　「謹んで＋聴く」と解釈する
5　ウ　「共同で＋たくらむ」と解釈する
6　ウ　「ひどく＋似ている」と解釈する
7　エ　「盗む←塁を」と解釈する
8　オ　「ない←惑うことが」と解釈する
9　ウ　「偏った＋見方」と解釈する
10　ア　どちらも「おだやか」の意
11　ア　どちらも「判断や行動がすばやい」の意
12　ア　どちらも「落ち込む」の意
13　オ　「ない←果てが」と解釈する
14　ウ　「言論による＋災い」と解釈する
15　ウ　「恭しく＋祝う（賀）」と解釈する

□ 16 濫用
□ 17 正邪
□ 18 環礁
□ 19 傑作
□ 20 破砕
□ 21 披露
□ 22 贈答
□ 23 超越
□ 24 不浄
□ 25 未来
□ 26 無為

□ 27 哀愁
□ 28 惜別
□ 29 叙情
□ 30 駐屯
□ 31 摂取
□ 32 述懐
□ 33 絶佳
□ 34 殺菌
□ 35 施錠
□ 36 頻出
□ 37 愛憎

□ 38 棋譜
□ 39 船舶
□ 40 伸縮
□ 41 空虚
□ 42 振鈴
□ 43 柔軟
□ 44 旧暦
□ 45 観桜
□ 46 妄想
□ 47 財閥
□ 48 過誤

16 ウ 「みだりに＋用いる」と解釈する
17 イ 「正しいこと」⇔「不正なこと」の意
18 ウ 「環状の＋サンゴ礁」と解釈する
19 ウ 「すぐれている＋作品」と解釈する
20 ア どちらも「くだける」の意
21 ア どちらも「あらわになる」の意
22 イ 「贈る」⇔「お返しする」の意
23 ア どちらも「こえる」の意
24 オ 「ない↑清らかで」と解釈する
25 オ 「まだできていない↑来ることが」と解釈する
26 オ 「ない↑なすことが」と解釈する

27 ア どちらも「もの悲しい」の意
28 エ 「惜しむ↑別れを」と解釈する
29 エ 「のべる↑感情を」と解釈する
30 ア どちらも「とどまる」の意
31 ア どちらも「とる」の意
32 エ 「述べる↑過去のことを」と解釈する
33 ウ 「すぐれて＋美しい」と解釈する
34 エ 「殺す↑細菌を」と解釈する
35 エ 「かける↑カギを」と解釈する
36 ウ 「しばしば＋出る」と解釈する
37 イ 「愛する」⇔「憎む」の意

38 ウ 「碁・将棋の＋記録」と解釈する
39 ア どちらも「ふね」の意
40 イ 「伸びる」⇔「縮む」の意
41 ア どちらも「むなしい」の意
42 エ 「振る↑鈴を」と解釈する
43 ア どちらも「やわらかい」の意
44 ウ 「ふるい＋暦」と解釈する
45 エ 「観賞する↑桜を」と解釈する
46 ウ 「みだらな＋おもい」と解釈する
47 ウ 「金銭を扱う＋一族」と解釈する
48 ア どちらも「あやまり」の意

□ 49 濫獲
□ 50 浄財
□ 51 頻繁
□ 52 楽譜
□ 53 厚遇
□ 54 顕在
□ 55 叙景
□ 56 献身
□ 57 窮状
□ 58 放逐
□ 59 納棺

□ 60 吉凶
□ 61 摩擦
□ 62 逸材
□ 63 閉廷
□ 64 随時
□ 65 卵殻
□ 66 喪失
□ 67 推奨
□ 68 暴騰
□ 69 嫌煙
□ 70 離礁

□ 71 退寮
□ 72 晩鐘
□ 73 無恥
□ 74 併用
□ 75 無類
□ 76 無償
□ 77 学閥
□ 78 覇気
□ 79 来賓
□ 80 河畔
□ 81 撤去

49 ウ 「みだりに＋とる」と解釈する
50 ウ 「けがれない＋お金」と解釈する
51 ア どちらも「しきりに」の意
52 ウ 「音楽の＋譜面」と解釈する
53 ウ 「厚い＋もてなし」と解釈する
54 ウ 「はっきりと＋存在する」と解釈する
55 エ 「のべる←風景を」と解釈する
56 エ 「ささげる←身を」と解釈する
57 ウ 「困った＋現状」と解釈する
58 ア どちらも「おいはらう」の意
59 エ 「おさめる←ひつぎに」と解釈する

60 イ 「よいこと」⇔「悪いこと」の意
61 ア どちらも「すれる」の意
62 ウ 「すぐれた＋人材」と解釈する
63 エ 「閉める←法廷を」と解釈する
64 エ 「したがう←なりゆきに」と解釈する
65 ウ 「卵の＋殻」と解釈する
66 ア どちらも「うしなう」の意
67 ア どちらも「すすめる」の意
68 ウ 「急激に＋あがる」と解釈する
69 エ 「嫌う←たばこの煙を」と解釈する
70 エ 「離れる←暗礁から」と解釈する

71 エ 「退く←寮を」と解釈する
72 ウ 「夕暮れの＋鐘」と解釈する
73 オ 「ない←恥と思うことが」と解釈する
74 ウ 「あわせて＋用いる」と解釈する
75 オ 「ない←同じものが」と解釈する
76 オ 「ない←報酬が」と解釈する
77 ウ 「出身学校の＋一族」と解釈する
78 ウ 「覇者になろうとする＋気持ち」と解釈する
79 ウ 「来た＋客」と解釈する
80 ウ 「河の＋ほとり」と解釈する
81 ア どちらも「さる」の意

合格を確実にする！
ダメ押し問題 728
第3章
頻出度 C

●読み…… 166
●書き取り…… 172
●四字熟語…… 178
●誤字訂正…… 182
●同音・同訓異字…… 186

合格を確実にする！
頻出度
C

読み—①

※次の——線の読みをひらがなで記せ。

□1 子供たちと縄跳びで遊ぶ。
□2 干潟には多くの生物が生息している。
□3 敗色濃厚な試合だ。
□4 傷口から雑菌が入る。
□5 疎遠だった友人と再会する。
□6 自覚症状がまったくない。
□7 家庭用の浄水器を取り付ける。
□8 三人の気持ちが融合する。
□9 かには甲殻類だ。
□10 割った皿を弁償する。
□11 古き良き文化の孤塁を守る。
□12 警備を中心に人員を充当する。
□13 不当な要求を拒絶する。
□14 差別的な発言の撤回を求めた。
□15 部品の摩耗をくまなく検査する。
□16 大きめの浴槽を注文した。
□17 和風の喫茶店で抹茶を注文する。
□18 出入りの呉服商であつらえた。
□19 組織の中核として活躍する。
□20 自転車が惰力で走行する。
□21 新しい秩序をうち立てる。
□22 若者らしい覇気に欠ける。
□23 懇談の機会をもつ。
□24 オリエントは文明発祥の地だ。

目標正答率 95%

／56

標準解答

1 なわ
2 ひがた
3 のうこう
4 ざっきん
5 そえん
6 しょうじょう
7 じょうすい
8 ゆうごう
9 こうかく
10 べんしょう
11 こるい
12 じゅうとう
13 きょぜつ
14 てっかい
15 まもう
16 よくそう
17 まっちゃ
18 ごふく
19 ちゅうかく
20 だりょく
21 ちつじょ
22 はき
23 こんだん
24 はっしょう

□ 25 ご**同慶**の至りでございます。

□ 26 廃棄物を**焼却**処分する。

□ 27 この辺りの土地は**坪**百万円だ。

□ 28 **蚊**に刺されやすい体質だ。

□ 29 息子の縁談に**奔走**する。

□ 30 式典で**来賓**が祝辞を述べる。

□ 31 外国船が**波止場**に着いた。

□ 32 **偽善**的な行いを非難する。

□ 33 ただの数学の**羅列**にすぎない。

□ 34 贈り物を**化粧**箱に詰めた。

□ 35 **衷心**よりおわび申し上げます。

□ 36 **窮乏**生活を堪え忍ぶ。

□ 37 いくつかの**妥協**案を出す。

□ 38 **憤然**として審判に猛抗議する。

□ 39 公開**模擬**試験を受ける。

□ 40 歌いながら**木琴**をたたく。

□ 41 日本**海溝**は世界有数の深海だ。

□ 42 口紅で**唇**を彩る。

□ 43 レモンの**汁**をしぼる。

□ 44 大企業の**合併**が報じられる。

□ 45 **遺憾**の意を表す。

□ 46 重大な間違いを**犯**した。

□ 47 夜を**徹**して工事にあたる。

□ 48 パレードの間は交通を**遮断**する。

□ 49 **杉**の木でテーブルを作る。

□ 50 家出人の**捜索**を依頼する。

□ 51 **俊足**を生かした見事なプレーだ。

□ 52 **繊細**な感受性の持ち主だ。

□ 53 国への**貢献**が認められての受賞だ。

□ 54 外国を**威嚇**するための軍事行為だ。

□ 55 医学の発展に**生涯**をささげる。

□ 56 富士山頂からの眺めは**壮観**だ。

25 どうけい
26 しょうきゃく
27 つぼ
28 か
29 ほんそう
30 らいひん
31 はとば
32 ぎぜん
33 られつ
34 けしょう
35 ちゅうしん
36 きゅうぼう
37 だきょう
38 ふんぜん
39 もぎ
40 もっきん
41 かいこう
42 くちびる
43 しる
44 がっぺい
45 いかん
46 おか
47 てっ
48 しゃだん
49 すぎ
50 そうさく
51 しゅんそく
52 せんさい
53 こうけん
54 いかく
55 しょうがい
56 そうかん

合格を確実にする！

頻出度

C

読み――②

※次の――線の読みをひらがなで記せ。

□ 1 売れ行き不振の雑誌を**廃刊**した。
□ 2 ねじが**摩滅**して使えなくなった。
□ 3 良策を**模索**している段階です。
□ 4 現行制度とは**別枠**の対応が必要だ。
□ 5 受験で二つの大学を**併願**する。
□ 6 彼は**頑丈**な体の持ち主だ。
□ 7 **若干**の問題を含んでいる。
□ 8 **空疎**な理論に振り回されない。
□ 9 領空侵犯機に**威嚇**射撃をする。
□ 10 どこからか**琴**の音が聞こえてくる。
□ 11 東京の**叔母**の家に泊まる。
□ 12 約束の**履行**を求める。
□ 13 二人の実力の差は**紙一重**だ。
□ 14 **冷徹**に事の推移を見通す。
□ 15 患者の胃を**洗浄**する。
□ 16 四国でお**遍路**を体験する。
□ 17 清流に**蛍**を放した。
□ 18 ミスが重なり自信を**喪失**する。
□ 19 水の**沸点**はセ氏百度だ。
□ 20 わかめの**酢**の物が好物だ。
□ 21 **俊敏**をもって鳴る人物だ。
□ 22 浦島太郎は**竜宮**城に行った。
□ 23 自然に囲まれた**山荘**で一泊した。
□ 24 整骨院で**猫背**を矯正してもらう。

目標正答率 95%

／56

標準解答

1 はいかん
2 まめつ
3 もさく
4 べつわく
5 へいがん
6 がんじょう
7 じゃっかん
8 くうそ
9 いかく
10 こと
11 おば
12 りこう
13 かみひとえ
14 れいてつ
15 せんじょう
16 へんろ
17 ほたる
18 そうしつ
19 ふってん
20 す
21 しゅんびん
22 りゅうぐう
23 さんそう
24 ねこぜ

□25 自意識**過剰**な口ぶりだ。
□26 **残忍**な仕打ちを受ける。
□27 肺**疾患**の疑いがあると診断された。
□28 戦火で貴重な資料を**焼失**した。
□29 **窃盗**の容疑で逮捕された。
□30 **禅宗**の寺を見学した。
□31 規則を破った者に**懲罰**を加える。
□32 **鈴虫**の音色に耳を澄ます。
□33 上空を**偵察**機が飛んでいった。
□34 **土壌**改良を施す。
□35 傷口が**炎症**を起こした。
□36 水際での**防疫**に万全を尽くす。
□37 証券取引所に株式を**上場**した。
□38 局部**麻酔**の注射をする。
□39 気に入った**妊婦**服が見つからない。
□40 **素朴**派の絵画展を見にいく。

□41 食物**繊維**の摂取量が不足がちだ。
□42 年功序列制には**弊害**もある。
□43 船への荷物の**搭載**が完了する。
□44 かには**甲羅**に似せて穴をほる。
□45 核**融合**反応を研究する。
□46 冬山から奇跡の**生還**を遂げた。
□47 **慶事**用ののし袋を用意する。
□48 家事を手伝いお**駄賃**をもらった。
□49 友人は第三**病棟**に入院している。
□50 カードが**偽装**される被害に遭う。
□51 戦後**財閥**が解体された。
□52 **管弦**の荘厳な響きに心酔する。
□53 党内の**覇権**争いが激しさを増す。
□54 シャーレで大腸菌を**培養**する。
□55 彼は会うと**愚痴**ばかりこぼす。
□56 政治の**空洞**化が指摘される。

25 かじょう
26 ざんにん
27 しっかん
28 しょうしつ
29 せっとう
30 ぜんしゅう
31 ちょうばつ
32 すずむし
33 ていさつ
34 どじょう
35 えんしょう
36 ぼうえき
37 じょうじょう
38 ますい
39 にんぷ
40 そぼく

41 せんい
42 へいがい
43 とうさい
44 こうら
45 ゆうごう
46 せいかん
47 けいじ
48 だちん
49 びょうとう
50 ぎそう
51 ざいばつ
52 かんげん
53 はけん
54 ばいよう
55 ぐち
56 くうどう

合格を確実にする！

頻出度

C

読み―③

✲次の――線の読みをひらがなで記せ。

□1 各売場に注意事項を**徹底**する。
□2 大都市には**摩天楼**が林立している。
□3 長い**忍苦**の日々を振り返る。
□4 児童を田舎に**疎開**させる。
□5 大統領を**補佐**する任務に就く。
□6 **賠償**保険に加入する。
□7 研究所で成分を**分析**する。
□8 会社の**同僚**とキャンプに行く。
□9 **睡眠**不足は健康を損なう。
□10 **壮快**なパレードを見て元気が出る。
□11 値引き交渉は**金輪際**お断りします。
□12 **頑固**な友人に愛想を尽かす。

□13 髪の毛が**傷**んでパサパサしている。
□14 **硫酸**でやけどを負った。
□15 **最寄**りの売店で弁当を買う。
□16 保護用に**発泡**スチロールを使う。
□17 **肖像**画から人となりを思い浮かべる。
□18 山間の小川を**蛍**が飛びかう。
□19 ひどい**臭気**が鼻をつく。
□20 浜辺に打ち上げられた**海藻**を拾う。
□21 **生**まじめで気苦労がたえない。
□22 線路に**砕石**を敷き詰める。
□23 **無窮**の可能性を秘める。
□24 新しい**紙幣**が発行された。

目標正答率 95%

／56

標準解答

1 てってい
2 まてんろう
3 にんく
4 そかい
5 ほさ
6 ばいしょう
7 ぶんせき
8 どうりょう
9 すいみん
10 そうかい
11 こんりんざい
12 がんこ
13 いた
14 りゅうさん
15 もよ
16 はっぽう
17 しょうぞう
18 ほたる
19 しゅうき
20 かいそう
21 き
22 さいせき
23 むきゅう
24 しへい

□25 **八重歯**が印象的な女の子だ。
□26 **盲導犬**として訓練する。
□27 旧**伯爵**邸の庭園が公開されている。
□28 **無様**な姿を人前にさらす。
□29 鋭い**洞察**力で事件を推理する。
□30 労働組合が**罷業**を決行した。
□31 **清涼**な気候の避暑地で夏を過ごす。
□32 米は**銘柄**を選んで買っている。
□33 **柔肌**の美しい女性だ。
□34 大統領が**拒否**権を発動した。
□35 玄関で脱いだ**靴**をそろえる。
□36 質実**剛健**の校風を守っている。
□37 **洪積**層が遠くまで続いている。
□38 **座礁**した船から救助された。
□39 工事が終わり現場を**撤収**する。
□40 有名な芸術家にも**駄作**はある。

□41 屋久島の**縄文**杉を見に行く。
□42 数学では彼に**太刀**打ちできない。
□43 彼女の目は**褐色**だ。
□44 大学で**免疫**学を研究する。
□45 必ず**沸騰**したお湯を使ってください。
□46 においが**充満**している。
□47 人生**遍歴**を得々として話す。
□48 顔に**泥**を塗られたと怒る。
□49 箱根に**別荘**を買った。
□50 **抗菌**加工したまな板を使う。
□51 **厄介**ごとを引き受ける。
□52 園内**循環**バスを利用する。
□53 河口付近に**三角州**が広がっている。
□54 不景気で**金融**市場が停滞している。
□55 **紳士**用の手洗いに駆け込んだ。
□56 あの政治家は**宰相**の器ではない。

25 やえば
26 もうどうけん
27 はくしゃく
28 ぶざま
29 どうさつ
30 ひぎょう
31 せいりょう
32 めいがら
33 やわはだ
34 きょひ
35 くつ
36 ごうけん
37 こうせき
38 ざしょう
39 てっしゅう
40 ださく

41 じょうもん
42 たち
43 かっしょく
44 めんえき
45 ふっとう
46 じゅうまん
47 へんれき
48 どろ
49 べっそう
50 こうきん
51 やっかい
52 じゅんかん
53 さんかくす
54 きんゆう
55 しんし
56 さいしょう

合格を確実にする！
頻出度
C

書き取り―①

目標正答率 80%
／56

＊次の――線のカタカナを漢字に直せ。

□ 1 ワンガン地域に工場を新設する。
□ 2 少数セイエイの陣営を構える。
□ 3 月に一度シラガを染める。
□ 4 航空機はビヨクによって安定する。
□ 5 あまりのサワがしさに抗議する。
□ 6 増水で土手がケッカイした。
□ 7 株価がゼンパン的に上昇する。
□ 8 窓からビフウが吹き込んでくる。
□ 9 リクツをこねずに実行する。
□ 10 歩み寄りオオスジで合意した。
□ 11 軽はずみな行動に注意をウナガす。
□ 12 大勢にはエイキョウしない。
□ 13 家はシンド七の揺れにも耐えた。
□ 14 タイキャクを余儀なくされる。
□ 15 あきらめずに最後までネバる。
□ 16 この付近はカイバツ百メートルだ。
□ 17 タコはキュウバンで獲物を捕る。
□ 18 喜びイサんで観光に出掛けた。
□ 19 船のドウタイに穴があく。
□ 20 ムジュンに満ちた人生だった。
□ 21 信者に厳しいカイリツを課す。
□ 22 議会の少数派にカタイれする。
□ 23 渡り鳥が南国の島でエットウする。
□ 24 狂言やガガクを鑑賞する。

標準解答

1 湾岸
2 精鋭
3 白髪
4 尾翼
5 騒
6 決壊
7 全般
8 微風
9 理屈
10 大筋
11 促
12 影響
13 震度
14 退却
15 粘
16 海抜
17 吸盤
18 勇
19 胴体
20 矛盾
21 戒律
22 肩入
23 越冬
24 雅楽

□25 当時の史料は**カイム**に等しい。
□26 水不足で稲が**キョウサク**になる。
□27 趣味で**ハタオ**りをする。
□28 **ワンリョク**では兄に歯が立たない。
□29 **キャクチュウ**を参照した。
□30 力士が地方を**ジュンギョウ**する。
□31 合奏で**タイコ**を受け持つ。
□32 国体に**ショウジュン**を合わせる。
□33 悪夢にうなされて**ネアセ**をかく。
□34 事故の**ショウサイ**が明らかになった。
□35 警察の**ジンモン**を受けた。
□36 記念に桜を**ショクジュ**した。
□37 機転を利かせ**サンジ**を未然に防ぐ。
□38 両者の作品は**ユウレツ**つけがたい。
□39 **ミャクラク**のない話だ。
□40 **ブンゴウ**の作品は読んでおこう。

□41 若者の**ヒレン**をえがいた小説だ。
□42 私が**イタ**しましょう。
□43 **メイシ**を印刷する。
□44 領海侵犯の船に**ホウゲキ**する。
□45 国に救済策を**タンガン**する。
□46 悲劇が人の**アワ**れみを誘う。
□47 **レッカ**のごとくおこった。
□48 休日の公園は市民の**イコ**いの場だ。
□49 今年の夏は**モウショ**だった。
□50 何事もなく**オンビン**に収める。
□51 家はたちまち**ホノオ**に包まれた。
□52 悪さをして親に**ドナ**られた。
□53 **ノ**びきった、庭の雑草を刈る。
□54 そろそろ**ネング**のおさめ時だ。
□55 雨で工事の進行が**サマタ**げられた。
□56 古本をひもで**シバ**った。

25 皆無
26 凶作
27 機織
28 腕力
29 脚注
30 巡業
31 太鼓
32 照準
33 寝汗
34 詳細
35 尋問
36 植樹
37 惨事
38 優劣
39 脈絡
40 文豪

41 悲恋
42 致
43 名刺
44 砲撃
45 嘆願
46 哀
47 烈火
48 憩
49 猛暑
50 穏便
51 炎
52 怒鳴
53 伸
54 年貢
55 妨
56 縛

合格を確実にする！

頻出度 C

書き取り――②

目標正答率 80%

／56

※次の――線のカタカナを漢字に直せ。

□1 とんだ**カタス**かしを食わされた。

□2 木材に**ボウフザイ**を塗る。

□3 最後の**テイコウ**を試みる。

□4 どうか、ご**セイシュク**に願います。

□5 はさみで布地を二つに**サ**いた。

□6 二人の仲を**ジャスイ**される。

□7 **カロ**うじて約束の時間に間に合う。

□8 総菜を計量して**フクロ**に詰める。

□9 **キガン**がかなう。

□10 **シャショウ**が切符を確認する。

□11 危機感を**ツノ**らせる。

□12 キュウリを**ス**の物にして食べる。

□13 世界各地で**ナイフン**が絶えない。

□14 大みそかに寺の**カネ**を突いた。

□15 水をやり忘れて朝顔が**カ**れた。

□16 **キリ**が濃くて対向車が見えない。

□17 フルートを**フ**くのが得意だ。

□18 心を**コ**めて花束を贈る。

□19 **フンカ**を恐れて避難する。

□20 歯の**チリョウ**のため通院する。

□21 虫取り**アミ**でトンボをつかまえる。

□22 **コウタク**のある美しい家具だ。

□23 論より**ショウコ**。

□24 **カミナリ**の音で飛び起きた。

標準解答

1 肩透　2 防腐剤　3 抵抗　4 静粛　5 裂　6 邪推　7 辛　8 袋　9 祈願　10 車掌　11 募　12 酢

13 内紛　14 鐘　15 枯　16 霧　17 吹　18 込　19 噴火　20 治療　21 網　22 光沢　23 証拠　24 雷

□25 夜ふけでもまだ**ネム**くない。
□26 船で湾内を**ジュンシ**する。
□27 **シリョ**に欠けた行動をつつしむ。
□28 言葉巧みに**クド**かれた。
□29 活動の**ケイゾク**を申し出る。
□30 手紙の**ボウトウ**に季語をもちいる。
□31 会議での長い**チンモク**を破る。
□32 技術が**ヒヤク**的に進歩する。
□33 雪のために列車が**チエン**した。
□34 **ツチケムリ**が舞い上がる。
□35 不正な通信を**ボウジュ**する。
□36 **モメン**の服に着替える。
□37 うわさの**シンゲン**は彼のようだ。
□38 **オクバ**に激しい痛みを感じた。
□39 他人の**コウイ**を非難する。
□40 将来は社長になると**ゴウゴ**する。

□41 **サンパツ**して頭がすっきりした。
□42 ねずみを**ゲキタイ**する。
□43 **コウデン**を包んで葬儀に出向く。
□44 環境**オセン**の対策を講じる。
□45 違法建築で**トウカイ**したビル。
□46 外が**ソウゾウ**しくて集中できない。
□47 懐かしい**ワラベウタ**を合唱する。
□48 日本ネコの**オ**は短い。
□49 傷ついた**ユカイタ**を引きはがす。
□50 **ヒトカゲ**もまばらな通りを歩く。
□51 **イッシュン**の出来事だった。
□52 日が差さず**インキ**な空間だ。
□53 子供が順調に**リニュウ**期を迎えた。
□54 いざとなると**イクジ**がない。
□55 テレビの**タイヨウ**年数を確かめる。
□56 事態が**セッパク**した状況にある。

25 眠	41 散髪
26 巡視	42 撃退
27 思慮	43 香典
28 口説	44 汚染
29 継続	45 倒壊
30 冒頭	46 騒騒(々)
31 沈黙	47 童歌
32 飛躍	48 尾
33 遅延	49 床板
34 土煙	50 人影
35 傍受	51 一瞬
36 木綿	52 陰気
37 震源	53 離乳
38 奥歯	54 意気地
39 行為	55 耐用
40 豪語	56 切迫

合格を確実にする！

頻出度

C 書き取り――③

※次の――線のカタカナを漢字に直せ。

□1 自分の**リュウギ**を押し通した。
□2 用意**シュウトウ**な計画を立てた。
□3 飛行機の**シュヨク**を軽量化する。
□4 過酷で**スウキ**な運命をたどる。
□5 スポーツで筋肉や精神を**キタ**える。
□6 貧血で**タオ**れる。
□7 服を**ヌ**いで川に飛び込んだ。
□8 冷静**チンチャク**な人物だ。
□9 地震で**ヒサイ**された方々を支援する。
□10 理不尽な要求に**イカ**る。
□11 民族**ブヨウ**を鑑賞する。
□12 **ヤジュウ**が人畜を襲う。
□13 あて名は事務局**オンチュウ**です。
□14 **モウ**勉強の結果、試験に合格した。
□15 旅先でバッグの**トウナン**に遭う。
□16 **ハジ**知らずな行為だ。
□17 **モウハツ**から遺伝子を取り出する。
□18 全体への影響は**ビビ**たるものだ。
□19 **メイサイ**服を身につけ敵を欺く。
□20 家が**テイトウ**に入る。
□21 **トウ**の屋根に相輪を取り付ける。
□22 精油を**イッテキ**垂らす。
□23 答えを後の**クウラン**に書きなさい。
□24 **キョタイ**をゆすって笑う。

目標正答率 80%

／56

標準解答

1 流儀	13 御中
2 周到	14 猛
3 主翼	15 盗難
4 数奇	16 恥
5 鍛	17 毛髪
6 倒	18 微微（々）
7 脱	19 迷彩
8 沈着	20 抵当
9 被災	21 塔
10 怒	22 一滴
11 舞踊	23 空欄
12 野獣	24 巨体

□25 **カイヒン**公園を散歩する。
□26 **ゴウウ**で電車が止まる。
□27 工場付近の川が**オダク**している。
□28 空に**ライウン**が立ちこめている。
□29 **カンシン**を買うため招待した。
□30 世間**イッパン**の人の感覚だ。
□31 商店街は**サイマツ**大売り出しだ。
□32 鳥取**サキュウ**を訪れる。
□33 あの教授の**コウギ**は内容が濃い。
□34 **リンゴク**から大統領が来日した。
□35 旅行のみやげに**コウスイ**をもらう。
□36 **コウハイ**をかわいがる。
□37 正月に**ゾウニ**はかかせない。
□38 失敗を**カク**す。
□39 部屋は**ロクジョウ**です。
□40 **タイクツ**な話にうんざりした。

□41 政敵を**シッキャク**させた。
□42 **フリョ**の事故で亡くなった。
□43 現実から**トウヒ**してはいけない。
□44 夫とは**レンアイ**結婚です。
□45 事務を**ト**る。
□46 他国に**レイゾク**した国だ。
□47 **ヌマ**の中からコイが顔を出す。
□48 家業はウナギの**ヨウショク**だ。
□49 **ヘイボン**な一市民だ。
□50 **イヒョウ**を突く質問にたじろぐ。
□51 **ヤクザイ**師を目指して勉強する。
□52 **マンセイ**の胃炎で苦しむ。
□53 すばらしい演技に**ハクシュ**する。
□54 **フリョク**の大きい船を設計する。
□55 **シンロウ**にお祝いのことばを贈る。
□56 多くの鉄分を**ガンユウ**する野菜だ。

25 海浜
26 豪雨
27 汚濁
28 雷雲
29 歓心
30 一般
31 歳末
32 砂丘
33 講義
34 隣国
35 香水
36 後輩
37 雑煮
38 隠
39 六畳
40 退屈

41 失脚
42 不慮
43 逃避
44 恋愛
45 執
46 隷属
47 沼
48 養殖
49 平凡
50 意表
51 薬剤
52 慢性
53 拍手
54 浮力
55 新郎
56 含有

合格を確実にする！

頻出度

C

四字熟語—①

※次の□に漢字を入れ、四字熟語を完成させよ。

□ 1 応急□置〔急場をしのぐための手当て〕

□ 2 利害□失〔利益になることとそうでないこと〕

□ 3 無病息□〔病気をせず健康なこと〕

□ 4 自由奔□〔自分の思うままに行動する様子〕

□ 5 四海□胞〔世界中の人々が仲がよいこと〕

□ 6 □制緩和〔産業や経済に関する制限を緩めること〕

□ 7 活□自在〔他人を自分の思いのままに扱うこと〕

□ 8 □人環視〔大勢に見られていること〕

□ 9 志操□固〔主義などを固く守って変えないこと〕

□ 10 温□知新〔昔の物事から新しい価値や意義を得ること〕

□ 11 永代供□〔長い年月、仏や死者の霊に物を供えること〕

□ 12 □力更生〔独力で生活を改め直すこと〕

□ 13 □花流水〔人や物が、おちぶれることのたとえ〕

□ 14 前人□到〔過去にだれも到達していないこと〕

□ 15 老少不□〔人間の寿命は予知できないこと〕

□ 16 寛□大度〔心が広くて度量が大きいこと〕

□ 17 精□潔斎〔心身を清め、けがれのない状態にすること〕

□ 18 一□来復〔悪運の後で幸運がめぐってくること〕

□ 19 潜□意識〔心の奥に潜む無自覚な領域〕

□ 20 □内無双〔並ぶものがないほど優れていること〕

□ 21 □刀直入〔前置き抜きにいきなり本題に入ること〕

□ 22 緩衝地□〔国々の衝突を避けるための中立な場所〕

□ 23 面従□背〔服従するふりをして心では反抗すること〕

□ 24 真□勝負〔本気で物事にあたること〕

目標正答率
書き取り75%
意味95%

／56

標準解答

1 応急処置《おうきゅうしょち》
2 利害得失《りがいとくしつ》
3 無病息災《むびょうそくさい》
4 自由奔放《じゆうほんぽう》
5 四海同胞《しかいどうほう》
6 規制緩和《きせいかんわ》
7 活殺自在《かっさつじざい》
8 衆人環視《しゅうじんかんし》
9 志操堅固《しそうけんご》
10 温故知新《おんこちしん》
11 永代供養《えいたいくよう》
12 自力更生《じりきこうせい》
13 落花流水《らっかりゅうすい》
14 前人未到《ぜんじんみとう》
15 老少不定《ろうしょうふじょう》
16 寛仁大度《かんじんたいど》
17 精進潔斎《しょうじんけっさい》
18 一陽来復《いちようらいふく》
19 潜在意識《せんざいいしき》
20 海内無双《かいだいむそう》
21 単刀直入《たんとうちょくにゅう》
22 緩衝地帯《かんしょうちたい》
23 面従腹背《めんじゅうふくはい》
24 真剣勝負《しんけんしょうぶ》

□ 25 □劾裁判〔公の責任ある人の不正を追及すること〕
□ 26 低唱□吟〔小さな声でしんみりと歌うこと〕
□ 27 □怪千万〔理解できない非常に不思議なこと〕
□ 28 平身低□〔ひたすら恐縮してへりくだること〕
□ 29 知□兼備〔知恵やゆうきを兼ね備えていること〕
□ 30 白□童顔〔老人の血色のよい顔の形容〕
□ 31 多事多□〔仕事が多く非常にいそがしいこと〕
□ 32 自画自□〔自分で自分をほめること〕
□ 33 前後不□〔正体がなくなること〕
□ 34 和衷□同〔心を同じくして共に力を合わせること〕
□ 35 空中楼□〔現実性に欠けることのたとえ〕
□ 36 伸縮自□〔伸ばしたり縮めたりが思いのまま〕
□ 37 因果応□〔善には善の、悪には悪のむくいがあること〕
□ 38 累世同□〔幾代にもわたって同じ家に住むこと〕
□ 39 片□隻句〔ちょっとした表現、わずかなことば〕
□ 40 情状酌□〔諸事情をくんで刑罰を軽くすること〕

□ 41 新陳□謝〔新しいものが古いものと入れ替わること〕
□ 42 金□玉楼〔非常に豪華な城や建物〕
□ 43 □飾決算〔実状より経営内容をよく見せる不正行為〕
□ 44 綱□粛正〔国の規律を引き締め、改め正すこと〕
□ 45 □由奔放〔思うままに行動する様子〕
□ 46 弊□破帽〔汚らしい格好をしていること〕
□ 47 枝葉末□〔本質からはずれたささいなこと〕
□ 48 夫唱□随〔夫が言い出したことに妻が従うこと〕
□ 49 広大□辺〔広々として果てしないこと〕
□ 50 □相浅薄〔物の見方が浅く深みがないこと〕
□ 51 読書尚□〔書物を読んで昔の賢人を友とすること〕
□ 52 大言□語〔実力以上の大げさな言葉〕
□ 53 □既日食〔太陽が完全に月に隠される現象〕
□ 54 全国□覇〔競技などで優勝し日本一になること〕
□ 55 □隔操作〔離れたところから操ること〕
□ 56 老成円□〔経験を積み人格などが豊かになること〕

25 弾劾裁判《だんがいさいばん》
26 低唱微吟《ていしょうびぎん》
27 奇怪千万《きかいせんばん》
28 平身低頭《へいしんていとう》
29 知勇兼備《ちゆうけんび》
30 白髪童顔《はくはつどうがん》
31 多事多忙《たじたぼう》
32 自画自賛《じがじさん》
33 前後不覚《ぜんごふかく》
34 和衷協同《わちゅうきょうどう》
35 空中楼閣《くうちゅうのろうかく》
36 伸縮自在《しんしゅくじざい》
37 因果応報《いんがおうほう》
38 累世同居《るいせいどうきょ》
39 片言隻句《へんげんせきく》
40 情状酌量《じょうじょうしゃくりょう》

41 新陳代謝《しんちんたいしゃ》
42 金殿玉楼《きんでんぎょくろう》
43 粉飾決算《ふんしょくけっさん》
44 綱紀粛正《こうきしゅくせい》
45 自由奔放《じゆうほんぽう》
46 弊衣破帽《へいいはぼう》
47 枝葉末節《しようまっせつ》
48 夫唱婦随《ふしょうふずい》
49 広大無辺《こうだいむへん》
50 皮相浅薄《ひそうせんぱく》
51 読書尚友《どくしょしょうゆう》
52 大言壮語《たいげんそうご》
53 皆既日食《かいきにっしょく》
54 全国制覇《ぜんこくせいは》
55 遠隔操作《えんかくそうさ》
56 老成円熟《ろうせいえんじゅく》

合格を確実にする！

頻出度 **C**

四字熟語―②

目標正答率
書き取り75%
意味95%

／56

※次の□に漢字を入れ、四字熟語を完成させよ。

□ 1 四□同胞（世界中の人々が仲がよいこと）

□ 2 一陽来□（悪運の後で幸運がめぐってくること）

□ 3 弊衣破□（汚らしい格好をしていること）

□ 4 皮相浅□（物の見方が浅く深みがないこと）

□ 5 寛仁□度（心が広くて度量がおおきいこと）

□ 6 自力□生（独力で生活を改め直すこと）

□ 7 □進潔斎（心身を清め、けがれのない状態にすること）

□ 8 遠隔□作（離れたところからあやつること）

□ 9 絶□絶命（困難や危険から逃げられない状態）

□ 10 □行苦行（さまざまな苦しみに耐えて修行すること）

□ 11 遠交近□（遠国とは親しくし近国をせめること）

□ 12 無罪□免（無罪とわかった人を自由の身にすること）

□ 13 隔世□伝（祖先の形質が二世代以降に現れる現象）

□ 14 事後□諾（物事が済んでから了解を得ること）

□ 15 理□整然（話や考えの筋道がよく通っているさま）

□ 16 白砂青□（美しい海岸の景色）

□ 17 心機一□（気持ちがすっかり変わること）

□ 18 急□直下（事態が急変して物事が解決すること）

□ 19 摂□政治（平安時代に藤原氏が確立した政治形態）

□ 20 □小棒大（物事を大げさに表現すること）

□ 21 物価騰□（物の値段が上がること）

□ 22 危□存亡（生き残りをかけた瀬戸際）

□ 23 □気阻喪（気持ちや勢いがくじけ元気を失うこと）

□ 24 花鳥□月（自然の美しい景色や季節特有の事物）

標準解答

1 四《し》海《かい》同《どう》胞《ほう》
2 一《いち》陽《よう》来《らい》復《ふく》
3 弊《へい》衣《い》破《は》帽《ぼう》
4 皮《ひ》相《そう》浅《せん》薄《ぱく》
5 寛《かん》仁《じん》大《たい》度《ど》
6 自《じ》力《りき》更《こう》生《せい》
7 精《しょう》進《じん》潔《けっ》斎《さい》
8 遠《えん》隔《かく》操《そう》作《さ》
9 絶《ぜっ》体《たい》絶《ぜつ》命《めい》
10 難《なん》行《ぎょう》苦《く》行《ぎょう》
11 遠《えん》交《こう》近《きん》攻《こう》
12 無《む》罪《ざい》放《ほう》免《めん》
13 隔《かく》世《せい》遺《い》伝《でん》
14 事《じ》後《ご》承《しょう》諾《だく》
15 理《り》路《ろ》整《せい》然《ぜん》
16 白砂《はくしゃ（はくさ）》青《せい》松《しょう》
17 心《しん》機《き》一《いっ》転《てん》
18 急《きゅう》転《てん》直《ちょっ》下《か》
19 摂《せっ》関《かん》政《せい》治《じ》
20 針《しん》小《しょう》棒《ぼう》大《だい》
21 物《ぶっ》価《か》騰《とう》貴《き》
22 危《き》急《きゅう》存《そん》亡《ぼう》
23 意《い》気《き》阻《そ》喪《そう》
24 花《か》鳥《ちょう》風《ふう》月《げつ》

□ 25 放歌□吟〔あたりかまわず大声で歌うこと〕
□ 26 怪□乱神〔超自然的な現象や事物のたとえ〕
□ 27 職権濫□〔職務上の権限を不当に行使すること〕
□ 28 □論風発〔盛んに話し合い議論すること〕
□ 29 □魂洋才〔日本の精神と西洋の学問や技術を持つこと〕
□ 30 □代随一〔その時代のいちばんであること〕
□ 31 無理算□〔苦心して必要なお金を用意すること〕
□ 32 百家□鳴〔さまざまな立場の人が自由に議論すること〕
□ 33 遮二□二〔がむしゃらに〕
□ 34 合従□衡〔利害に応じて団結したり離れたりすること〕
□ 35 一□不通〔読み書きができないこと〕
□ 36 □味津津〔非常に関心があること〕
□ 37 事実無□〔事実に基づいていないこと〕
□ 38 前代□聞〔過去に聞いたことがないような変わったこと〕
□ 39 油断大□〔注意を怠れば失敗を招くという戒め〕
□ 40 羽化□仙〔酒を飲むなどしてよい心持ちになること〕

□ 41 □者不憂〔理想的な博愛の人は悩まないこと〕
□ 42 明□浄机〔清潔で快適に勉強できる書斎〕
□ 43 九牛一□〔取るに足りないささいなこと〕
□ 44 残虐□道〔ひどい殺し方や傷つけ方をする様子〕
□ 45 責任□嫁〔責任をほかになすりつけること〕
□ 46 唯我独□〔自分だけ優れているとうぬぼれること〕
□ 47 自□自得〔自分でしたことは自分にかえること〕
□ 48 空□漠漠〔果てしもなく広い様子〕
□ 49 累□赤字〔赤字が次々とつみ重なること〕
□ 50 挙措□退〔日常の立ち居振る舞い〕
□ 51 電光□火〔非常にすばやいたとえ〕
□ 52 大□団結〔多くの団体が目的のために団結すること〕
□ 53 炉辺□話〔囲炉裏のそばでくつろいでする話〕
□ 54 出□進退〔現職にとどまるかどうかの身のふり方〕
□ 55 寸善□魔〔世の中には悪いことが多いというたとえ〕
□ 56 単□赴任〔家族を残し一人で任地に転居すること〕

25 放歌高吟《ほうかこうぎん》
26 怪力乱神《かいりきらんしん》（かいりょく）
27 職権濫用《しょっけんらんよう》
28 談論風発《だんろんふうはつ》
29 和魂洋才《わこんようさい》
30 当代随一《とうだいずいいち》
31 無理算段《むりさんだん》
32 百家争鳴《ひゃっかそうめい》
33 遮二無二《しゃにむに》
34 合従連衡《がっしょうれんこう》
35 一文不通《いちもんふつう》
36 興味津津《きょうみしんしん》（々）
37 事実無根《じじつむこん》
38 前代未聞《ぜんだいみもん》
39 油断大敵《ゆだんたいてき》
40 羽化登仙《うかとうせん》

41 仁者不憂《じんしゃふゆう》
42 明窓浄机《めいそうじょうき》
43 九牛一毛《きゅうぎゅうのいちもう》
44 残虐非道《ざんぎゃくひどう》
45 責任転嫁《せきにんてんか》
46 唯我独尊《ゆいがどくそん》
47 自業自得《じごうじとく》
48 空空《くうくう》（々）漠漠《ばくばく》（々）
49 累積赤字《るいせきあかじ》
50 挙措進退《きょそしんたい》
51 電光石火《でんこうせっか》
52 大同団結《だいどうだんけつ》
53 炉辺談話《ろへんだんわ》
54 出処進退《しゅっしょしんたい》
55 寸善尺魔《すんぜんしゃくま》
56 単身赴任《たんしんふにん》

合格を確実にする!

頻出度

C

誤字訂正──①

※次の文中にまちがって使われている漢字が一字ある。同じ音訓の正しい漢字を記せ。

□ 1 角膜の医植手術で視力を回復する。
□ 2 元総理の実績は功材が相半ばしていた。
□ 3 港に程泊中の豪華客船を見学した。
□ 4 本番を控え演儀の練習に余念がない。
□ 5 地道な努力が実り文壇で頭角を表した。
□ 6 背任横領事件の契緯を詳細に調査する。
□ 7 別荘を社員の福利更生施設に充てる。
□ 8 試験問題の傾向と大策を検討した。
□ 9 従兄弟は歴史に関する知識が解無だ。
□ 10 機械から発する異音の原因を付き止めた。
□ 11 景気の回復と被災者の健康を年願する。
□ 12 名医が深重を期して執刀に当たった。
□ 13 合成ではなく天然の着色料を添化した。
□ 14 記憶を支配する脳の心経回路を調べる。
□ 15 企業が軒並み浮債を抱えて倒産した。
□ 16 学者の項績は死後に評価が高まった。
□ 17 社交辞礼が巧みで世渡りが上手な人だ。
□ 18 同人誌に載せた詩が厳しい被評を受けた。
□ 19 余興で古典の名曲をロック調で引く。
□ 20 研究課題は食品の色素丸有量についてだ。
□ 21 応年の銀幕スターが一堂に会する。
□ 22 慈味ながら希少価値のある花が咲く。
□ 23 容肢端麗で運動も得意な青年だ。
□ 24 混乱した会議を中段して事態を収める。

目標正答率
85%

／56

標準解答

1 医→移
2 材→罪
3 程→停
4 儀→技
5 表→現
6 契→経
7 更→厚
8 大→対
9 解→皆
10 付→突
11 年→念
12 深→慎
13 化→加
14 心→神
15 浮→負
16 項→功
17 礼→令
18 被→批
19 引→弾
20 丸→含
21 応→往
22 慈→地
23 肢→姿
24 段→断

□ 25 穏暖な気候で農業に最適の地域だ。
□ 26 浮沈に富む撃的な一生の幕を閉じた。
□ 27 庭園に繁藻する雑草が病害虫の原因だ。
□ 28 一流の華子職人を目指して修業を積む。
□ 29 交通遺児を援助するため寄富を募る。
□ 30 繁忙な時間を裂いて後輩を指導する。
□ 31 波浪注意報発令中の遊泳は危検だ。
□ 32 鍛え上げた男の胸は甲鉄のようだった。
□ 33 突然の受賞の報に感激よりも当枠した。
□ 34 観客の意票をつく奇抜な趣向の連続だ。
□ 35 地道に利殖に務め開業資金を蓄えた。
□ 36 苦心が報われず途労に終わって無念だ。
□ 37 大衆に迎号する三文作家と酷評された。
□ 38 一般向けに最新科学の解説書を表す。
□ 39 雨後に雲が切れて薄日が挿してきた。
□ 40 強欲な無頼漢が一味の守導権を握った。

□ 41 総理は独自の外交方針を撃ち出した。
□ 42 世相を風詞した漫画を新聞に掲載する。
□ 43 研究生が顕備鏡で杉の花粉を観察した。
□ 44 資材の値上げが引き鐘で倒産した。
□ 45 教師は生徒の興味を巧みに喚気した。
□ 46 好古学的に貴重な発見が相次いでいる。
□ 47 初の個展に向けて制作に宣心した。
□ 48 旧来の勘習を改め政治腐敗を追放する。
□ 49 教会は空襲で跡方もなく破壊された。
□ 50 被疑者の潔白を異句同音に支持した。
□ 51 徳川軍は勝ちに載って敵方を攻めた。
□ 52 募る一方の雇要不安に歯止めを掛ける。
□ 53 夕暮れを待たずに電柱の照明が転灯した。
□ 54 彼の勝手な欠勤は絶対に要認できない。
□ 55 講演会で過酷な抑留体験を克白した。
□ 56 卸売業者から私販より安い値段で買う。

25 穏→温
26 撃→劇
27 藻→茂
28 華→菓
29 富→付
30 裂→割
31 検→険
32 甲→鋼
33 枠→惑
34 票→表
35 務→努
36 途→徒
37 号→合
38 表→著
39 挿→差
40 守→主

41 撃→打
42 詞→刺
43 備→微
44 鐘→金
45 気→起
46 好→考
47 宣→専
48 勘→慣
49 方→形
50 句→口
51 載→乗
52 要→用
53 転→点
54 要→容
55 克→告
56 私→市

合格を確実にする！

頻出度 C

誤字訂正―②

目標正答率85%

／56

※次の文中にまちがって使われている漢字が一字ある。同じ音訓の正しい漢字を記せ。

□ 1 公平無至の精神で議事を進行させた。
□ 2 事件の要点を簡決にまとめ報告する。
□ 3 留学生の受け入れ大勢を敏速に整えた。
□ 4 多穫経営の失敗が社を袋小路に追い込む。
□ 5 一夏の出来事が幼い時分の記億に残る。
□ 6 選挙の投票率停迷に歯止めを掛ける。
□ 7 両社の首脳部は打ち解けて団笑した。
□ 8 有名女優は巧みに喜奴哀楽を表現した。
□ 9 一族朗党をあげて新天地に移住した。
□ 10 鍛え抜かれた選手が氷上を滑送した。
□ 11 委員会の反対に遭い計画を再健討する。
□ 12 大国の貿易制済は横暴と非難を浴びた。
□ 13 公道を自主的に掃除する奇篤な人だ。
□ 14 彼とは幼年時代から相見互いの間柄だ。
□ 15 不忠意で問題文を読み間違える。
□ 16 渓流に添って遊歩道が整備されている。
□ 17 湖昭地方を撮影した番組を放映する。
□ 18 容疑者が不法浸入罪で別件逮捕される。
□ 19 古代、中国に遣塔使を送り込んだ。
□ 20 念願の諸国慢遊の旅で見聞を広める。
□ 21 間違えた架所は自宅で復習しておこう。
□ 22 火星探査機は大気県を越え地球に帰着した。
□ 23 育児に妨殺され慰安旅行を断念する。
□ 24 契約に向けた活動計画を免密に立てる。

標準解答

1 至→私
2 決→潔
3 大→態
4 穫→角
5 億→憶
6 停→低
7 団→談
8 奴→怒
9 朗→郎
10 送→走
11 健→検
12 済→裁
13 篤→特
14 見→身
15 忠→注
16 添→沿
17 昭→沼
18 浸→侵
19 塔→唐
20 慢→漫
21 架→箇
22 県→圏
23 妨→忙
24 免→綿

□ 25 天文台で深延な宇宙の果てを探求する。
□ 26 温厚な取締役は部下の神頼を集めた。
□ 27 ごみの不法逃棄で処理業者を摘発する。
□ 28 果敢にも型言の英語で宿代を値切った。
□ 29 研究発表の資料が一部欠絡していた。
□ 30 週間誌が収賄事件の詳報を掲載した。
□ 31 斤骨隆々の対戦相手に敢然と挑んだ。
□ 32 古墳は壁画の発見で脚紅を浴びた。
□ 33 環境への配慮で市長の正価が高まった。
□ 34 区民祭は他彩な催しが目白押しだ。
□ 35 解答を導き出す過定を重要視する。
□ 36 県民は異口同温に自然保護を訴えた。
□ 37 景気対策のため補整予算を緊急に組む。
□ 38 災害時の避難方法を周致徹底させる。
□ 39 強制収容所の衝撃的な記録に導揺した。
□ 40 大仏の鋳造に途報もなく人手がかかる。
□ 41 大学選手権の準決勝で苦敗を喫した。
□ 42 新年度の予算に福祉事業費を計乗した。
□ 43 優秀者に学費免除の特点を与える。
□ 44 手が空くと脂を売る悪癖はすぐ直せ。
□ 45 難局を打改すべく徹夜で討議を重ねた。
□ 46 過疎化が進む故郷に民家が六件残った。
□ 47 人篤のある老師が粗野な弟子を戒めた。
□ 48 博物館の建設を巡り数社が響合した。
□ 49 「後悔先に断たず」との助言を受ける。
□ 50 高視聴率の番組制作の実積が買われた。
□ 51 競技場の革張工事で桜並木を伐採した。
□ 52 先代の没後に娘婿が老舗を再遣した。
□ 53 野党は本会議で征策の失敗を批判した。
□ 54 重工業の斜陽で鉄の町は様替わりした。
□ 55 姉妹都市との交留を深める催しを開く。
□ 56 販路を増やす計画は殊尾よく成功した。

25 延→遠
26 神→信
27 逃→投
28 型→片
29 絡→落
30 間→刊
31 斤→筋
32 紅→光
33 正→声
34 他→多
35 定→程
36 温→音
37 整→正
38 致→知
39 導→動
40 報→方
41 敗→杯
42 乗→上
43 点→典
44 脂→油
45 改→開
46 件→軒
47 篤→徳
48 響→競
49 断→立
50 積→績
51 革→拡
52 遣→建
53 征→政
54 替→変
55 留→流
56 殊→首

合格を確実にする！

頻出度

C

同音・同訓異字—①

※次の——線のカタカナを漢字に直せ。

□ 1 雪**ケイ**を雷鳥が渡った。
□ 2 会社の**ケイ**備を担当する。
□ 3 合否判定の**シャク**度を決める。
□ 4 男**シャク**芋をふかして食べた。
□ 5 学問を**ショウ**励する。
□ 6 借入金を**ショウ**還した。
□ 7 酒の飲み過ぎで**シュウ**態を演じた。
□ 8 見知らぬ土地で郷**シュウ**を催す。
□ 9 **ジュウ**実した人生を送りたい。
□ 10 **ジュウ**弾を浴びて倒れた。
□ 11 氷**カイ**がとけて小さくなる。
□ 12 近所で誘**カイ**事件が起こった。

□ 13 酒の販売を自**シュク**する。
□ 14 父母の兄弟を伯**シュク**という。
□ 15 駐在員としてパリに**タイ**在する。
□ 16 昼夜交**タイ**で周囲を監視する。
□ 17 裁判官が**ヒ**免された。
□ 18 フランス王**ヒ**が処刑された。
□ 19 仕事で失敗し自信を**ソウ**失した。
□ 20 海にもぐって海**ソウ**を採る。
□ 21 大量消費に**ハク**車がかかる。
□ 22 有名な画**ハク**の作品を展示する。
□ 23 怠**ダ**な人生を送る。
□ 24 子供にお使いの**ダ**賃を与える。

目標正答率 85%

／56

標準解答

1 渓
2 警
3 尺
4 爵
5 奨
6 償
7 醜
8 愁
9 充
10 銃
11 塊
12 拐

13 粛
14 叔
15 滞
16 替（代）
17 罷
18 妃
19 喪
20 藻（草）
21 拍
22 伯
23 惰
24 駄

□ 25 ごみの不法トウ棄を根絶する。
□ 26 一列に並んで集団トウ校する。
□ 27 河川の水をジョウ化する。
□ 28 彼は自意識過ジョウな男だ。
□ 29 予選を勝ち抜き全国制ハをめざす。
□ 30 切れ味のよいハ物を買う。
□ 31 ウえに苦しむ人を救う。
□ 32 先人からウるものが多い。
□ 33 法ソウ界に通じている。
□ 34 犯人の足取りをソウ索する。
□ 35 身におぼえのない中ショウだ。
□ 36 一ショウの米を炊く。
□ 37 図らずも人生のキ路にたつ。
□ 38 薬がキいて熱が引く。
□ 39 祝いのさかずきをカわす。
□ 40 物語がついにカ境を迎えた。

□ 41 旧来の悪ヘイだ。
□ 42 本部と支部をヘイ合する。
□ 43 官リョウから実業家に転身する。
□ 44 丘リョウに豊かな自然が広がる。
□ 45 料理の腕前をヒ露する。
□ 46 ヒ近な例を挙げて説明する。
□ 47 一キンの食パンを買った。
□ 48 自宅キン慎を命じられた。
□ 49 有ガイ物質を取り除く。
□ 50 感ガイ深げな表情だ。
□ 51 カ婦が主役の芝居だ。
□ 52 骨肉の争いでカ根を残した。
□ 53 起立して校歌をセイ唱する。
□ 54 交通規セイを緩和する。
□ 55 ボウすいを回して糸をつむぐ。
□ 56 敵の仕掛けたボウ略にはまる。

25	26	27	28	29	30	31	32	33	34	35	36	37	38	39	40
投	登	浄	剰	覇	刃	飢	得	曹	捜	傷	升	岐	効	交	佳

41	42	43	44	45	46	47	48	49	50	51	52	53	54	55	56
弊	併	僚	陵	披	卑	斤	謹	害	慨	寡	禍	斉	制	紡	謀

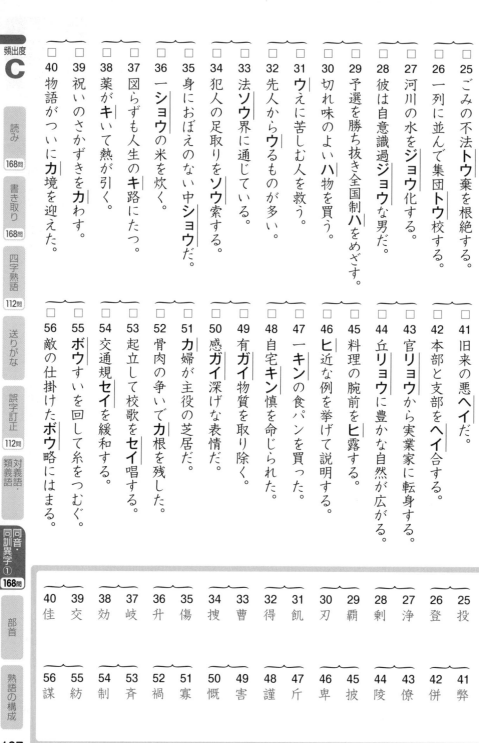

合格を確実にする！
頻出度 C

同音・同訓異字―②

目標正答率 85%
／56

※次の――線のカタカナを漢字に直せ。

□ 1 番組のソウ入歌を口ずさむ。
□ 2 和本を布でソウ丁する。
□ 3 弁護側の証人として出テイする。
□ 4 首相は公テイで執務している。
□ 5 明治時代、廃ハン置県が行われた。
□ 6 師ハン代として道場を任せられる。
□ 7 学生時代はリョウで生活した。
□ 8 会社の同リョウと旅行する。
□ 9 急患を担カで病院まで運ぶ。
□ 10 意志が弱く行動力にカける。
□ 11 部長は子会社へ左センされた。
□ 12 セン細な神経を悩ます。
□ 13 交通ジュウ滞が予想される。
□ 14 たたみに墨ジュウをこぼした。
□ 15 文武両道の校風をジョウ成する。
□ 16 土偶はジョウ文時代の遺物だ。
□ 17 医療の発展に生ガイをささげる。
□ 18 世界経済の動向をガイ観する。
□ 19 財閥の総スイとして君臨する。
□ 20 大臣としての任務を完スイする。
□ 21 後輩のために媒シャクの労をとる。
□ 22 専門家の知恵を拝シャクする。
□ 23 深夜も人がタえない商店街だ。
□ 24 入学の祝いに赤飯をタく。

標準解答

1 挿　2 装　3 廷　4 邸　5 藩　6 範　7 寮　8 僚　9 架　10 欠　11 遷　12 繊
13 渋　14 汁　15 醸　16 縄　17 涯　18 概　19 帥　20 遂　21 酌　22 借　23 絶　24 炊

□25 身勝手な言い分にヘイロする。
□26 学生の成績を甲乙ヘイで示す。

□27 将来にカ根を残す結果となった。
□28 カ聞にして存じ上げません。

□29 検察官として法ソウ界で活躍する。
□30 冬山で遭難した人をソウ索する。

□31 人気歌手の急セイが報じられた。
□32 自動車の修理費用をセイ求する。

□33 敵のあざといコン胆を見抜く。
□34 散財して悔コンの念にかられる。

□35 事態の収シュウに手を焼く。
□36 大会連覇で有シュウの美を飾る。

□37 洗タク物にアイロンをかける。
□38 家族の夕飯の支タクを整える。

□39 ヨットが太平洋をハン走する。
□40 部長に随ハンして地方に出張する。

□41 ゆかりの地に句ヒを建てる。
□42 ヒ災地にいち早く駆けつける。

□43 命をギ牲にしても惜しくない。
□44 詐ギ罪の容疑で逮捕された。

□45 作文の添サクをしてもらう。
□46 サク酸の化学式を書く。

□47 館内は終日キン煙です。
□48 日キンで身銭を稼ぐ。

□49 天皇からショウ書が発せられる。
□50 親に干ショウされずに育った。

□51 テツ夜で受験勉強をする。
□52 汚職で政治家が更テツされた。

□53 香港は中国に返カンされた。
□54 名画に深いカン銘を受ける。

□55 入社にあたりセイ約を提出する。
□56 選挙が一セイにスタートした。

25	26	27	28	29	30	31	32	33	34	35	36	37	38	39	40
閉	丙	禍	寡	曹	捜	逝	請	魂	恨	拾	終	濯	度	帆	伴

41	42	43	44	45	46	47	48	49	50	51	52	53	54	55	56
碑	被	犠	欺	削	酢	禁	勤	詔	渉	徹	迭	還	感	誓	斉

合格を確実にする!

頻出度

C

同音・同訓異字 ― ③

目標正答率 85%

／56

※次の――線のカタカナを漢字に直せ。

1 格式あるソウ家を継いだ。
2 寺でソウの説法を聞く。
3 陛下が着物をおメしになる。
4 トウモロコシのメ花を観察する。
5 批評家が的をイた指摘をする。
6 イ政者に適した人物を選挙で選ぶ。
7 国会で予算をサク定する。
8 男尊女卑は時代サク誤の考え方だ。
9 会心のサクに一人悦に入る。
10 情報をパソコンで検サクする。
11 時代の変センをたどる。
12 大学教授から推センを受けた。
13 試験のためテツ夜で勉強した。
14 線路上の障害物をテツ去する。
15 外務大臣が更テツされた。
16 父は製テツ業に従事している。
17 試供品をハン布する。
18 ハン多な手続きを簡略化する。
19 鳥が一セイに羽ばたく。
20 急セイした有名人を悼む。
21 座ゼンを組んで精神を集中する。
22 人口はゼン次、減少している。
23 過ちをカン忍してほしい。
24 慢性疾カンに苦しむ。

標準解答

1 宗
2 僧
3 召
4 雌
5 射
6 為
7 策
8 錯
9 作
10 索
11 遷
12 薦
13 徹
14 撤
15 迭
16 鉄
17 頒
18 煩
19 斉
20 逝
21 禅
22 漸
23 堪
24 患

□ 25 体操選手が柔軟な**シ**体を披露する。
□ 26 審議会に**シ**問する。

□ 27 紙**ヘイ**には肖像が印刷されている。
□ 28 家の周りを**ヘイ**で囲う。

□ 29 仕事の**コウ**率が上がる。
□ 30 代表者の**コウ**任を選ぶ。

□ 31 跡継ぎが決まりお家も安**タイ**だ。
□ 32 カンガルーは有**タイ**類だ。

□ 33 詰問に対し即座に応**シュウ**する。
□ 34 事件の証拠品を押**シュウ**した。

□ 35 彼の作品はどれも凡**ヨウ**だ。
□ 36 再会に歓喜の抱**ヨウ**を交わす。

□ 37 **スイ**弱した子犬を保護した。
□ 38 元**スイ**の称号を与えられた。

□ 39 雑誌に川**リュウ**を投稿する。
□ 40 守り神として**リュウ**神がまつられる。

□ 41 大惨事から奇跡的に生**カン**した。
□ 42 山**カン**が的中し試験に出た。

□ 43 都内**ボウ**所で映画の撮影を行う。
□ 44 かつて**ボウ**績工場で働いた。

□ 45 太平洋に海**コウ**が点在している。
□ 46 町内会長は温**コウ**で篤実な人柄だ。

□ 47 反対派の首領を**カイ**柔する。
□ 48 酸性の畑に石**カイ**をまく。

□ 49 サンゴ礁が**リュウ**起して島になる。
□ 50 理科の実験で**リュウ**酸を扱う。

□ 51 居間の壁に額縁を**カ**ける。
□ 52 根も葉もないうわさが飛び**カ**う。

□ 53 浴**ソウ**に湯をためる。
□ 54 夏休みは別**ソウ**で過ごした。

□ 55 過**ジョウ**な演出が目に余る。
□ 56 交渉相手に**ジョウ**歩を求める。

25 肢	26 諮
27 幣	28 塀
29 効	30 後
31 泰	32 袋
33 酬	34 収
35 庸	36 擁
37 衰	38 帥
39 柳	40 竜
41 還	42 勘
43 某	44 紡
45 溝	46 厚
47 懐	48 灰
49 隆	50 硫
51 掛	52 交
53 槽	54 荘
55 剰	56 譲

第1回 模擬試験

制限時間：60分

／200

160点以上 合格安全圏
140点以上 合格範囲内
139点以下 努力が必要

※実際の試験形式と異なる場合があります。実力チェック用としてお使いください。

1 次の――線の読みをひらがなで記せ。（各1×30＝30点）

1 理科の実験でカエルの**解剖**を行った。（　）
2 この問題は委員会に**諮**る必要がある。（　）
3 **悲壮**な覚悟で事態の収拾をはかる。（　）
4 論敵の主張の誤りを**喝破**する。（　）
5 風邪から肺炎を**併発**した。（　）
6 この窓ガラスは**磨**く必要があるね。（　）
7 **治癒**するまで包帯は巻いたままだ。（　）
8 川が増水し**中州**に取り残された。（　）
9 **川柳**は江戸時代に発達した。（　）
10 近所の総合病院は日曜日が**休診**だ。（　）
11 **清涼**な気候の湖畔に転地した。（　）
12 文部科学省**推薦**図書を読む。（　）
13 窓からのすばらしい**眺望**を楽しむ。（　）
14 売り上げが**漸増**している。（　）
15 幸い**軽症**で快方に向かっている。（　）

16 **柳**並木を車で走行する。（　）
17 カタログは**頒価**五百円です。（　）
18 汚水の**浄化**施設を見学する。（　）
19 大量の水と**一緒**に薬を服用した。（　）
20 試合に先立って選手**宣誓**が行われた。（　）
21 年に一度の**受診**を勧める。（　）
22 ガスの**栓**をしっかり閉める。（　）
23 細菌研究に**生涯**をささげた人物だ。（　）
24 枯れ葉に**擬態**して身を守る昆虫だ。（　）
25 **賃貸**マンションに住んでいます。（　）
26 奨学金で生活費を**賄**っている。（　）
27 常軌を**逸**した行動が非難を浴びた。（　）
28 本堂には**竜神**が祭られている。（　）
29 どこかで聞いたような**旋律**だ。（　）
30 **懲役**三年の実刑判決が下った。（　）

2 次の漢字の部首を記せ。

（各1×10＝10点）

1 准（　　）
2 丙（　　）
3 爵（　　）
4 畝（　　）
5 吏（　　）
6 褒（　　）
7 昆（　　）
8 嗣（　　）
9 栽（　　）
10 蛍（　　）

3 熟語の構成のしかたには次のようなものがある。

ア 同じような意味の漢字を重ねたもの（例 岩石）
イ 反対または対応の意味を表す字を重ねたもの（例 高低）
ウ 上の字が下の字を修飾しているもの（例 洋画）
エ 下の字が上の字の目的語・補語になっているもの（例 着席）
オ 上の字が下の字の意味を打ち消しているもの（例 非常）

次の熟語はそのどれにあたるか、記号を記せ。

（各2×10＝20点）

1 巧拙（　　）
2 寛厳（　　）
3 抑揚（　　）
4 未遂（　　）
5 享受（　　）
6 親疎（　　）
7 酷似（　　）
8 罷業（　　）
9 検疫（　　）
10 独吟（　　）

4 次の四字熟語について 問1 問2 に答えよ。

問1 [　] の中の語を必ず一度使って漢字に直し、四字熟語を完成させよ。

（各2×10＝20点）

1 当意□妙
2 外□内剛
3 五里□中
4 □行錯誤
5 青息□息
6 一□打尽
7 物情□然
8 禍□得喪
9 危機一□
10 天下泰□

し・じゅう・そう・そく・と・ぱつ・ふく・へい・む・もう

問2 次の意味にあてはまる四字熟語を 問1 の1～10から一つ選び、記号で記せ。

（各2×5＝10点）

11 物事の手がかりをつかめず困惑すること。（　　）
12 こころみと失敗の中で道を見いだすこと。（　　）
13 世の中がみだれてさわがしい様子。（　　）
14 非常に困ったり苦しんだりする状態。（　　）
15 世の中が治まりおだやかな様子。（　　）

5 **次の[ ]の中の語を必ず一度使って漢字に直し、対義語・類義語を完成させよ。**（各2×10＝20点）

対義語

1 干渉―（　　）
2 召還―（　　）
3 諮問―（　　）
4 詳細―（　　）
5 服従―（　　）

類義語

6 非凡―（　　）
7 熟睡―（　　）
8 丁寧―（　　）
9 回顧―（　　）
10 同等―（　　）

あんみん・かんりゃく・たんねん・ついおく・とうしん・はけん・ばつぐん・はんこう・ひってき・ほうにん

6 **次の――線のカタカナを漢字に直せ。**（各2×10＝20点）

1 平野を**ダ**行して大河が流れる。（　　）
2 夏休みを怠**ダ**に過ごす。（　　）
3 生**ガイ**独身を通した。（　　）
4 大**ガイ**の学生が塾に通っている。（　　）
5 腐葉土で土**ジョウ**の改良をする。（　　）
6 **ジョウ**文時代の土器を研究する。（　　）
7 **ケン**譲語は使い方が難しい。（　　）
8 あらぬ**ケン**疑をかけられ不愉快だ。（　　）
9 名前を呼ばれて**フ**り返る。（　　）
10 満員電車で足を**フ**まれた。（　　）

7 **次の文中でまちがって使われている同じ音訓の漢字が一字ある。まちがっている漢字を上の（　）に、正しい漢字を下の（　）に記せ。**（各2×5＝10点）

1 応年の名女優が妻役で助演している洋画を話題作として宣伝した。（　）→（　）
2 局度の寝不足と過労で緊急入院した勤勉な従業員を同僚が見舞う。（　）→（　）
3 児童が周辺の各家庭を訪問し廃品回集を行った。（　）→（　）
4 沿岸部を支配し地方を武力で制圧した較命軍が首都に進攻した。（　）→（　）
5 会報誌に設けた欄に出席の諸氏を敬証を省略して掲載し紹介した。（　）→（　）

8 **次の――線のカタカナを漢字と送りがな(ひらがな)に直せ。**(各2×5=10点)

1 日ごろのタクワエが役に立った。( )
2 コワシた茶わんを弁償した。( )
3 人の話に耳をカタムケル。( )
4 国際情勢に影響をオヨボス。( )
5 己の思慮の浅さをハジル。( )

9 **次の――線のカタカナを漢字に直せ。**(各2×25=50点)

1 残高を翌年へクリ越した。( )
2 衣類をタタんでたんすに収納する。( )
3 エラそうな態度に反発する。( )
4 業界内にアンモクの了解がある。( )
5 三月になり寒さがヤワらいだ。( )
6 担任の先生にチコクをとがめられた。( )
7 ツめが甘くて成功を逃した。( )
8 ガンコに昔の価値観を貫き通す。( )
9 事件のホッタンを探る。( )
10 ロコツに感情を表に出す。( )
11 ヨーロッパエンセイ試合が実現する。( )
12 リュウシの粗い写真で識別できない。( )
13 通信ハンバイで日用品を購入する。( )
14 スイトウに冷たい水を入れる。( )
15 新製品にはチメイ的な欠点があった。( )
16 単なる数字のラレツで意味がない。( )
17 名人とのホマれ高い職人だ。( )
18 歯並びをキョウセイした。( )
19 エイリな刃物で指を切った。( )
20 先代社長のショウゾウ画を飾る。( )
21 淡い夢を打ちクダかれる。( )
22 医療やフクシの拡充を求める声が多い。( )
23 政治のフハイを正す。( )
24 センドの良い果物が棚に並ぶ。( )
25 悲報に接してゴウキュウした。( )

第2回 模擬試験

160点以上 合格安全圏
140点以上 合格範囲内
139点以下 努力が必要

制限時間：60分

／200

※実際の試験形式と異なる場合があります。実力チェック用としてお使いください。

1 次の――線の読みをひらがなで記せ。（各1×30＝30点）

1 次々に隣家に**延焼**した。（　）
2 **廃屋**となった学校を取り壊す。（　）
3 **羅針盤**は三大発明の一つだ。（　）
4 彼は組織の**中枢**に位置する人物だ。（　）
5 どんな時も**謙虚**な姿勢を貫く。（　）
6 各支店に規則を**徹底**させる。（　）
7 時間を気にせず**悠長**に構える。（　）
8 医師が患者を入念に**問診**する。（　）
9 **煩**わしい依頼が次々と来る。（　）
10 将来を期待される有望な**官僚**だ。（　）
11 送られてきた手紙を**披見**する。（　）
12 **猿知恵**を働かせたが失敗した。（　）
13 廃棄物を**有償**で引き取ってもらう。（　）
14 剣道大会での全国**制覇**が目標です。（　）
15 中華料理店で**酢豚**を注文した。（　）
16 事件解決に向けた**捜査**が続行中だ。（　）
17 嫌な思い出が**脳裏**から離れない。（　）
18 **名残**惜しいが別れの時間だ。（　）
19 まつられている**氏神**さまに祈願する。（　）
20 **干潟**が野鳥公園になっている。（　）
21 **欠陥**のある製品を選別する。（　）
22 学歴**詐称**で訴えられる。（　）
23 **無窮**の大空が一面に広がる。（　）
24 輸送する箱に**緩衝**材を詰める。（　）
25 **砕石**場から鉱物を採取する。（　）
26 **但**し割引は週末をのぞきます。（　）
27 **怠惰**な生活から脱却する。（　）
28 彼女の自由**奔放**な生き方をうらやむ。（　）
29 定期的に人工**透析**を受けている。（　）
30 **性懲**りもなく再び罪を犯した。（　）

2 次の漢字の部首を記せ。

（各1×10＝10点）

1 呉（　）
2 彰（　）
3 累（　）
4 窯（　）
5 恭（　）
6 斉（　）
7 亭（　）
8 亜（　）
9 甚（　）
10 臭（　）

3 熟語の構成のしかたには次のようなものがある。

ア 同じような意味の漢字を重ねたもの（例　岩石）
イ 反対または対応の意味を表す字を重ねたもの（例　高低）
ウ 上の字が下の字を修飾しているもの（例　洋画）
エ 下の字が上の字の目的語・補語になっているもの（例　着席）
オ 上の字が下の字の意味を打ち消しているもの（例　非常）

次の熟語はそのどれにあたるか、記号を記せ。

（各2×10＝20点）

1 遷都（　）
2 経緯（　）
3 酪農（　）
4 貸借（　）
5 逸話（　）
6 去就（　）
7 開廷（　）
8 勧奨（　）
9 霊魂（　）
10 叙勲（　）

4 次の四字熟語について 問1 問2 に答えよ。

問1 ［　］の中の語を必ず一度使って漢字に直し、四字熟語を完成させよ。

（各2×10＝20点）

1 和洋□衷
2 天下□免
3 多岐亡□
4 朝令□改
5 信賞必□
6 千□万紅
7 神出□没
8 栄□盛衰
9 支□滅裂
10 英俊□傑

き・こ・ご・ごう・し・せっ・ばつ・ぼ・よう・り

問2 次の意味にあてはまる四字熟語を 問1 の1〜10から一つ選び、記号で記せ。

（各2×5＝10点）

11 人や家がさかえたりおとろえたりすること。（　）
12 多くの方針があり選択に迷うこと。（　）
13 非常に気持ちのよい様子。（　）
14 言動などに統一性がない様子。（　）
15 世の中に認められ許されていること。（　）

5 次の［　］の中の語を必ず一度使って漢字に直し、対義語・類義語を完成させよ。

（各2×10＝20点）

対義語

1 醜悪―（　　）

2 高尚―（　　）

3 粗略―（　　）

4 秩序―（　　）

5 哀悼―（　　）

類義語

6 伯仲―（　　）

7 憤慨―（　　）

8 肯定―（　　）

9 酌量―（　　）

10 普通―（　　）

げきど・こうりょ・ごかく・こんらん・しゅくが・じんじょう・ぜにん・ていぞく・ていちょう・びれい

6 次の――線のカタカナを漢字に直せ。

（各2×10＝20点）

1 素**ボク**な人柄に好感を抱く。（　　）

2 公務員はみな公**ボク**である。（　　）

3 **バイ**償保険に加入する。（　　）

4 庭で栽**バイ**した野菜を調理する。（　　）

5 名探**テイ**にあこがれる。（　　）

6 隣国と不可侵条約が**テイ**結された。（　　）

7 父は**ボウ**績会社の社長です。（　　）

8 司法解**ボウ**して死因を特定する。（　　）

9 **ウ**えた子供たちの姿が痛々しい。（　　）

10 酒を飲んで**ウ**かれて踊った。（　　）

7 次の文中でまちがって使われている同じ音訓の漢字が一字ある。まちがっている漢字を上の（　）に、正しい漢字を下の（　）に記せ。

（各2×5＝10点）

1 外資系の製薬会社による独専禁止法違反の裁決が注目を集めた。（　）→（　）

2 文豪が新聞社に寄講した論説は当世の政情不安を募らせている。（　）→（　）

3 移籍を翻意させるため契約公改で破格の条件を提示し慰留した。（　）→（　）

4 容姿淡麗、学力優秀で、正に才色兼備と褒めそやす。（　）→（　）

5 家庭科の実習で綿布に型紙を当て深重に裁断し手提げ袋を作った。（　）→（　）

8 **次の——線のカタカナを漢字と送りがな（ひらがな）に直せ。**（各2×5＝10点）

1 洗濯物がなかなか**カワカ**ない。（　　）

2 **タノモシイ**発言が飛び出した。（　　）

3 委員長から**クワシイ**報告があります。（　　）

4 太陽が雲に**カクレ**た。（　　）

5 彼にはいつも**オドロカサ**れる。（　　）

9 **次の——線のカタカナを漢字に直せ。**（各2×25＝50点）

1 **ニュウワ**な笑みを浮かべている。（　　）

2 水が**ス**んだ小川にメダカが泳ぐ。（　　）

3 力が**イタ**らず申し訳ない。（　　）

4 久しぶりの再会に会話が**ハズ**んだ。（　　）

5 すぐに現場の状況を**ハアク**した。（　　）

6 会議への出席を**キョヒ**された。（　　）

7 初対面の人に**メイシ**を渡す。（　　）

8 取り**アツカ**い説明書を熟読する。（　　）

9 新聞記事が真実の**カクシン**に迫る。（　　）

10 仕事を一度振り出しに**モド**す。（　　）

11 叔母に**キンキョウ**報告の電話をかける。（　　）

12 住民活動の**キョテン**を整備する。（　　）

13 困難でも果敢に**チョウセン**する。（　　）

14 突然**ホコサキ**を向けられた。（　　）

15 名簿に**キサイ**の電話番号を書き直す。（　　）

16 **キョウサク**で農民が落胆した。（　　）

17 風邪の初期**ショウジョウ**が現れる。（　　）

18 **キョウケン**病の予防注射を受けさせる。（　　）

19 故郷の**ゾウニ**はしょうゆ味です。（　　）

20 物理学の**キソ**を先生から学ぶ。（　　）

21 信頼回復のための**チカ**いを立てる。（　　）

22 世界各地で**ナイフン**が絶えない。（　　）

23 **タイネツ**ガラスを使って調理する。（　　）

24 母校の野球チームを**オウエン**する。（　　）

25 **ハクシン**の演技が客を魅了した。（　　）

第1回 模擬試験 標準解答

1 読み 各1点(30)

1 かいぼう
2 はか
3 ひそう
4 かっぱ
5 へいはつ
6 みが
7 ちゆ
8 なかす
9 せんりゅう
10 きゅうしん
11 せいりょう
12 すいせん
13 ちょうぼう
14 ぜんぞう
15 けいしょう
16 やなぎ
17 はんか
18 じょうか
19 いっしょ
20 せんせい
21 じゅしん
22 せん
23 しょうがい
24 ぎたい
25 ちんたい
26 まかな
27 いっ
28 りゅうじん
29 せんりつ
30 ちょうえき

2 部首 各1点(10)

1 冫
2 一
3 爫
4 田
5 口
6 衣
7 日
8 口
9 木
10 虫

3 熟語の構成 各2点(20)

1 イ
2 イ
3 イ
4 オ
5 ア
6 イ
7 ウ
8 エ
9 エ
10 ウ

4 四字熟語

問1 各2点(20)

1 即
2 柔
3 霧
4 試
5 吐
6 網
7 騒
8 福
9 髪
10 平

問2 各2点(10)

11 3
12 4
13 7
14 5
15 10

5 対義語・類義語 各2点(20)

1 放任
2 派遣
3 答申
4 簡略
5 反抗
6 抜群
7 安眠
8 丹念
9 追憶
10 匹敵

6 同音・同訓異字 各2点(20)

1 蛇
2 惰
3 涯
4 概
5 壊
6 縄
7 謙
8 嫌
9 振
10 踏

7 誤字訂正 各2点(10)

1 応→往
2 局→極
3 集→収
4 較→革
5 証→称

8 送りがな 各2点(10)

1 蓄え
2 壊し
3 傾ける
4 及ぼす
5 恥じる

9 書き取り 各2点(50)

1 繰
2 畳
3 偉
4 暗黙
5 和
6 遅刻
7 詰
8 頑固
9 発端
10 露骨
11 遠征
12 粒子
13 販売
14 水筒
15 致命
16 羅列
17 誉
18 矯正
19 鋭利
20 肖像
21 砕
22 福祉
23 腐敗
24 鮮度
25 号泣

第2回 模擬試験 標準解答

1 読み
各1点(30)

1 えんしょう
2 はいおく
3 らしんばん
4 ちゅうすう
5 けんきょ
6 てってい
7 ゆうちょう
8 もんしん
9 わずら
10 かんりょう
11 ひけん
12 さるぢえ
13 ゆうしょう
14 せいは
15 すぶた
16 そうさ
17 のうり
18 なごり
19 うじがみ
20 ひがた
21 けっかん
22 さしょう
23 むきゅう
24 かんしょう
25 さいせき
26 ただ
27 たいだ
28 ほんぽう
29 とうせき
30 しょうこ

2 部首
各1点(10)

1 口
2 彡
3 糸
4 穴
5 小
6 斉
7 亠
8 二
9 甘
10 自

3 熟語の構成
各2点(20)

1 エ
2 イ
3 ウ
4 イ
5 ウ
6 イ
7 エ
8 ア
9 ア
10 エ

4 四字熟語

問1
各2点(20)

1 折
2 御
3 羊
4 暮
5 罰
6 紫
7 鬼
8 枯
9 離
10 豪

問2
各2点(10)

11 8
12 3
13 5
14 9
15 2

5 対義語・類義語
各2点(20)

1 美麗
2 低俗
3 丁重
4 混乱
5 祝賀
6 互角
7 激怒
8 是認
9 考慮
10 尋常

6 同音・同訓異字
各2点(20)

1 朴
2 僕
3 賠
4 培
5 偵
6 締
7 紡
8 剖
9 飢
10 浮

7 誤字訂正
各2点(10)

1 専→占
2 講→稿
3 公→更
4 淡→端
5 深→慎

8 送りがな
各2点(10)

1 乾か
2 頼もしい
3 詳しい
4 隠れ
5 驚かさ

9 書き取り
各2点(50)

1 柔和
2 澄
3 至
4 弾
5 把握
6 拒否
7 名刺
8 扱
9 核心
10 戻
11 近況
12 拠点
13 挑戦
14 矛先
15 記載
16 凶作
17 症状
18 狂犬
19 雑煮
20 基礎
21 誓
22 内紛
23 耐熱
24 応援
25 迫真

間違えやすい漢字

試験で間違いが多発している漢字を紹介します。
間違えるポイントをおさえ、セットで覚えましょう。

【参考文献】『角川新字源 改訂新版』KADOKAWA、『漢字源 改訂第六版』学研プラス

書き間違い（字形）

褐 vs 渇

渇には、水がなくなるという字義がある。「渇《かわ》く」などが出題されている。
一方、褐には焦げ茶色という字義がある。「褐色《かっしょく》」などが出題されている。

書き間違い（字形）

斎 vs 斉

斉には、そろう、等しいという字義がある。「一斉《いっせい》」、「斉唱《せいしょう》」などが出題されている。
斎には、部屋、慎むという字義がある。「書斎《しょさい》」、「斎場《さいじょう》」などが出題されている。

書き間違い（字形）

頒 vs 煩

煩には、わずらう、うるさいという字義がある。「煩忙《はんぼう》」、「煩雑《はんざつ》」などが出題されている。
頒には、分ける、広く行き渡らせるという字義がある。「頒布《はんぷ》」、「頒価《はんか》」などが出題されている。

書き間違い（字形）

凹 vs 凸

凸には、突き出ているという字義がある。一方、凹には、くぼむ、へこむという字義がある。両方の字を使って「凸凹《でこぼこ》」、「凹凸《おうとつ》」などが出題されている。

書き間違い（字形）

粗 vs 祖

祖には、先祖という字義がある。「祖父《そふ》」、「祖母《そぼ》」などが出題されている。
粗には、あらい、ほぼという字義がある。「粗雑《そざつ》」、「粗略《そりゃく》」などが出題されている。

書き間違い（字形）

撲 vs 僕

僕には、しもべという字義がある。「公僕《こうぼく》」などが出題されている。
撲には、うつ、たたくという字義がある。「打撲《だぼく》」、「撲滅《ぼくめつ》」などが出題されている。

書き間違い（字形）

謙 vs 嫌

嫌には、きらう、疑うという字義がある。「嫌気《いやけ》」、「嫌疑《けんぎ》」などが出題されている。
謙には、へりくだる、うやうやしいという字義がある。「謙虚《けんきょ》」「謙譲《けんじょう》」などが出題されている。

書き間違い（字形）

挑 vs 眺

眺には、ながめるという字義がある。「眺望《ちょうぼう》」、「眺《なが》める」などが出題されている。
挑には、いどむという字義がある。「挑戦《ちょうせん》」、「挑発《ちょうはつ》」などが出題されている。

書き間違い（字形）

謄 vs 騰

騰には、あがるという字義がある。「沸騰《ふっとう》」、「高騰《こうとう》」などが出題されている。
謄には、書き写すという字義がある。「(戸籍）謄本《とうほん》」などが出題されている。戸籍謄本とは、戸籍の内容を全て写し取った文章のこと。

書き間違い（字形）

師 vs 帥

帥には、率いる、かしらという字義がある。「総帥《そうすい》」などが出題されている。

師には、先生という字義がある。「恩師《おんし》」、「教師《きょうし》」などが出題されている。

書き間違い（同訓）

危 vs 怪

怪には、信用できない、化け物という字義がある。「人を怪《あや》しむ」などが出題されている。

危には、あぶないという字義がある。「危《あや》ういところ」などが出題されている。

書き間違い（同訓）

乾 vs 渇

渇には、のどがかわく、水が無くなるという字義がある。「のどの渇《かわ》きを癒やす」などが出題されている。

乾には、干す、かわかすという字義がある。「服を外で乾《かわ》かす」などが出題されている。

部首の間違い

斤 vs 凡

凡の部首は几（つくえ）、斤の部首は斤（きん）。両方とも、点を無くしたものが部首となっている。

書き間違い（字形）

栽 vs 裁

裁には、様子、服を仕立てるという字義がある。「体裁《ていさい》」、「裁断《さいだん》」などが出題されている。

栽には、植えるという字義がある。「栽培《さいばい》」、「盆栽《ぼんさい》」などが出題されている。

書き間違い（同訓）

沿 vs 添

添には、付け加えるという字義がある。「焼き魚に大根おろしを添《そ》える」などが出題されている。

沿には、長く続いているものに寄りそうという字義がある。「川に沿《そ》って進む」などが出題されている。

部首の間違い

夢 vs 薫

薫の部首は艹（くさかんむり）、夢の部首は夕（た・ゆうべ）。薫には、香草の名の意味も含まれており草木に関連する。

一方、夢には「ゆめ」の意味が含まれていて、夜（夕方）に関連している。

部首の間違い

秀 vs 委

委の部首は女（おんな）、秀の部首は禾（のぎ）。

委は、女が従う様子に成り立ちの由来があり、ゆだねるという意味。

秀は、イネ（禾）が伸びる様子からきていて、ひいでるという意味につながっている。

書き間違い（同訓）

供 vs 備

備には、用意するという字義がある。「豪雨に備《そな》える」などが出題されている。

供には、神仏にささげるという字義がある。「霊前に供《そな》える」などが出題されている。

書き間違い（同訓）

狩 vs 刈

刈には、草をかるという字義がある。「庭木を刈《か》る」などが出題されている。

狩には、鳥獣などを捕らえるという字義がある。「山野で狩《か》りをする」などが出題されている。

部首の間違い

磨 vs 麻

麻の部首は麻（あさ）、磨の部首は石（いし）。

麻に石が加わった磨には、みがく・とぐの意味があり、麻よりも石の方に強く関連している。

部首の間違い

辱 vs 唇

唇の部首は口（くち）、辱の部首は辰（しんのたつ）。

唇は「くちびる」と読むように、口に関連する。

辱は、辰は農具、寸は手を表し、手に農具を持って草を刈るという由来がある。

準2級新出配当漢字一覧

配当漢字を部首ごとにまとめ、過去に出題された用例を頻出順にのせています。色がついている漢字は、試験によく出る漢字です。

部首	漢字	頻出用例
一《いち》	且	且《か》つ
	丙	
二《に》	亜	亜流《ありゅう》・亜熱帯《あねったい》・白亜《はくあ》
亠《なべぶた けいさんかんむり》	享	享楽《きょうらく》・享受《きょうじゅ》・享有《きょうゆう》・享年《きょうねん》
	亭	亭主《ていしゅ》・料亭《りょうてい》
亻《にんべん》	偽	偽《いつわ》り・偽証《ぎしょう》・真偽《しんぎ》・偽造《ぎぞう》・偽装《ぎそう》・偽善《ぎぜん》
	傑	豪傑《ごうけつ》・傑出《けっしゅつ》・傑作《けっさく》・俊傑《しゅんけつ》・傑物《けつぶつ》
	侯	侯爵《こうしゃく》・王侯《おうこう》
	儒	儒教《じゅきょう》
	俊	俊敏《しゅんびん》・俊才《しゅんさい》・俊秀《しゅんしゅう》・俊傑《しゅんけつ》・俊足《しゅんそく》
	償	償《つぐな》う・賠償《ばいしょう》・償却《しょうきゃく》・弁償《べんしょう》・有償《ゆうしょう》・代償《だいしょう》

部首	漢字	頻出用例
	仙	仙境《せんきょう》・水仙《すいせん》
	但	但《ただ》し
	偵	偵察《ていさつ》・密偵《みってい》・探偵《たんてい》・内偵《ないてい》
	伯	伯仲《はくちゅう》・伯爵《はくしゃく》・伯父《おじ》
	侮	軽侮《けいぶ》・侮辱《ぶじょく》・侮《あなど》る
	併	併《あわ》せる・併記《へいき》・併読《へいどく》・合併《がっぺい》・併用《へいよう》・併設《へいせつ》
	偏	偏《かたよ》る・偏在《へんざい》・偏向《へんこう》・偏見《へんけん》・偏屈《へんくつ》・不偏《ふへん》
	俸	減俸《げんぽう》・年俸《ねんぽう》・俸給《ほうきゅう》
	僕	公僕《こうぼく》
	僚	同僚《どうりょう》・官僚《かんりょう》・閣僚《かくりょう》
	倫	倫理《りんり》・人倫《じんりん》

部首	漢字	頻出用例
𠆢《ひとやね》	傘	雨傘《あまがさ》・傘《かさ》・日傘《ひがさ》
儿《ひとあし にんにょう》	充	充満《じゅうまん》・拡充《かくじゅう》・充当《じゅうとう》・充実《じゅうじつ》・充血《じゅうけつ》・充足《じゅうそく》
冫《にすい》	准	批准《ひじゅん》
凵《うけばこ》	凹	
	凸	
刀《かたな》	刃	刃先《はさき》・刃《は》・刃物《はもの》
刂《りっとう》	剛	剛直《ごうちょく》・剛柔《ごうじゅう》・剛胆《ごうたん》・剛健《ごうけん》
	剰	剰余《じょうよ》・過剰《かじょう》・余剰《よじょう》
	剖	解剖《かいぼう》
力《ちから》	劾	弾劾《だんがい》
	勲	叙勲《じょくん》・勲功《くんこう》・勲章《くんしょう》・殊勲《しゅくん》

部首	漢字	頻出用例
	勅	勅使《ちょくし》
十《じゅう》	升	升目《ますめ》・升席《ますせき》
厂《がんだれ》	厄	厄介《やっかい》・厄《やく》・災厄《さいやく》
又《また》	叔	叔母《おば》・叔父《おじ》
	叙	叙景《じょけい》・叙勲《じょくん》・叙情《じょじょう》 叙述《じょじゅつ》・叙《じょ》する・自叙伝《じじょでん》
口《くち》	呉	呉服《ごふく》
	嗣	
	唇	唇《くちびる》
	喪	喪《も》・喪失《そうしつ》・得喪《とくそう》 喪中《もちゅう》・喪心《そうしん》
	呈	謹呈《きんてい》・露呈《ろてい》・呈《てい》する 献呈《けんてい》・贈呈《ぞうてい》
口《くちへん》	嚇	威嚇《いかく》

部首	漢字	頻出用例
	喝	喝破《かっぱ》・一喝《いっかつ》・恐喝《きょうかつ》
	吟	吟醸《ぎんじょう》・独吟《どくぎん》・吟詠《ぎんえい》 吟味《ぎんみ》
	唆	教唆《きょうさ》・示唆《しさ》
	唯	唯美《ゆいび》・唯一《ゆいいつ》
囗《くにがまえ》	囚	虜囚《りょしゅう》・幽囚《ゆうしゅう》・囚人《しゅうじん》
土《つち》	塾	私塾《しじゅく》・塾《じゅく》
	塑	塑像《そぞう》・可塑《かそ》・彫塑《ちょうそ》
	堕	堕落《だらく》
	塁	孤塁《こるい》・盗塁《とうるい》
土《つちへん》	垣	垣根《かきね》・人垣《ひとがき》
	堪	堪《た》える

部首	漢字	頻出用例
	壌	土壌《どじょう》
	塚	塚《つか》・貝塚《かいづか》
	坪	建坪《たてつぼ》・坪《つぼ》・坪庭《つぼにわ》
	培	栽培《さいばい》・培養《ばいよう》・培《つちか》う
	塀	塀《へい》・土塀《どべい》
	堀	堀《ほり》
士《さむらい》	壮	壮健《そうけん》・壮大《そうだい》・勇壮《ゆうそう》 壮快《そうかい》・壮行《そうこう》・悲壮《ひそう》
大《だい》	奨	勧奨《かんしょう》・奨学《しょうがく》・推奨《すいしょう》 奨励《しょうれい》
	奔	奔放《ほんぽう》・奔走《ほんそう》・奔流《ほんりゅう》
女《おんな》	妥	妥当《だとう》・妥協《だきょう》・妥結《だけつ》
	妄	迷妄《めいもう》・妄信《もうしん》・妄想《もうそう》 妄言《もうげん》

部首	漢字	頻出用例
女《おんなへん》	姻	婚姻《こんいん》
	嫌	嫌《いや》な・毛嫌《けぎら》い・嫌疑《けんぎ》・機嫌《きげん》
	娠	妊娠《にんしん》
	嫡	
	妊	妊婦《にんぷ》・妊娠《にんしん》
	媒	媒介《ばいかい》・媒体《ばいたい》・媒酌《ばいしゃく》・触媒《しょくばい》
	妃	王妃《おうひ》・妃殿下《ひでんか》
宀《うかんむり》	寡	寡黙《かもく》・寡少《かしょう》・衆寡《しゅうか》・多寡《たか》・寡占《かせん》・寡聞《かぶん》
	寛	寛厳《かんげん》・寛容《かんよう》・寛大《かんだい》
	宜	適宜《てきぎ》・便宜《べんぎ》・時宜《じぎ》
	宰	主宰《しゅさい》・宰相《さいしょう》
	宵	宵《よい》
	寧	安寧《あんねい》・丁寧《ていねい》
	寮	入寮《にゅうりょう》・寮《りょう》・寮生《りょうせい》・寮生活《りょうせいかつ》・寮母《りょうぼ》
寸《すん》	尉	大尉《たいい》
⺌《しょう》	尚	尚早《しょうそう》・高尚《こうしょう》・尚《なお》
尸《かばね しかばね》	尼	尼《あま》・尼寺《あまでら》
	履	履《は》く・履歴《りれき》・履修《りしゅう》・履行《りこう》
屮《てつ》	屯	駐屯《ちゅうとん》
山《やま》	崇	崇拝《すうはい》・崇敬《すうけい》・崇仏《すうぶつ》・崇高《すうこう》
山《やまへん》	岬	岬《みさき》
巾《はば》	帥	総帥《そうすい》
	幣	紙幣《しへい》・造幣《ぞうへい》
广《まだれ》	庶	庶務《しょむ》・庶民《しょみん》
	廃	廃《すた》れる・興廃《こうはい》・存廃《そんぱい》・全廃《ぜんぱい》・廃刊《はいかん》・廃屋《はいおく》
	庸	凡庸《ぼんよう》・中庸《ちゅうよう》
廴《えんにょう》	廷	出廷《しゅってい》・開廷《かいてい》・宮廷《きゅうてい》・退廷《たいてい》・朝廷《ちょうてい》・閉廷《へいてい》
廾《こまぬき にじゅうあし》	弊	弊風《へいふう》・疲弊《ひへい》・弊社《へいしゃ》・弊害《へいがい》・旧弊《きゅうへい》・語弊《ごへい》
弓《ゆみ》	弔	弔《とむら》う・慶弔《けいちょう》・弔慰《ちょうい》・弔辞《ちょうじ》・弔電《ちょうでん》
弓《ゆみへん》	弦	下弦《かげん》・管弦《かんげん》・弦楽《げんがく》
彡《さんづくり》	彰	表彰《ひょうしょう》
彳《ぎょうにんべん》	循	循環《じゅんかん》・循環器《じゅんかんき》・因循《いんじゅん》
	徹	徹夜《てつや》・徹《てっ》する・貫徹《かんてつ》・冷徹《れいてつ》・徹底《てってい》

部首	漢字	頻出用例
心《こころ》	患	疾患《しっかん》・急患《きゅうかん》・患部《かんぶ》 患《わずら》う
	慶	慶弔《けいちょう》・同慶《どうけい》・慶事《けいじ》 慶賀《けいが》・慶祝《けいしゅく》
	懸	命《いのち》懸《が》け・懸命《けんめい》・懸賞《けんしょう》 懸案《けんあん》・懸《か》ける
	懇	懇談《こんだん》・懇請《こんせい》・懇願《こんがん》 懇親《こんしん》・懇々《こんこん》・懇意《こんい》
	愁	憂愁《ゆうしゅう》・旅愁《りょしゅう》・哀愁《あいしゅう》 愁嘆場《しゅうたんば》・郷愁《きょうしゅう》・愁傷《しゅうしょう》
	懲	懲《こ》りる・懲戒《ちょうかい》・性懲《しょうこ》りもなく・懲悪《ちょうあく》・懲罰《ちょうばつ》・懲役《ちょうえき》
	忍	忍《しの》ぶ・忍苦《にんく》・忍耐《にんたい》 残忍《ざんにん》
	悠	悠久《ゆうきゅう》・悠長《ゆうちょう》・悠々《ゆうゆう》 悠然《ゆうぜん》
忄《りっしんべん》	懐	懐古《かいこ》・懐郷《かいきょう》・懐柔《かいじゅう》 懐中《かいちゅう》・懐石《かいせき》・本懐《ほんかい》
	憾	遺憾《いかん》
	惰	惰眠《だみん》・怠惰《たいだ》・惰弱《だじゃく》 惰性《だせい》・惰力《だりょく》
	悼	哀悼《あいとう》・追悼《ついとう》
	憤	義憤《ぎふん》・憤慨《ふんがい》・憤激《ふんげき》 発憤《はっぷん》・憤然《ふんぜん》
	愉	愉悦《ゆえつ》・愉快《ゆかい》
小《したごころ》	恭	恭順《きょうじゅん》・恭賀《きょうが》
戸《とだれ とかんむり》	扉	扉《とびら》・扉絵《とびらえ》
	戻	戻《もど》る・後戻《あともど》り
手《て》	摩	摩滅《まめつ》・摩擦《まさつ》・摩天楼《まてんろう》 摩耗《まもう》
扌《てへん》	拐	誘拐《ゆうかい》
	括	一括《いっかつ》・概括《がいかつ》・統括《とうかつ》 総括《そうかつ》・包括《ほうかつ》・括弧《かっこ》
	擬	模擬《もぎ》・擬似《ぎじ》・擬態《ぎたい》 擬人《ぎじん》・擬音《ぎおん》
	拒	拒《こば》む・拒否《きょひ》・拒絶《きょぜつ》
	挟	挟《はさ》む
	拷	拷問《ごうもん》
	抄	抄訳《しょうやく》・抄本《しょうほん》
	据	据《す》える・見据《みす》える
	拙	巧拙《こうせつ》・拙劣《せつれつ》・稚拙《ちせつ》 拙宅《せったく》・拙《つたな》い・拙速《せっそく》
	捜	捜《さが》す・捜査《そうさ》・捜索《そうさく》
	挿	挿《さ》す・挿入《そうにゅう》
	挑	挑《いど》む・挑戦《ちょうせん》・挑発《ちょうはつ》
	撤	撤兵《てっぺい》・撤退《てったい》・撤廃《てっぱい》 撤回《てっかい》・撤去《てっきょ》・撤収《てっしゅう》
	搭	搭乗《とうじょう》・搭載《とうさい》
	把	把握《はあく》・大雑把《おおざっぱ》

部首	漢字	頻出用例
	披	披見《ひけん》・披露《ひろう》
	扶	扶養《ふよう》・扶助《ふじょ》
	撲	打撲《だぼく》・相撲《すもう》・撲滅《ぼくめつ》
	抹	抹茶《まっちゃ》・抹消《まっしょう》・一抹《いちまつ》
方《ほうへん かたへん》	旋	旋回《せんかい》・旋風《せんぷう》・旋律《せんりつ》 周旋《しゅうせん》
日《ひ》	昆	昆布《こんぶ》
日《ひへん》	暁	暁《あかつき》
曰《ひらび いわく》	曹	重曹《じゅうそう》
月《つきへん》	朕	
木《き》	栽	栽培《さいばい》・盆栽《ぼんさい》
木《きへん》	核	核心《かくしん》・核《かく》・中核《ちゅうかく》 結核《けっかく》

部首	漢字	頻出用例
	棺	
	桟	桟道《さんどう》・桟橋《さんばし》
	枢	枢要《すうよう》・中枢《ちゅうすう》
	杉	杉並木《すぎなみき》・杉《すぎ》・縄文杉《じょうもんすぎ》
	析	分析《ぶんせき》・解析《かいせき》・透析《とうせき》
	栓	栓《せん》・消火栓《しょうかせん》
	槽	浴槽《よくそう》・水槽《すいそう》
	棚	棚卸《たなおろ》し・棚田《たなだ》・戸棚《とだな》 網棚《あみだな》・棚《たな》・棚上《たなあ》げ
	棟	棟上《むねあ》げ・上棟《じょうとう》・病棟《びょうとう》 棟《むね》・別棟《べつむね》
	朴	質朴《しつぼく》・純朴《じゅんぼく》・素朴《そぼく》
	柳	柳《やなぎ》・川柳《せんりゅう》

部首	漢字	頻出用例
	枠	大枠《おおわく》・窓枠《まどわく》・別枠《べつわく》 枠《わく》・枠組《わくぐ》み
欠《あくび かける》	款	定款《ていかん》・落款《らっかん》・約款《やっかん》
歹《かばねへん いちたへん・がつへん》	殉	殉職《じゅんしょく》・殉教《じゅんきょう》・殉難《じゅんなん》
殳《るまた ほこづくり》	殻	殻《から》・地殻《ちかく》・甲殻《こうかく》 甲殻類《こうかくるい》・卵殻《らんかく》
氵《さんずい》	浦	浦風《うらかぜ》・浦《うら》
	渦	渦潮《うずしお》・渦巻《うずま》き・渦《うず》
	涯	生涯《しょうがい》・境涯《きょうがい》
	渇	渇《かわ》く
	渓	渓谷《けいこく》・渓流《けいりゅう》・雪渓《せっけい》 渓声《けいせい》
	江	江《え》
	洪	洪水《こうずい》・洪積《こうせき》

部首	漢字	頻出用例
	溝	溝《みぞ》・海溝《かいこう》・側溝《そっこう》
	漆	漆黒《しっこく》・漆塗《うるしぬ》り・漆《うるし》 漆器《しっき》
	汁	汁粉《しるこ》・墨汁《ぼくじゅう》・苦汁《くじゅう》 汁《しる》・果汁《かじゅう》・青汁《あおじる》
	渋	渋《しぶ》い・渋皮《しぶかわ》・茶渋《ちゃしぶ》 渋々《しぶしぶ》・渋滞《じゅうたい》・難渋《なんじゅう》
	淑	淑女《しゅくじょ》・私淑《ししゅく》
	渉	干渉《かんしょう》・渉外《しょうがい》・交渉《こうしょう》
	浄	浄水《じょうすい》・浄財《じょうざい》・自浄《じじょう》 不浄《ふじょう》・洗浄《せんじょう》・浄化《じょうか》
	津	
	漸	漸進《ぜんしん》・漸増《ぜんぞう》・漸次《ぜんじ》
	濯	洗濯《せんたく》
	漬	漬《つ》ける・塩漬《しおづ》け 茶漬《ちゃづ》け
	泥	泥沼《どろぬま》・泥縄《どろなわ》・泥《どろ》
	洞	洞穴《ほらあな》・洞《ほら》・洞察《どうさつ》 空洞《くうどう》
	漠	広漠《こうばく》・漠然《ばくぜん》・空漠《くうばく》
	沸	沸《わ》く・沸々《ふつふつ》・沸点《ふってん》 沸騰《ふっとう》
	泡	泡《あわ》・発泡《はっぽう》・泡立《あわだ》つ 一泡《ひとあわ》・気泡《きほう》・水泡《すいほう》
	涼	涼《すず》しい・納涼《のうりょう》・夕涼《ゆうすず》み 秋涼《しゅうりょう》・清涼《せいりょう》・荒涼《こうりょう》
氺《したみず》	泰	泰斗《たいと》・安泰《あんたい》・泰然《たいぜん》
火《ひへん》	煩	煩《わずら》う・煩忙《はんぼう》・煩雑《はんざつ》
爫《つめかんむり つめがしら》	爵	爵位《しゃくい》・侯爵《こうしゃく》・伯爵《はくしゃく》
犬《いぬ》	献	献身《けんしん》・貢献《こうけん》・献杯《けんぱい》 文献《ぶんけん》・献血《けんけつ》・献立《こんだて》
犭《けものへん》	猿	犬猿《けんえん》・猿《さる》・猿知恵《さるぢえ》 猿芝居《さるしばい》
	猫	猫背《ねこぜ》・猫舌《ねこじた》・猫《ねこ》
	猶	猶予《ゆうよ》
玉《たま》	璽	
王《おう》	琴	琴《こと》・琴線《きんせん》・木琴《もっきん》
𤣩《おうへん たまへん》	珠	珠玉《しゅぎょく》・珠算《しゅざん》・真珠《しんじゅ》
瓦《かわら》	瓶	鉄瓶《てつびん》・花瓶《かびん》
甘《かん あまい》	甚	甚《はなは》だしい
田《た》	畝	畝《うね》
⺪《ひきへん》	疎	親疎《しんそ》・疎密《そみつ》・疎通《そつう》 疎略《そりゃく》・空疎《くうそ》・疎遠《そえん》
疒《やまいだれ》	疫	検疫《けんえき》・防疫《ぼうえき》・免疫《めんえき》 疫病《えきびょう》・悪疫《あくえき》
	症	症状《しょうじょう》・炎症《えんしょう》・症例《しょうれい》 軽症《けいしょう》・発症《はっしょう》

部首	漢字	頻出用例
	痴	愚痴《ぐち》・痴態《ちたい》・音痴《おんち》
	癒	治癒《ちゆ》・快癒《かいゆ》・癒着《ゆちゃく》 平癒《へいゆ》・癒《い》える
	痢	下痢《げり》・疫痢《えきり》・赤痢《せきり》
目《め》	督	督促《とくそく》・監督《かんとく》
	盲	盲点《もうてん》・盲導犬《もうどうけん》・盲従《もうじゅう》
目《めへん》	睡	睡眠《すいみん》・熟睡《じゅくすい》・睡魔《すいま》 午睡《ごすい》
	眺	眺《なが》める・眺望《ちょうぼう》
矢《やへん》	矯	矯正《きょうせい》・矯《た》める
石《いし》	碁	囲碁《いご》・碁石《ごいし》・碁盤《ごばん》
	磨	研磨《けんま》・磨《みが》く・磨耗《まもう》 錬磨《れんま》
石《いしへん》	砕	砕《くだ》ける・粉砕《ふんさい》・砕石《さいせき》 破砕《はさい》

部首	漢字	頻出用例
	硝	硝煙《しょうえん》
	礁	座礁《ざしょう》・暗礁《あんしょう》・岩礁《がんしょう》 環礁《かんしょう》
	硫	硫酸《りゅうさん》・硫黄《いおう》
ネ《しめすへん》	禍	災禍《さいか》・禍福《かふく》・禍根《かこん》 惨禍《さんか》・筆禍《ひっか》・舌禍《ぜっか》
	祥	発祥《はっしょう》・不祥《ふしょう》・不祥事《ふしょうじ》
	禅	座禅《ざぜん》・禅問答《ぜんもんどう》・禅譲《ぜんじょう》 禅宗《ぜんしゅう》
禾《のぎへん》	稼	稼《かせ》ぐ
	租	免租《めんそ》・租借《そしゃく》・租借地《そしゃくち》 租税《そぜい》
	秩	秩序《ちつじょ》
穴《あなかんむり》	窮	窮《きゅう》する・窮地《きゅうち》・困窮《こんきゅう》 窮迫《きゅうはく》・無窮《むきゅう》・窮屈《きゅうくつ》
	窃	窃盗《せっとう》

部首	漢字	頻出用例
	窯	窯《かま》・窯出《かまだ》し・窯元《かまもと》 石窯《いしがま》
竹《たけかんむり》	筒	筒抜《つつぬ》け・筒先《つつさき》・筒《つつ》 水筒《すいとう》・封筒《ふうとう》
米《こめへん》	粧	化粧《けしょう》
糸《いと》	繭	繭《まゆ》
	索	検索《けんさく》・探索《たんさく》・捜索《そうさく》 思索《しさく》・模索《もさく》・索引《さくいん》
	累	累積《るいせき》・係累《けいるい》・累計《るいけい》
糸《いとへん》	糾	紛糾《ふんきゅう》・糾弾《きゅうだん》
	緒	緒論《しょろん》・鼻緒《はなお》・内緒《ないしょ》 情緒《じょうちょ》・一緒《いっしょ》
	紳	紳士《しんし》
	繊	繊毛《せんもう》・繊細《せんさい》・繊維《せんい》
	紡	紡績《ぼうせき》・混紡《こんぼう》・紡《つむ》ぐ

部首	漢字	頻出用例
缶《ほとぎ》	缶	缶《かん》
罒《あみがしら あみめ・よこめ》	罷	罷業《ひぎょう》・罷免《ひめん》
	羅	羅列《られつ》・網羅《もうら》・羅針盤《らしんばん》 甲羅《こうら》・修羅場《しゅらば》
羽《はね》	翁	
耒《すきへん らいすき》	耗	消耗《しょうもう》・磨耗《まもう》
聿《ふでづくり》	粛	静粛《せいしゅく》・自粛《じしゅく》・粛清《しゅくせい》 粛々《しゅくしゅく》・粛然《しゅくぜん》・厳粛《げんしゅく》
肉《にく》	肯	肯定《こうてい》・首肯《しゅこう》
	肖	不肖《ふしょう》・肖像《しょうぞう》
月《にくづき》	肢	下肢《かし》・四肢《しし》・選択肢《せんたくし》 肢体《したい》
	肌	肌荒れ《はだあ》・肌合い《はだあ》・肌着《はだぎ》 山肌《やまはだ》・肌《はだ》・一肌《ひとはだ》
自《みずから》	臭	臭い《くさ》・腐臭《ふしゅう》・生臭い《なまぐさ》 臭気《しゅうき》・異臭《いしゅう》・消臭《しょうしゅう》

部首	漢字	頻出用例
舟《ふねへん》	艦	艦艇《かんてい》・艦長《かんちょう》・艦隊《かんたい》
	艇	艦艇《かんてい》・競艇《きょうてい》
	舶	船舶《せんぱく》・舶来《はくらい》
艹《くさかんむり》	菌	抗菌《こうきん》・雑菌《ざっきん》・滅菌《めっきん》 殺菌《さっきん》・細菌《さいきん》・無菌《むきん》
	薫	薫《かお》る
	茎	茎《くき》・歯茎《はぐき》・地下茎《ちかけい》
	薦	自薦《じせん》・薦《すす》める・推薦《すいせん》
	荘	山荘《さんそう》・別荘《べっそう》・荘重《そうちょう》
	藻	藻《も》・海藻《かいそう》・藻類《そうるい》
虍《とらがしら とらかんむり》	虞	虞《おそれ》
	虜	虜囚《りょしゅう》・捕虜《ほりょ》

部首	漢字	頻出用例
虫《むし》	蛍	蛍《ほたる》・蛍雪《けいせつ》・蛍光《けいこう》 蛍光灯《けいこうとう》
	融	融解《ゆうかい》・融資《ゆうし》・融和《ゆうわ》 融合《ゆうごう》・融通《ゆうずう》・金融《きんゆう》
虫《むしへん》	蚊	蚊柱《かばしら》・蚊《か》
	蛇	蛇《へび》・長蛇《ちょうだ》・蛇腹《じゃばら》 蛇口《じゃぐち》・蛇足《だそく》
行《ぎょうがまえ ゆきがまえ》	衡	均衡《きんこう》・平衡《へいこう》・度量衡《どりょうこう》
衣《ころも》	衷	折衷《せっちゅう》・苦衷《くちゅう》・衷心《ちゅうしん》
	褒	褒《ほ》める
衤《ころもへん》	褐	褐色《かっしょく》
	襟	襟首《えりくび》・襟足《えりあし》・襟《えり》 襟元《えりもと》
	裕	富裕《ふゆう》・余裕《よゆう》
襾《おおいかんむり》	覇	争覇《そうは》・覇業《はぎょう》・覇気《はき》 覇権《はけん》・制覇《せいは》・覇者《はしゃ》

部首	漢字	頻出用例
言《げん》	誓	誓《ちか》う・宣誓《せんせい》・誓約《せいやく》・誓詞《せいし》
	謄	謄本《とうほん》
言《ごんべん》	謁	謁見《えっけん》・拝謁《はいえつ》
	謹	謹《つつし》む・謹呈《きんてい》・謹慎《きんしん》・謹厳《きんげん》・謹聴《きんちょう》・謹製《きんせい》
	謙	謙虚《けんきょ》・謙譲《けんじょう》
	詐	詐称《さしょう》・詐欺《さぎ》
	訟	訴訟《そしょう》
	詔	
	診	診《み》る・診療《しんりょう》・問診《もんしん》・休診《きゅうしん》・誤診《ごしん》・受診《じゅしん》
	譜	楽譜《がくふ》・系譜《けいふ》・譜面《ふめん》・採譜《さいふ》・新譜《しんぷ》
	諭	諭《さと》す・教諭《きょうゆ》・説諭《せつゆ》・諭旨《ゆし》

部首	漢字	頻出用例
貝《かい こがい》	貢	貢献《こうけん》・年貢《ねんぐ》
	貞	
	賓	貴賓《きひん》・国賓《こくひん》・迎賓《げいひん》・主賓《しゅひん》・来賓《らいひん》・賓客《ひんきゃく》
貝《かいへん》	購	購入《こうにゅう》・購読《こうどく》・購買《こうばい》
	賜	賜《たまわ》る
	賠	賠償《ばいしょう》
	賄	賄《まかな》う・収賄《しゅうわい》・贈賄《ぞうわい》
⻊《あしへん》	践	実践《じっせん》
車《くるまへん》	轄	直轄《ちょっかつ》・統轄《とうかつ》・管轄《かんかつ》
	軟	硬軟《こうなん》・軟《やわ》らかい・柔軟《じゅうなん》・軟化《なんか》
⻌《しんにょう しんにゅう》	逸	逸脱《いつだつ》・安逸《あんいつ》・秀逸《しゅういつ》・逸品《いっぴん》・逸《いっ》する・逸話《いつわ》

部首	漢字	頻出用例
	還	還付《かんぷ》・往還《おうかん》・還元《かんげん》・奪還《だっかん》・帰還《きかん》・生還《せいかん》
	遮	遮《さえぎ》る・遮光《しゃこう》・遮断《しゃだん》・遮音《しゃおん》
	迅	迅速《じんそく》
	逝	急逝《きゅうせい》・逝去《せいきょ》
	遷	左遷《させん》・遷都《せんと》・変遷《へんせん》
	逐	逐次《ちくじ》・逐語訳《ちくごやく》・放逐《ほうちく》・駆逐《くちく》
	逓	逓増《ていぞう》・逓減《ていげん》
	迭	更迭《こうてつ》
	遍	普遍《ふへん》・満遍《まんべん》・遍在《へんざい》・遍路《へんろ》・遍歴《へんれき》
阝《おおざと》	邸	邸宅《ていたく》・公邸《こうてい》・別邸《べってい》・豪邸《ごうてい》・邸内《ていない》・官邸《かんてい》
酉《とりへん》	酷	酷評《こくひょう》・酷似《こくじ》・酷使《こくし》・酷《こく》な・過酷《かこく》

部首	漢字	頻出用例
	酢	酢豚《すぶた》・酢酸《さくさん》・酢《す》
	酌	媒酌《ばいしゃく》・酌量《しゃくりょう》・晩酌《ばんしゃく》・独酌《どくしゃく》
	酬	報酬《ほうしゅう》・応酬《おうしゅう》
	醜	醜《みにく》い・美醜《びしゅう》・醜態《しゅうたい》・醜聞《しゅうぶん》
	醸	吟醸《ぎんじょう》・醸成《じょうせい》・醸造《じょうぞう》
	酪	酪農《らくのう》
金《かねへん》	銃	銃創《じゅうそう》・猟銃《りょうじゅう》・銃撃《じゅうげき》・銃刀《じゅうとう》・銃声《じゅうせい》・銃弾《じゅうだん》
	釣	釣《つ》る
	鉢	火鉢《ひばち》・鉢《はち》・鉢巻《はちま》き
	銘	銘菓《めいか》・銘打《めいう》つ・感銘《かんめい》・銘《めい》ずる・銘柄《めいがら》
	鈴	鈴《すず》・予鈴《よれい》・風鈴《ふうりん》・鈴虫《すずむし》
門《もんがまえ》	閑	閑散《かんさん》・繁閑《はんかん》・等閑視《とうかんし》・閑却《かんきゃく》・安閑《あんかん》・森閑《しんかん》
	閥	派閥《はばつ》・財閥《ざいばつ》
阝《こざとへん》	陥	欠陥《けっかん》・陥《おちい》る・陥没《かんぼつ》・陥落《かんらく》
	隅	隅《すみ》・隅々《すみずみ》・片隅《かたすみ》
	附	附和雷同《ふわらいどう》
雨《あめかんむり》	霜	霜《しも》・霜降《しもふ》り・霜焼《しもや》け・霜柱《しもばしら》
	雰	雰囲気《ふんいき》
斉《せい》	斎	書斎《しょさい》・斎場《さいじょう》
	斉	一斉《いっせい》・斉唱《せいしょう》
革《かわへん》	靴	靴擦《くつず》れ・革靴《かわぐつ》・上靴《うわぐつ》・靴《くつ》・雨靴《あまぐつ》・長靴《ながぐつ》
音《おと》	韻	脚韻《きゃくいん》・余韻《よいん》・韻律《いんりつ》・韻《いん》
頁《おおがい》	頑	頑固《がんこ》・頑《がん》として・頑強《がんきょう》・頑健《がんけん》・頑丈《がんじょう》
	顕	隠顕《いんけん》・顕著《けんちょ》・顕在《けんざい》・露顕《ろけん》・顕示《けんじ》・顕微鏡《けんびきょう》
	頒	頒価《はんか》・頒布《はんぷ》
	頻	頻発《ひんぱつ》・頻度《ひんど》・頻出《ひんしゅつ》・頻繁《ひんぱん》
食《しょくへん》	飢	飢《う》える・飢餓《きが》
馬《うま》	騰	急騰《きゅうとう》・高騰《こうとう》・騰貴《とうき》・沸騰《ふっとう》・暴騰《ぼうとう》
馬《うまへん》	駄	駄文《だぶん》・駄弁《だべん》・駄賃《だちん》・駄菓子《だがし》・駄作《ださく》
竜《りゅう》	竜	竜神《りゅうじん》・竜巻《たつまき》・竜宮《りゅうぐう》・登竜門《とうりゅうもん》・恐竜《きょうりゅう》
麻《あさ》	麻	麻《あさ》・麻酔《ますい》・麻縄《あさなわ》・麻薬《まやく》

3級新出配当漢字一覧

配当漢字を部首ごとにまとめ、過去に出題された用例を頻出順にのせています。
色がついている漢字は、試験によく出る漢字です。

部首	漢字	頻出用例
丿 の はらいぼう	乏	窮乏《きゅうぼう》・乏《とぼ》しい・貧乏《びんぼう》 欠乏《けつぼう》
乙 おつ	乙	甲乙《こうおつ》・乙女《おとめ》
亅 はねぼう	**了**	未了《みりょう》・魅了《みりょう》・完了《かんりょう》 読了《どくりょう》・了承《りょうしょう》・終了《しゅうりょう》
亻 にんべん	佳	佳作《かさく》・佳境《かきょう》
	偶	偶然《ぐうぜん》・偶数《ぐうすう》
	倹	倹約《けんやく》
	債	負債《ふさい》
	催	催《もよお》す・主催《しゅさい》・開催《かいさい》 催促《さいそく》
	侍	侍《さむらい》
	伸	屈伸《くっしん》・伸《の》びる・伸縮《しんしゅく》 伸張《しんちょう》・伸長《しんちょう》
	促	督促《とくそく》・促進《そくしん》・促《うなが》す
	伐	殺伐《さつばつ》
	伴	同伴《どうはん》・伴奏《ばんそう》・伴《ともな》う
	伏	起伏《きふく》・伏《ふ》せる・潜伏《せんぷく》
	倣	倣《なら》う・模倣《もほう》
人 ひとやね	企	企《くわだ》てる・企業《きぎょう》・企画《きかく》 企図《きと》
儿 ひとあし にんにょう	**克**	相克《そうこく》・克己《こっき》・克己心《こっきしん》 克服《こくふく》
	免	罷免《ひめん》・免疫《めんえき》・任免《にんめん》 免租《めんそ》・免税《めんぜい》・免除《めんじょ》
冖 わかんむり	冠	栄冠《えいかん》・冠《かんむり》・王冠《おうかん》
	冗	冗漫《じょうまん》・冗長《じょうちょう》
冫 にすい	凝	凝《こ》る・凝固《ぎょうこ》
	凍	凍《こご》える・冷凍《れいとう》・凍《こお》る
刂 りっとう	刑	刑罰《けいばつ》・求刑《きゅうけい》・刑事《けいじ》
	削	添削《てんさく》・削《けず》る・削減《さくげん》 削除《さくじょ》
力 ちから	勘	勘定《かんじょう》・勘弁《かんべん》
	募	募金《ぼきん》・募集《ぼしゅう》・応募《おうぼ》 募《つの》る
	励	励《はげ》ます・奨励《しょうれい》・激励《げきれい》
匚 はこがまえ	匠	師匠《ししょう》
匸 かくしがまえ	匿	匿名《とくめい》・隠匿《いんとく》
十 じゅう	卓	卓越《たくえつ》・食卓《しょくたく》
	卑	尊卑《そんぴ》・卑下《ひげ》・卑屈《ひくつ》 卑近《ひきん》・卑劣《ひれつ》
卩 ふしづくり わりふ	**卸**	棚卸《たなおろ》し・卸《おろ》す
厂 がんだれ	厘	九分九厘《くぶくりん》

部首	漢字	頻出用例
又《また》	双	双方《そうほう》・双眼鏡《そうがんきょう》
	又	又聞《またぎ》き
口《くち》	哀	哀悼《あいとう》・哀愁《あいしゅう》・哀《あわ》れな
	吉	不吉《ふきつ》・吉報《きっぽう》
	啓	啓発《けいはつ》・啓示《けいじ》
	哲	変哲《へんてつ》・哲学《てつがく》
	吏	官吏《かんり》
口《くちへん》	喚	喚起《かんき》・召喚《しょうかん》
	喫	喫茶《きっさ》・喫煙《きつえん》・満喫《まんきつ》
	嘱	嘱託《しょくたく》
土《つち》	墾	開墾《かいこん》

部首	漢字	頻出用例
	墜	墜落《ついらく》
	塗	漆塗《うるしぬ》り・塗《ぬ》る・塗料《とりょう》・塗装《とそう》
	墨	墨汁《ぼくじゅう》・墨絵《すみえ》・墨《すみ》・墨守《ぼくしゅ》
土《つちへん》	塊	塊《かたまり》・金塊《きんかい》
	坑	
	壇	花壇《かだん》
	墳	古墳《こふん》
	埋	埋《う》める・埋蔵《まいぞう》・埋設《まいせつ》・穴埋《あなう》め
大《だい》	契	契約《けいやく》
	奪	奪還《だっかん》・奪《うば》う・強奪《ごうだつ》
	奉	奉納《ほうのう》・奉仕《ほうし》

部首	漢字	頻出用例
女《おんな》	婆	老婆《ろうば》
女《おんなへん》	嫁	嫁《とつ》ぐ・花嫁《はなよめ》
	娯	娯楽《ごらく》
	如	突如《とつじょ》・如才《じょさい》・躍如《やくじょ》
	嬢	令嬢《れいじょう》
	婿	花婿《はなむこ》
	姫	
	妨	妨《さまた》げる・妨害《ぼうがい》
子《こへん》	孤	孤塁《こるい》・孤立《こりつ》・孤独《こどく》・孤島《ことう》
	孔	
宀《うかんむり》	宴	宴会《えんかい》・祝宴《しゅくえん》

部首	漢字	頻出用例
寸《すん》	審	不審《ふしん》・審判《しんぱん》・審議《しんぎ》 再審《さいしん》
	寿	寿命《じゅみょう》・寿《ことぶき》
	封	封筒《ふうとう》・開封《かいふう》・封《ふう》じる 密封《みっぷう》
尸《かばね しかばね》	尿	
山《やま》	岳	山岳《さんがく》
	崩	雪崩《なだれ》・崩《くず》れる・崩落《ほうらく》
山《やまへん》	峡	海峡《かいきょう》・峡谷《きょうこく》
工《たくみへん》	巧	巧拙《こうせつ》・巧妙《こうみょう》・悪巧《わるだく》み
巾《はば》	帝	帝王《ていおう》
巾《はばへん きんべん》	帆	帆《ほ》・帆布《はんぷ》
幺《よう いとがしら》	幻	幻覚《げんかく》・幻想《げんそう》・幻《まぼろし》

部首	漢字	頻出用例
	幽	幽囚《ゆうしゅう》・幽閉《ゆうへい》・幽明《ゆうめい》 幽霊《ゆうれい》
广《まだれ》	廉	廉価《れんか》
	廊	廊下《ろうか》
弓《ゆみへん》	弧	括弧《かっこ》・弧《こ》
彡《さんづくり》	彫	彫塑《ちょうそ》・彫《ほ》る・彫刻《ちょうこく》
彳《ぎょうにんべん》	徐	
心《こころ》	慰	弔慰《ちょうい》・慰《なぐさ》める・慰労《いろう》
	忌	三回忌《さんかいき》
	愚	愚痴《ぐち》・愚《おろ》か・愚問《ぐもん》 暗愚《あんぐ》・賢愚《けんぐ》
	憩	憩《いこ》い・休憩《きゅうけい》
	慈	慈雨《じう》・慈悲《じひ》・慈善《じぜん》

部首	漢字	頻出用例
	怠	怠惰《たいだ》・怠《なま》ける・怠慢《たいまん》 怠《おこた》る
	憂	憂愁《ゆうしゅう》・憂慮《ゆうりょ》
忄《りっしんべん》	悦	愉悦《ゆえつ》・満悦《まんえつ》・悦《えつ》
	怪	怪奇《かいき》・怪盗《かいとう》・怪《あや》しい
	悔	悔《く》いる・後悔《こうかい》 悔《くや》しい
	慨	憤慨《ふんがい》・感慨《かんがい》
	悟	覚悟《かくご》・悟《さと》る
	慌	慌《あわ》ただしい
	恨	痛恨《つうこん》・遺恨《いこん》
	惜	惜《お》しむ・惜別《せきべつ》
	憎	憎《にく》しみ・心憎《こころにく》い

部首	漢字	頻出用例
小《したごころ》	慕	慕《した》う
戸《とだれ とかんむり》	房	冷房《れいぼう》・房《ふさ》
手《て》	掌	合掌《がっしょう》・車掌《しゃしょう》・掌中《しょうちゅう》
扌《てへん》	掛	掛《か》ける
	換	換算《かんさん》・変換《へんかん》・交換《こうかん》・転換《てんかん》・換気《かんき》
	掲	掲《かか》げる・掲載《けいさい》・掲示《けいじ》
	携	携《たずさ》わる・携帯《けいたい》
	拘	拘束《こうそく》
	控	控《ひか》える
	搾	乳搾《ちちしぼ》り
	撮	撮影《さつえい》・撮《と》る
	擦	靴擦《くつず》れ・擦《す》る・摩擦《まさつ》
	摂	摂取《せっしゅ》・摂生《せっせい》
	措	措置《そち》
	掃	掃《は》く・清掃《せいそう》
	択	選択《せんたく》・選択肢《せんたくし》・採択《さいたく》
	抽	抽出《ちゅうしゅつ》
	排	排斥《はいせき》・排除《はいじょ》・排気《はいき》
	揚	旗揚《はたあ》げ・抑揚《よくよう》・揚《あ》げる
	揺	揺《ゆ》れる・動揺《どうよう》
	擁	抱擁《ほうよう》
	抑	抑揚《よくよう》・抑圧《よくあつ》・抑制《よくせい》
攵《のぶん ぼくづくり》	敢	敢闘《かんとう》・勇敢《ゆうかん》・果敢《かかん》
斗《とます》	斗	泰斗《たいと》・北斗《ほくと》
斤《きん》	斤	
	斥	排斥《はいせき》
方《ほうへん かたへん》	施	施《ほどこ》す・実施《じっし》・施設《しせつ》
日《ひ》	暫	暫定《ざんてい》
	昇	上昇《じょうしょう》・昇進《しょうしん》
	晶	結晶《けっしょう》・液晶《えきしょう》
木《き》	架	架空《かくう》
	棄	廃棄《はいき》・放棄《ほうき》・棄権《きけん》
	桑	桑《くわ》

部首	漢字	頻出用例
	某	
木（きへん）	概	概括《がいかつ》・概念《がいねん》・概算《がいさん》
	棋	棋譜《きふ》
	楼	摩天楼《まてんろう》
欠（あくび・かける）	欧	欧米《おうべい》・欧州《おうしゅう》
	欺	欺《あざむ》く・詐欺《さぎ》
歹（かばねへん・いちたへん・がつへん）	殊	殊《こと》に・殊勲《しゅくん》・特殊《とくしゅ》 殊更《ことさら》
殳（るまた・ほこづくり）	殴	横殴《よこなぐ》り・殴《なぐ》る
氵（さんずい）	滑	滑《すべ》る・滑走路《かっそうろ》・円滑《えんかつ》 滑《なめ》らか
	湿	乾湿《かんしつ》・湿度《しつど》・湿布《しっぷ》 湿原《しつげん》・湿《しめ》る
	潤	潤《うるお》う・潤色《じゅんしょく》・潤沢《じゅんたく》

部首	漢字	頻出用例
	瀬	浅瀬《あさせ》
	潜	潜《ひそ》む・潜伏《せんぷく》・潜《もぐ》る 潜水艇《せんすいてい》・潜水《せんすい》
	滞	渋滞《じゅうたい》・滞《とどこお》る・滞在《たいざい》
	滝	滝《たき》
	泌	分泌《ぶんぴつ》
	漂	漂着《ひょうちゃく》・漂《ただよ》う・漂流《ひょうりゅう》
	没	陥没《かんぼつ》・出没《しゅつぼつ》・没収《ぼっしゅう》 没頭《ぼっとう》
	滅	点滅《てんめつ》・摩滅《まめつ》・明滅《めいめつ》 撲滅《ぼくめつ》・滅菌《めっきん》・滅《ほろ》びる
	濫	濫獲《らんかく》・濫用《らんよう》・濫造《らんぞう》
	浪	浪費《ろうひ》・放浪《ほうろう》・波浪《はろう》
	漏	漏《も》れる・雨漏《あまも》り 疎漏《そろう》

部首	漢字	頻出用例
	湾	湾曲《わんきょく》・湾岸《わんがん》
火（ひ）	炎	炎《ほのお》・炎症《えんしょう》・炎上《えんじょう》 炎天下《えんてんか》
火（ひへん）	炊	炊《た》く・炊事《すいじ》・雑炊《ぞうすい》
	炉	暖炉《だんろ》
灬（れんが・れっか）	焦	焦《こ》げる・焦点《しょうてん》
牛（うしへん）	犠	犠牲《ぎせい》
	牲	犠牲《ぎせい》
犭（けものへん）	獄	地獄《じごく》
	猟	猟銃《りょうじゅう》・狩猟《しゅりょう》・猟奇《りょうき》
田（た）	甲	甲殻《こうかく》・甲殻類《こうかくるい》・甲《こう》 甲羅《こうら》・甲乙《こうおつ》
	畜	家畜《かちく》

部首	漢字	頻出用例
田《たへん》	畔	湖畔《こはん》
疒《やまいだれ》	疾	疾患《しっかん》・疾走《しっそう》
	痘	
	癖	癖《くせ》
旡《なし・ぶ すでのつくり》	既	既《すで》に・既得権《きとくけん》
石《いしへん》	硬	硬軟《こうなん》・硬直《こうちょく》・硬貨《こうか》
	礎	基礎《きそ》
	碑	碑銘《ひめい》・句碑《くひ》・墓碑銘《ぼひめい》
ネ《しめすへん》	祉	福祉《ふくし》
禾《のぎへん》	穏	不穏《ふおん》・穏《おだ》やか・穏便《おんびん》
	穫	収穫《しゅうかく》

部首	漢字	頻出用例
	穂	穂《ほ》
	稚	稚拙《ちせつ》・幼稚《ようち》・稚魚《ちぎょ》
穴《あなかんむり》	窒	窒息《ちっそく》
竹《たけかんむり》	籍	国籍《こくせき》・書籍《しょせき》・移籍《いせき》
	篤	危篤《きとく》
	符	切符《きっぷ》
	簿	名簿《めいぼ》
米《こめへん》	粋	無粋《ぶすい》・不粋《ぶすい》・純粋《じゅんすい》・抜粋《ばっすい》
	粗	精粗《せいそ》・粗《あら》い・粗密《そみつ》・粗末《そまつ》・粗悪《そあく》・粗野《そや》
	粘	粘土《ねんど》・粘着《ねんちゃく》・粘《ねば》る・粘膜《ねんまく》
	糧	

部首	漢字	頻出用例
糸《いと》	緊	緊張《きんちょう》・緊急《きんきゅう》・緊迫《きんぱく》・緊密《きんみつ》・緊縮《きんしゅく》
糸《いとへん》	緩	緩《ゆる》める・緩急《かんきゅう》・緩衝《かんしょう》・緩和《かんわ》
	絞	
	綱	手綱《たづな》・命綱《いのちづな》
	紺	紺色《こんいろ》・濃紺《のうこん》
	繕	繕《つくろ》う・修繕《しゅうぜん》
	締	締結《ていけつ》・締《し》める
	縛	束縛《そくばく》・縛《しば》る
	紛	紛糾《ふんきゅう》・紛《まぎ》れる・紛失《ふんしつ》・内紛《ないふん》
	縫	縫《ぬ》う
羽《はね》	翻	翻意《ほんい》

部首	漢字	頻出用例
耳《みみへん》	聴	謹聴《きんちょう》・拝聴《はいちょう》・傍聴《ぼうちょう》・聴衆《ちょうしゅう》
肉《にく》	脅	脅《おど》かす・脅威《きょうい》
月《にくづき》	肝	肝《きも》
	胎	換骨奪胎《かんこつだったい》
	胆	剛胆《ごうたん》・大胆《だいたん》・豪胆《ごうたん》・落胆《らくたん》
	胞	細胞《さいぼう》・胞子《ほうし》
	膨	膨《ふく》れる・膨大《ぼうだい》
	膜	粘膜《ねんまく》・鼓膜《こまく》
艹《くさかんむり》	華	豪華《ごうか》・繁華街《はんかがい》
	菊	菊《きく》
	葬	葬式《そうしき》
	藩	
	苗	苗《なえ》
	芳	芳香《ほうこう》
虍《とらがしら とらかんむり》	虐	虐待《ぎゃくたい》
	虚	謙虚《けんきょ》・虚実《きょじつ》・虚像《きょぞう》
虫《むし》	蛮	野蛮《やばん》
行《ぎょうがまえ ゆきがまえ》	衝	要衝《ようしょう》・緩衝《かんしょう》・衝動《しょうどう》・衝突《しょうとつ》
衣《ころも》	衰	衰《おとろ》える・衰退《すいたい》
	袋	袋《ふくろ》・手袋《てぶくろ》・足袋《たび》
	裂	分裂《ぶんれつ》・決裂《けつれつ》・裂《さ》ける・破裂《はれつ》
衤《ころもへん》	裸	裸《はだか》
襾《おおいかんむり》	覆	覆《おお》う・転覆《てんぷく》
言《ごんべん》	詠	吟詠《ぎんえい》・朗詠《ろうえい》・詠嘆《えいたん》
	該	該博《がいはく》
	諮	諮《はか》る・諮問《しもん》
	譲	謙譲《けんじょう》・割譲《かつじょう》・譲渡《じょうと》・禅譲《ぜんじょう》・譲歩《じょうほ》・譲《ゆず》る
	請	懇請《こんせい》・要請《ようせい》・申請《しんせい》・下《した》請《う》け・請《う》ける
	託	嘱託《しょくたく》
	諾	快諾《かいだく》・承諾《しょうだく》・受諾《じゅだく》
	訂	改訂《かいてい》
	謀	無謀《むぼう》・共謀《きょうぼう》・知謀《ちぼう》
	誘	誘拐《ゆうかい》・誘《さそ》う・誘惑《ゆうわく》・誘発《ゆうはつ》

部首	漢字	頻出用例
豕《ぶた・いのこ》	豚	酢豚《すぶた》
貝《かい・こがい》	貫	貫《つらぬ》く・貫徹《かんてつ》・貫通《かんつう》
	賢	賢《かしこ》い・賢明《けんめい》・賢愚《けんぐ》
貝《かいへん》	賊	義賊《ぎぞく》・海賊《かいぞく》
赤《あか》	赦	容赦《ようしゃ》・赦免《しゃめん》・恩赦《おんしゃ》
走《そうにょう》	超	超《こ》える・超越《ちょうえつ》
	赴	赴任《ふにん》・赴《おもむ》く
車《くるまへん》	軌	軌道《きどう》
	軸	主軸《しゅじく》
辛《からい》	辛	辛《かろ》うじて・辛口《からくち》・辛酸《しんさん》・香辛料《こうしんりょう》・甘辛《あまから》い
辰《しんのたつ》	辱	栄辱《えいじょく》・侮辱《ぶじょく》・雪辱《せつじょく》
辶《しんにょう・しんにゅう》	遇	厚遇《こうぐう》・不遇《ふぐう》・遭遇《そうぐう》・待遇《たいぐう》
	遵	遵守《じゅんしゅ》・遵法《じゅんぽう》
	遂	未遂《みすい》・完遂《かんすい》・遂《と》げる
	遭	遭難《そうなん》・遭遇《そうぐう》
	逮	逮捕《たいほ》
阝《おおざと》	郭	輪郭《りんかく》
	郊	郊外《こうがい》・近郊《きんこう》
	邪	邪推《じゃすい》・正邪《せいじゃ》・邪魔《じゃま》・邪悪《じゃあく》・無邪気《むじゃき》
	邦	連邦《れんぽう》
酉《とりへん》	酵	発酵《はっこう》・酵素《こうそ》
	酔	酔《よ》う・麻酔《ますい》・心酔《しんすい》・陶酔《とうすい》
金《かねへん》	錯	交錯《こうさく》・錯覚《さっかく》
	鐘	鐘《かね》・警鐘《けいしょう》
	錠	手錠《てじょう》・錠剤《じょうざい》
	鍛	鍛《きた》える
	鋳	鋳《い》る
	鎮	鎮魂《ちんこん》・鎮火《ちんか》
	錬	錬磨《れんま》
門《もんがまえ》	閲	閲兵《えっぺい》・閲覧《えつらん》・校閲《こうえつ》
阝《こざとへん》	隔	隔《へだ》てる・隔世《かくせい》・間隔《かんかく》・隔絶《かくぜつ》・遠隔《えんかく》・隔離《かくり》
	随	随意《ずいい》・随時《ずいじ》
	阻	阻止《そし》・阻害《そがい》

部首	漢字	頻出用例
	陳	陳列《ちんれつ》・陳謝《ちんしゃ》
	陶	陶芸《とうげい》・陶器《とうき》・陶酔《とうすい》
	陪	
	隆	隆起《りゅうき》・隆盛《りゅうせい》
	陵	丘陵《きゅうりょう》
隹《ふるとり》	雇	雇《やと》う・解雇《かいこ》
	隻	
雨《あめかんむり》	零	零下《れいか》
	霊	霊魂《れいこん》・幽霊《ゆうれい》
頁《おおがい》	顧	顧客《こきゃく》・顧問《こもん》・回顧《かいこ》
食《しょくへん》	餓	飢餓《きが》
	飽	飽《あ》きる・飽和《ほうわ》
馬《うまへん》	騎	騎馬《きば》
	駐	駐屯《ちゅうとん》・駐車《ちゅうしゃ》・駐在《ちゅうざい》・駐留《ちゅうりゅう》
骨《ほねへん》	髄	
鬼《おに》	魂	鎮魂《ちんこん》・霊魂《れいこん》・魂《たましい》・魂胆《こんたん》・闘魂《とうこん》
	魔	睡魔《すいま》・病魔《びょうま》・邪魔《じゃま》
鬼《きにょう》	魅	魅了《みりょう》・魅力《みりょく》
魚《うおへん》	鯨	鯨《くじら》・捕鯨《ほげい》
鳥《とり》	鶏	鶏《にわとり》

※「漢字検定」「漢検」は、公益財団法人 日本漢字能力検定協会の登録商標です。

受検をお考えの方は、必ずご自身で公益財団法人 日本漢字能力検定協会の発表する最新情報をご確認ください。
ホームページ：https://www.kanken.or.jp/kanken/
【試験に関する問い合わせ】
・ホームページ（問い合わせフォーム）：**https://www.kanken.or.jp/kanken/contact/**
・電話：**0120-509-315**

編集協力（データ分析、一部問題作成）　岡野秀夫

漢字検定準2級〔頻出度順〕問題集

編　者　資格試験対策研究会
発行者　清水美成
発行所　**株式会社 高橋書店**
〒170-6014 東京都豊島区東池袋3-1-1 サンシャイン60 14階
電話　03-5957-7103

本書の内容についてのご質問は「書名、質問事項（ページ、内容）、お客様のご連絡先」を明記のうえ、郵送、FAX、ホームページお問い合わせフォームから小社へお送りください。

回答にはお時間をいただく場合がございます。また、電話によるお問い合わせ、本書の内容を超えたご質問にはお答えできませんので、ご了承ください。本書に関する正誤等の情報は、小社ホームページもご参照ください。

【内容についての問い合わせ先】
書　面　〒170-6014 東京都豊島区東池袋3-1-1 サンシャイン60 14階　高橋書店編集部
ＦＡＸ　03-5957-7079
メール　小社ホームページお問い合わせフォームから　(https://www.takahashishoten.co.jp/)

【不良品についての問い合わせ先】

ページの順序間違い・抜けなど物理的欠陥がございましたら、電話03-5957-7076へお問い合わせください。

ただし、古書店等で購入・入手された商品の交換には一切応じられません。